Diogenes Tasch

Donna Leon

Beweise, daß es böse ist

Commissario Brunettis dreizehnter Fall

Roman
Aus dem Amerikanischen von
Christa E. Seibicke

Diogenes

Titel des Originals:
›Doctored Evidence‹
Die deutsche Erstausgabe erschien 2005
im Diogenes Verlag
Das Motto aus: Mozart, *Così fan tutte,*
in der Übersetzung von Hermann Levi,
Breitkopf und Härtel, Leipzig 1898
Umschlagfoto von
Gabriele Crozzoli (Ausschnitt)
aus ›Pavimenti a Venezia / The Floors of Venice‹,
Edizione Grafiche Vianelllo srl. /
Vianello Libri, Treviso 1999

Für Alan Curtis

Veröffentlicht als Diogenes Taschenbuch, 2006
ISBN 13: 978 3 257 23581 4
ISBN 10:   3 257 23581 x

Signor dottore,
Che si può far?

Ach ja, Herr Doktor,
was raten Sie?

COSÌ FAN TUTTE

Sie war ein altes Ekel, und er haßte sie. Da er Arzt war und sie seine Patientin, drückte dieser Haß auf sein Gewissen, wenn auch nicht so schwer, daß er sie darum weniger gehaßt hätte. Wer so boshaft, habgierig und zänkisch war wie Maria Grazia Battestini – die zudem unentwegt über ihre Beschwerden klagte und über die wenigen Menschen, die ihre Gesellschaft noch ertrugen –, für den fand schließlich niemand, nicht einmal die großmütigste Seele, mehr ein gutes Wort. Der Pfarrer hatte sie schon lange aufgegeben, und ihre Nachbarn äußerten sich ablehnend, ja manchmal unverhohlen feindselig über sie. Ihre Familie blieb nur noch um der Erbschaft willen mit ihr in Kontakt. Er aber war Arzt und mithin zu seiner allwöchentlichen Visite verpflichtet, die sich freilich inzwischen auf eine flüchtige Erkundigung nach ihrem Befinden beschränkte und auf das rasche Messen von Puls und Blutdruck. In den fünf Jahren, die er nun schon zu ihr kam, war sie ihm so zuwider geworden, daß er es irgendwann aufgab, gegen seine Enttäuschung über das Ausbleiben jeglicher Krankheitssymptome anzukämpfen. Sie war mittlerweile über achtzig; nach Aussehen und Gebaren hätte man ihr gut und gern zehn Jahre mehr gegeben, und doch würde sie ihn, ja sie alle miteinander überleben.

Er hatte einen Schlüssel und war es gewohnt, sich selbst einzulassen. Das Haus, ein dreistöckiges Gebäude, gehörte ihr allein. Und obwohl nur mehr ein Teil der zweiten Etage bewohnt war, erhielt sie in ihrer Bosheit und Raffgier die

Fiktion aufrecht, sie würde alle Räumlichkeiten nutzen, bloß um zu verhindern, daß die Tochter ihrer Schwester Santina im Stockwerk über oder unter ihr einzog. Er hätte nicht sagen können, wie oft sie in den Jahren seit dem Tod ihres Sohnes wüste Beschimpfungen gegen ihre Schwester ausgestoßen und ihm beteuert hatte, welche Genugtuung es ihr bereite, die Ansprüche ihrer Familie auf das Haus zu vereiteln. Die Gehässigkeit, mit der sie von ihrer Schwester sprach, hatte seit der gemeinsamen Kindheit ständig neue Nahrung bekommen.

Er drehte den Schlüssel nach rechts, und weil venezianische Türen die Eigenart haben, nicht gleich beim ersten Versuch nachzugeben, zog er unwillkürlich die Klinke an. Dann stieß er die Tür auf und betrat den schummrigen Hausflur. Kein Sonnenstrahl durchdrang die verkrustete Schmutz- und Fettschicht, die sich jahrzehntelang auf den beiden schmalen Fenstern über dem Eingang abgelagert hatte. Dem Doktor fiel die schlechte Beleuchtung schon gar nicht mehr auf, und da Signora Battestini es seit Jahren nicht mehr die Treppe hinunter schaffte, würden die Fenster wohl auf absehbare Zeit ungeputzt bleiben. Die Feuchtigkeit, die in den Mauern nistete, hatte die Stromleitungen angegriffen, aber sie weigerte sich, einen Elektriker zu bezahlen, und so hatte er es sich abgewöhnt, den Lichtschalter zu betätigen.

Beschwingten Schrittes machte er sich auf den Weg nach oben. Für den heutigen Vormittag war dies sein letzter Hausbesuch; sobald er die alte Schreckschraube versorgt hatte, würde er sich einen Aperitif genehmigen und anschließend zum Mittagessen gehen. Er mußte erst wieder um fünf zur Sprechstunde in seine Praxis und war froh, daß ihm die Klagen seiner Patienten und der Anblick ihrer verbrauchten, aufgedunsenen Körper solange erspart bleiben würden.

Auf dem zweiten Treppenabsatz fiel ihm unversehens die neue Haushaltshilfe ein – wohl eine Rumänin, so jedenfalls hatte er die Alte verstanden, und es blieb ja keine lange genug, als daß er sich ihren Namen hätte merken können –, aber nun hoffte er, die neue würde eine Ausnahme machen. Seit ihrer Ankunft war die alte Xanthippe zumindest immer gewaschen und stank nicht mehr nach Urin. Im Lauf der Jahre hatte er die Mädchen kommen und gehen sehen; kommen, weil die Aussicht auf Arbeit und Lohn sie anlockte, auch wenn sie dafür eine Signora Battestini sauberhalten und füttern und ihre unablässigen Beschimpfungen ertragen mußten; gehen, weil eine jede irgendwann so ausgelaugt war, daß selbst die bitterste Not nicht so schwer wog wie die boshaften Attacken der Alten.

Als wohlerzogener Mensch klopfte er an der Wohnungstür; eine Artigkeit, die sich eigentlich erübrigte, da der plärrende Fernseher, der bis auf die Straße hinaus zu hören war, sein Pochen gewiß übertönte: Selbst die jüngeren Ohren der Rumänin – wie *hieß* sie doch gleich? – bemerkten sein Kommen nur selten.

Er nahm den zweiten Schlüssel, drehte ihn zweimal im Schloß und betrat die Wohnung. Wenigstens war es jetzt reinlich hier. Einmal, ungefähr ein Jahr nach dem Tod ihres Sohnes, hatte sich über eine Woche lang niemand blicken lassen, und die alte Frau war ganz auf sich allein gestellt. Er erinnerte sich bis heute an den Gestank, der ihm entgegenschlug, als er beim nächsten seiner damals vierzehntägigen Besuche die Tür aufgesperrt hatte und in der Küche einen Tisch voller Schüsseln und Teller mit verdorbenen Speisen fand, die in der brütenden Julihitze vor sich hin faulten. Und an den Anblick des von Fettwülsten gepanzerten Körpers der Alten, wie sie nackt und mit Essensresten besudelt in einem Sessel vor dem ewig plärrenden Fernseher hockte. Damals war sie, vollkommen dehydriert und geistig verwirrt, im Krankenhaus gelandet, wo man ihrer freilich schon nach drei Tagen überdrüssig wurde und sie, ihrem eigenen Wunsch gemäß, nur zu gern nach Hause entließ. Dann war die Ukrainerin gekommen, die einen knappen Monat später mitsamt einem silbernen Serviertablett verschwand, und seine Visiten wurden auf einmal pro Woche erhöht. Ansonsten hatte sich nichts verändert: Das Herz der Alten schlug weiter, ihre Lunge sog unverdrossen die stickige Wohnungsluft ein, und die Fettwülste wurden immer dicker.

Der Tisch am Eingang, auf dem er seine Tasche abstellte, war erfreulich sauber, ein sicheres Zeichen dafür, daß die Rumänin immer noch da war. Er nahm das Stethoskop, hakte es hinter die Ohren und ging ins Wohnzimmer.

Wäre der Fernseher nicht gelaufen, hätte er das Geräusch vermutlich schon vom Flur aus gehört. Aber auf dem Bildschirm verlas die mehrfach geliftete Blondine mit den Shirley-Temple-Locken gerade den Verkehrsbericht, warnte die Autofahrer im Veneto vor den zu erwartenden Behinderungen durch *traffico intenso* auf der A4 und übertönte das emsige Summen der Fliegen, die geschäftig den Kopf der Alten umschwirrten.

An den Anblick toter Greise war er gewöhnt, nur ging das Sterben im hohen Alter normalerweise gesitteter vonstatten als hier. Alte Menschen scheiden leise aus der Welt oder qualvoll, je nachdem, aber weil sie den Tod kaum noch als Bedrohung empfinden, widersetzen sich ihm die wenigsten mit Gewalt. Das hatte auch sie nicht getan.

Wer immer sie getötet hatte, mußte sie völlig überrumpelt haben, denn die leere Tasse und die Fernbedienung auf dem Tisch neben ihr waren unversehrt geblieben. Die Fliegen kreisten rastlos zwischen einer Schale mit frischen Feigen und Signora Battestinis Kopf. Die Arme der Toten waren nach vorne ausgestreckt, die linke Wange berührte den Boden. Die Wunde am Hinterkopf erinnerte ihn an einen Fußball, den der Hund seines Sohnes einmal so zerbissen hatte, daß zur Hälfte die Luft entwich. Im Gegensatz zum Kopf der Alten hatte die Hülle jedoch keinen Schaden genommen; nichts war ausgelaufen.

Er blieb in der Tür stehen und ließ den Blick suchend durch den Raum schweifen. Allein er war so benommen, daß er nicht recht wußte, wonach. Vielleicht nach dem Leichnam der Rumänin; vielleicht fürchtete er auch, daß plötzlich aus einem anderen Zimmer der Mörder auftauchen könnte. Doch nein, dem war, wie ihm die Fliegen verrieten, reichlich Zeit zur Flucht geblieben. Endlich drang der Klang einer menschlichen Stimme in sein Bewußtsein, und er schaute auf, aber alles, was er erfuhr, war, daß sich auf der A3 unweit von Cosenza ein Unfall mit einem Laster ereignet hatte.

Er durchquerte das Zimmer und stellte den Fernseher ab. Die Stille, die nun den Raum erfüllte, war weder gedämpft noch pietätvoll. Er überlegte, ob er in den anderen Zimmern nach der Rumänin suchen sollte, um ihr, sofern sie noch am Leben war, Beistand zu leisten. Statt dessen ging er zurück in den Flur, nahm das *telefonino* aus seiner Tasche, wählte die 113 und meldete einen Mord in Cannaregio.

Die Polizei hatte wenig Mühe, das Haus zu finden, denn der Arzt hatte am Telefon erklärt, die Wohnung des Opfers befände sich am Anfang der *calle* rechts vom Palazzo del Cammello. Geschmeidig legte die Barkasse am Südufer des Canale della Madonna an. Zwei uniformierte Beamte sprangen ans Ufer, von denen einer sich gleich wieder zum Boot hinunterbeugte und den drei Kriminaltechnikern beim Entladen ihrer Ausrüstung half.

Inzwischen war es fast eins geworden. Den Männern rann der Schweiß von der Stirn, und bald klebten ihnen die Jacken am Leib. Während sie über die Hitze fluchten und sich ein ums andere Mal den Schweiß abtrockneten, schleppten vier von den fünfen die Ausrüstung zur Calle Tintoretto und weiter bis zu dem Haus, vor dem ein hochgewachsener, schlanker Mann sie erwartete.

»Dottor Carlotti?« fragte der Uniformierte, der beim Entladen des Bootes nicht mit angefaßt hatte.

»Ja.«

»Sie haben uns angerufen?« Beide Männer wußten, daß die Frage überflüssig war.

»Ja.«

»Können Sie mir Näheres sagen? Warum waren Sie hier?«

»Ich wollte zu einer Patientin – ich besuche sie einmal die

Woche –, Maria Grazia Battestini, und als ich in die Wohnung ging, fand ich sie am Boden. Tot.«

»Sie haben einen Schlüssel?« Die Frage klang ganz unbeteiligt, und doch war der Argwohn dahinter spürbar.

»Ja, schon seit ein paar Jahren. Wie ich von vielen meiner Patienten Schlüssel habe«, sagte Carlotti und stockte beklommen, als ihm klar wurde, daß der Nachsatz in den Ohren eines Polizisten wohl wie eine Rechtfertigung klang.

»Würden Sie mir genau schildern, was Sie vorgefunden haben?« fragte der Uniformierte.

Seine Kollegen hatten unterdessen ihre Gerätschaften im Hausflur deponiert und schickten sich an, die restlichen Sachen vom Boot zu holen.

»Sie ist tot. Ermordet.«

»Wieso sind Sie so sicher, daß es Mord war?«

»Weil ich die Leiche gesehen habe«, versetzte Carlotti und ließ es dabei bewenden.

»Haben Sie auch eine Ahnung, wer sie ermordet haben könnte, Dottore?«

»Nein, was den Täter angeht – also über ihn weiß ich natürlich nichts«, sagte der Arzt mit Nachdruck. Aber was empört klingen sollte, wirkte nur angespannt.

»Ihn?«

»Was?« fragte Carlotti.

»Sie sagten ›ihn‹, Dottore. Ich wüßte gern, wieso Sie glauben, daß ein Mann die Tat begangen hat.«

Carlotti setzte zu einer Entgegnung an, doch die verbindlichen Worte, die er zu formen suchte, entglitten ihm, und statt dessen erklärte er unwirsch: »Schauen Sie sich ihren Kopf an, und dann sagen Sie mir, das hätte eine Frau getan.«

Er war selbst verwundert über seinen Zorn oder vielmehr die Wucht, mit der er sich entlud. Dabei waren es nicht die Fragen des Polizisten, die ihn wütend machten, sondern der Umstand, daß er sich dadurch verunsichern ließ. Er hatte doch nichts Unrechtes getan, hatte nur zufällig den Leichnam der alten Frau entdeckt, und trotzdem flößte jede Berührung mit der Obrigkeit ihm Furcht ein und die Gewißheit, daß man ihm etwas anhängen würde. Zu was für Memmen wir uns entwickelt haben, schoß es ihm durch den Kopf, aber dann fragte der Polizist: »Wo ist sie?«

»Im zweiten Stock.«

»Haben Sie die Tür offengelassen?«

»Ja.«

Der Polizist betrat den Flur, wohin die anderen sich vor der Sonne geflüchtet hatten, und wies mit dem Kinn nach oben. An den Arzt gewandt, sagte er: »Sie kommen bitte mit rauf.«

Carlotti folgte den Beamten, entschlossen, sowenig wie möglich zu sagen und sich vor allem nicht einschüchtern zu lassen. Er war mit dem Tod vertraut, und der Anblick der Leiche, so schrecklich sie auch zugerichtet war, hatte ihn weniger verstört als seine instinktive Scheu vor irgendwelchen Unannehmlichkeiten mit der Polizei.

Oben angelangt, betraten die Polizisten die Wohnung, ohne anzuklopfen; der Arzt wartete lieber draußen auf dem Treppenabsatz. Zum erstenmal seit fünfzehn Jahren überfiel ihn ein so starkes Verlangen nach einer Zigarette, daß er spürte, wie sein Herzschlag sich beschleunigte.

Er hörte die Beamten in der Wohnung umhergehen und verstand, was sie einander zuriefen, obwohl er gar nicht versuchte zu lauschen. Die Stimmen wurden leiser, als die Männer ins nächste Zimmer vorrückten, dorthin, wo die Leiche lag. Carlotti trat ans Fenster und lehnte sich achtlos an den schmutzstarrenden Sims. Er fragte sich, wozu er hier eigentlich noch gebraucht wurde, und nur sein Widerwille, die Wohnung noch einmal zu betreten, hielt ihn davon ab, Bescheid zu sagen, man könne ihn, wenn nötig, in seiner Praxis erreichen.

Nach einer Weile kam der Uniformierte, der mit ihm gesprochen hatte, auf den Flur hinaus. In der plastikbehandschuhten Hand schwenkte er einige Papiere. »Hatte die Signora jemanden bei sich wohnen?« fragte er.

»Ja.«

»Wen?«

»Eine Haushaltshilfe. Ich weiß nicht, wie sie heißt, aber ich glaube, sie stammt aus Rumänien.«

Der Polizist hielt ihm ein Blatt unter die Nase. Es war ein handschriftlich ausgefülltes Formular, und die Frau mit dem runden Gesicht auf dem Paßfoto in der linken unteren Ecke mochte die Rumänin sein. »Ist das die Frau?« fragte der Beamte.

»Ich glaube schon«, antwortete Dottor Carlotti.

»Florinda Ghiorghiu«, las der Polizist von dem Formular ab, und da fiel es auch dem Arzt wieder ein.

»Ja, Flori«, bestätigte er und fragte gespannt: »Ist sie da drin?« Hoffentlich kam es der Polizei nicht seltsam vor, daß er nicht nach ihr gesucht hatte, und hoffentlich hatten sie jetzt nicht auch ihren Leichnam gefunden.

»Kaum«, antwortete der Polizist merklich gereizt. »Von ihr fehlt jede Spur, aber die Wohnung ist völlig verwüstet.

Jemand hat alles durchwühlt und bestimmt alles Wertvolle mitgehen lassen.«

»Sie glauben…« hob Carlotti an, doch der Polizist fiel ihm ins Wort.

»Ja, natürlich!« konterte er so heftig, daß der Arzt erschrocken zurückwich. »Die aus den Ostblockstaaten sind doch alle gleich. Lauter Geschmeiß.« Bevor Carlotti etwas einwenden konnte, hatte der Polizist sich so in Rage geredet, daß er die Worte förmlich ausspie. »In der Küche liegt eine blutverschmierte Schürze. Klarer Fall: Die Rumänin hat sie umgebracht.« Und dann, wie in einem Nachruf auf Maria Grazia Battestini, den Dottor Carlotti ihr wahrscheinlich nicht gewährt hätte, seufzte er noch: »Arme alte Frau.«

2

Der Beamte, der die Ermittlungen leitete, Tenente Scarpa, entließ Dottor Carlotti mit der Weisung, er dürfe ohne polizeiliche Erlaubnis die Stadt nicht verlassen. Scarpas Ton verriet dabei einen so unmißverständlichen Schuldverdacht, daß Carlotti der Protest auf den Lippen erstarb und er wortlos verschwand.

Als nächstes erschien Dottor Ettore Rizzardi, *medico legale* der Stadt Venedig, dem es oblag, das Opfer für tot zu erklären und erste Angaben zur mutmaßlichen Tatzeit zu machen. Nüchtern, wenn auch mit übertriebener Höflichkeit gegen Tenente Scarpa, konstatierte Rizzardi, daß Signora Battestini offenbar an mehreren Schlägen auf den Kopf gestorben sei, ein Befund, den, so meinte er, die Obduktion bestätigen würde. Weiter befand Dr. Rizzardi, nachdem er die Temperatur der Leiche gemessen hatte, der Tod sei, ungeachtet der Fliegen, wahrscheinlich vor zwei bis vier Stunden eingetreten, also irgendwann zwischen zehn und zwölf Uhr morgens. Und nach einem Blick auf Scarpas abschätzige Miene setzte der Gerichtsmediziner hinzu, daß er nach der Obduktion präzisere Angaben machen könne, es aber für höchst unwahrscheinlich halte, daß die Frau länger als vier Stunden tot sei. Zur Mordwaffe wollte Rizzardi vorerst nicht mehr sagen, als daß es sich um einen schweren Gegenstand mit gekerbten oder kantigen Ecken handle, vielleicht aus Metall, vielleicht auch aus Holz. Er traf diese Aussage ohne Kenntnis der blutverschmierten Bronzestatue des unlängst seliggesprochenen Padre Pio, die in einer durchsichtigen Plastiktüte auf den Abtransport ins Labor wartete, wo man sie auf Fingerabdrücke untersuchen würde.

Nachdem der Leichnam äußerlich begutachtet und fotografiert worden war, ließ Scarpa ihn zur Obduktion ins Ospedale Civile bringen und mahnte Rizzardi zur Eile. Die Kriminaltechniker wies er an, sich die Wohnung vorzunehmen, auch wenn das, nach dem wüsten Durcheinander zu schließen, schon andere besorgt hatten. Er selbst machte sich nach Rizzardis stummem Abgang in dem Hinterzimmer auf Spurensuche, das offenbar Florinda Ghiorghiu als Schlafraum gedient hatte. Während im Wohnzimmer das Oberste zuunterst gekehrt war, hatte dieses triste Gelaß, kaum größer als eine Besenkammer, den Täter offenbar nicht interessiert. Die Einrichtung beschränkte sich auf ein schmales Bett und ein Regal mit einem abgewetzten Vorhang, der ursprünglich wohl als Tischtuch gedient hatte. Dahinter fand Scarpa zwei zusammengefaltete Blusen und zweimal Unterwäsche zum Wechseln. Ein Paar schwarze Turnschuhe standen ordentlich nebeneinander am Boden. Auf dem Fenstersims über dem Bett entdeckte er ein Foto von drei kleinen Kindern in einem billigen Papprahmen und ein Buch, das er nicht weiter beachtete. Ein kartonierter Ordner enthielt Fotokopien von Personalpapieren: die ersten beiden Seiten von Florinda Ghiorghius rumänischem Paß sowie Duplikate ihrer italienischen Aufenthalts- und Arbeitserlaubnis. Laut Ausweis war sie 1953 geboren und von Beruf »Haushaltshilfe«. Beigefügt war eine nur zur Hälfte entwertete Rückfahrkarte zweiter Klasse für die Strecke Bukarest – Venedig. Da sich in dem Raum weder

Tisch noch Stuhl befand, war die Durchsuchung hiermit abgeschlossen.

Tenente Scarpa zückte sein *telefonino*, erfragte bei der Questura die Nummer der Grenzpolizei in Villa Opicina und meldete sich dort mit Namen und Dienstgrad. Dann schilderte er in knappen Worten den Mord und erkundigte sich, wann der nächste Zug aus Venedig die Grenze passieren würde. Möglicherweise sitze die Tatverdächtige in ebendiesem Zug, erklärte er und wies nachdrücklich darauf hin, daß es sich bei der Gesuchten um eine Rumänin handle, die man, falls ihr die Flucht in ihr Heimatland gelänge, schwerlich wieder ausliefern würde, weshalb man sie unter allen Umständen noch vor der Grenze abfangen müsse.

Nachdem er versprochen hatte, den Kollegen ihr Foto durchzufaxen, sobald er wieder in der Questura war, unterstrich der Tenente noch einmal die Brutalität des Verbrechens und legte auf.

Die weitere Spurensuche am Tatort überließ Scarpa den Kriminaltechnikern und befahl dem Bootsmann, ihn zur Questura zurückzubringen, von wo er Florinda Ghiorghius Ausweis an die Grenzpolizei faxte. Das Foto würde hoffentlich erkennbar in Villa Opicina ankommen. Anschließend begab Tenente Scarpa sich zu seinem Vorgesetzten, Vice-Questore Giuseppe Patta, um ihm zu melden, wie zügig Gewaltverbrechen in seiner Stadt verfolgt würden.

Als das Fax in Villa Opicina eintraf, telefonierte der diensthabende Offizier der Grenzpolizei, Capitano Luca Peppito, bereits mit dem *capostazione* der Bahnstation und wies ihn an, den Zagreb-Express aufzuhalten, damit er und seine Männer den Zug nach einer heimtückischen Mörderin durchsuchen könnten, die im Begriff sei, außer Landes zu fliehen. Peppito legte den Hörer auf, vergewisserte sich, daß seine Pistole geladen war, und ging hinunter, um seine Männer zusammenzutrommeln.

Zwanzig Minuten später lief der Intercity nach Zagreb in den Grenzbahnhof ein, wo normalerweise nur ein kurzer Halt für Lokomotivenwechsel und Paßkontrolle vorgesehen war. Dagegen geriet die Zollkontrolle zwischen diesen beiden Kleindarstellern auf der Bühne des vereinten Europas in den letzten Jahren mehr und mehr zur bloßen Formsache; ab und zu kassierte man noch die Gebühr für eine Stange Zigaretten oder eine Flasche Grappa, deren Ein- bzw. Ausfuhr indes keines der beteiligten Länder mehr um seinen wirtschaftlichen Fortbestand bangen ließ.

Peppito hatte seine Männer an beiden Enden des Zuges postiert und hielt zusätzlich eine Doppelstreife am Bahnhofseingang in Bereitschaft; allen war eingeschärft worden, daß sie keinen weiblichen Passagier ohne gründliche Überprüfung der Papiere durchlassen dürften.

Drei Männer stiegen in den letzten Wagen ein und arbeiteten sich nach vorne vor. Abteil für Abteil kontrollierten sie systematisch jeden Fahrgast und ließen auch die Toiletten nicht aus, während Peppito ihnen von der Zugspitze her mit zwei Beamten entgegenrückte.

Peppitos Sergente war es, der die Gesuchte auf einem Fensterplatz eines Zweite-Klasse-Abteils entdeckte, gleich im ersten Wagen hinter der Lokomotive. Fast hätte er sie übersehen, weil sie, den Kopf ans Fenster gelehnt, schlief oder sich schlafend stellte. Aber das breitflächige, slawische Gesicht fiel ihm doch auf, ebenso wie die gedrungene, muskulöse Statur, die man bei osteuropäischen Frauen weit häufiger antrifft als im Westen. Außer ihr saßen noch zwei Reisende im Abteil, ein beleibter Mann mit rotem Kopf, der eine deutschsprachige Zeitung las, und ein älterer Herr, der über einem Worträtsel in der *Settimana Enigmistica* brütete. Peppito schob die Tür so schwungvoll zurück, daß sie gegen den Rahmen krachte, was die Schlafende erschrocken auffahren ließ. Verwirrt blickte sie um sich. Die beiden Männer sahen zu den uniformierten Beamten hoch. »*Sì?*« fragte der ältere leicht gereizt.

»Signori, verlassen Sie das Abteil«, befahl Peppito, und um jedem Einwand zuvorzukommen, strich er mit der Rechten über den Schaft seiner Pistole. Das genügte, und die Männer räumten unverzüglich das Feld, ja versuchten nicht einmal, ihre Koffer mitzunehmen. Offenbar in dem Glauben, der Befehl gelte auch für sie, erhob sich die Frau am Fenster.

Doch als sie sich an Peppito vorbeizwängen wollte, packte der sie mit festem Griff am linken Unterarm. »Papiere, Signora!« verlangte er herrisch.

Sie sah unter flatternden Lidern zu ihm auf. »*Cosa?*« fragte sie ängstlich.

»*Documenti!*« wiederholte er lauter.

Sie lächelte nervös; eigentlich verzog sie nur beschwichtigend die Gesichtsmuskeln, zum Zeichen, wie harmlos und gutwillig sie sei. Aber er sah wohl, daß ihr Blick den Gang entlang und zur Waggontür huschte. »*Sì, sì, Signore. Momento. Momento*«, stammelte sie mit so schwerem Akzent, daß die Worte fast unverständlich waren.

In ihrer rechten Hand baumelte eine Plastiktüte. »*La*

borsa«, sagte Peppito und zeigte auf die Tüte, die von Billa und eigentlich für Lebensmittel bestimmt war.

Auf seine Geste hin ließ sie die Tüte hastig hinter dem Rücken verschwinden. »*Mia, mia*«, beteuerte sie ihr Eigentumsrecht, aber ihre Körpersprache verriet Angst.

Sie machte eine Kehrtwendung, doch Peppito war ein kräftiger Mann, dem es mühelos gelang, sie wieder zu sich herzudrehen. Dann ließ er ihren Arm los und entwand ihr die Tüte. Die aber enthielt nichts außer zwei reifen Pfirsichen und einer Geldbörse. Peppito nahm die Börse heraus und ließ die Tüte fallen. Forschend sah er die Frau an, deren Gesicht so weiß geworden war wie ihr Haaransatz. Als er das kleine Plastikportemonnaie aufmachte, quollen ihm die Hunderteuronoten nur so entgegen.

Einer seiner Männer war unterwegs, um den Kollegen zu melden, daß man die Gesuchte dingfest gemacht habe, und der andere erklärte den beiden Fahrgästen draußen im Gang, sobald die Frau aus dem Zug geschafft sei, könnten sie in ihr Abteil zurück.

Peppito ließ die Geldbörse zuschnappen und wollte sie in seine Jackentasche stecken. Die Frau fiel ihm in den Arm, aber Peppito schlug ihre Hand weg und rief den Männern im Gang etwas zu. Er stand lässig vorgebeugt in der offenen Abteiltür, und als die Frau sich mit ihrem ganzen Gewicht gegen ihn warf, taumelte er auf den Gang hinaus, wo er die Balance verlor und zur Seite fiel. Die Frau nützte ihre Chance, schlüpfte an ihm vorbei und lief auf die offene Waggontür zu. Peppito rappelte sich fluchend wieder hoch, aber da war sie schon die Stufen hinunter und rannte neben dem Zug den Bahnsteig entlang.

Peppito und sein Sergente setzten ihr nach und sprangen, die Pistole im Anschlag, auf den Perron. Die Frau, die schon an der Lokomotive vorbei war, wandte im Laufen den Kopf zurück. Beim Anblick der Waffen stieß sie einen Schreckensschrei aus und wechselte vom Bahnsteig ins Gleisbett hinunter. Von fern ließ sich, sofern man nicht vor lauter Angst wie betäubt war, das Herannahen eines Güterzuges vernehmen, der von Ungarn kommend südwärts fuhr.

Die Grenzer und ihre lauten Rufe folgten der Fliehenden. Sie hob den Kopf, sah den Zug, schaute zurück, um die Entfernung zwischen sich und ihren Verfolgern abzuschätzen, und beschloß, der Gefahr zu trotzen. Sich hart neben den Gleisen haltend, hastete sie ein Stück weiter vorwärts, schlug dann unvermittelt einen Haken und sprang nur wenige Meter vor dem nahenden Zug nach links. Die Grenzer schrien auf, und der Pfiff der Lokomotive ertönte im selben Moment, da das Kreischen der Bremsen die Luft zerriß. Vielleicht war es der gellende Lärm, der die Frau ins Straucheln brachte; vielleicht setzte sie auch nur den Fuß auf die Schiene statt in den Schotter. Jedenfalls fiel sie, aus welchem Grund auch immer, auf die Knie, raffte sich indes sofort wieder auf und machte einen Satz nach vorn. Zu spät, wie die Grenzer aus der größeren Entfernung vorausgesehen hatten; im nächsten Moment wurde sie von der Lokomotive erfaßt.

Peppito sprach nie wieder über das, was dann geschah, wenigstens nicht, nachdem er es an diesem Nachmittag in seinem Bericht festgehalten hatte. Genausowenig wie der Beamte in seiner Begleitung oder die Besatzung des Güterzuges, obgleich einer von denen so etwas schon einmal erlebt hatte, drei Jahre zuvor, unweit von Budapest.

Die Zeitungen berichteten später, in der Tasche der Frau seien siebenhundert Euro sichergestellt worden. Signora Battestinis Nichte sagte aus, sie habe tags zuvor, ausgestattet mit der entsprechenden Vollmacht, die Pension der Tante beim Postamt abgeholt und ihr nach Hause gebracht: siebenhundertzwölf Euro.

So, wie die Leiche der Rumänin zugerichtet war, sah man davon ab, sie nach Blutspuren von Signora Battestini zu untersuchen. Einer ihrer Mitreisenden sagte aus, sie habe sehr verstört gewirkt, als sie in Venedig zugestiegen sei, sich aber merklich beruhigt, je weiter der Zug sich von der Lagunenstadt entfernte. Und der zweite wußte zu berichten, daß sie die Plastiktüte nicht aus der Hand gelassen und sogar zur Toilette mitgenommen habe.

In Ermangelung anderer Verdächtiger erklärte man die Tote aus dem Zug für die mutmaßliche Mörderin und kam überein, die Tatkraft der Polizei nicht weiter mit überflüssigen Ermittlungen zu vergeuden. Nach offizieller Lesart war der Fall damit nicht abgeschlossen, sondern nur auf Eis gelegt: Wenn man den Dingen ihren Lauf ließ, würde er ganz von allein in Vergessenheit geraten und mit der Zeit ebenso zu Makulatur werden wie die Schlagzeilen, die der Mord und die Flucht der Rumänin vorerst noch machten.

Die Behörden bemühten sich immerhin, das für den Mord an Maria Grazia Battestini relevante Material aus ihrem Umfeld zusammenzutragen. Ihre Nichte sagte aus, die Rumänin, die sie nur als Flori gekannt habe, sei zum Zeitpunkt des Verbrechens vier Monate bei ihrer Tante gewesen. Nein, die Nichte hatte sie nicht eingestellt: Dafür war die Anwältin ihrer Tante zuständig. Wie sich herausstellte, betreute Dottoressa Roberta Marieschi eine ganze Reihe von Senioren als Rechtsbeistand und beschaffte ihnen bei Bedarf gern auch Haushaltshilfen oder Zugehfrauen, vornehmlich aus Rumänien, wo sie mit verschiedenen Wohlfahrtsorganisationen zusammenarbeitete.

Dottoressa Marieschi wußte nicht mehr über Florinda Ghiorghiu als was in ihrem Paß stand, von dem auch sie eine Kopie verwahrte. Das Original wurde in einem Leibgürtel sichergestellt, den die Rumänin um die Taille trug, und erwies sich, sobald man das Dokument gereinigt und untersucht hatte, als Fälschung, und nicht einmal eine besonders gute. Dem Polizisten, der Dottoressa Marieschi dazu befragte, antwortete sie, es sei nicht ihre Aufgabe, die Gültigkeit eines von der Einwanderungsbehörde für echt befundenen Passes nachzuprüfen. Sie kümmere sich nur darum, für die Inhaberin besagten Passes – *den die Einwanderungsbehörde für echt befunden hat*, wie sie genüßlich wiederholte – unter ihren Klienten einen geeigneten Arbeitgeber zu finden.

Florinda Ghiorghiu habe sie nur einmal getroffen, vor vier Monaten, als sie die Frau zu Signora Battestini gebracht und die beiden miteinander bekannt gemacht habe. Danach habe es keinen Kontakt mehr gegeben. Ja, Signora Battestini hatte sich über die Rumänin beschwert, aber Signora Battestini beschwerte sich immer über die Hilfen, die man ihr schickte.

Da der Fall offiziell noch nicht abgeschlossen war, erhielt die Nichte auch keine Antwort auf ihre wiederholte

Frage, wie lange die Wohnung ihrer Tante erkennungsdienstlich behandelt und wann sie wieder freigegeben werde. Irgendwann wurde sie die Warterei leid und wandte sich an Dottoressa Marieschi, die ihr versicherte, aus dem Testament ihrer Tante gehe einwandfrei hervor, daß sie als Alleinerbin über das gesamte Haus verfügen könne. Eine Woche nach Signora Battestinis Tod trafen sich die beiden Frauen, um ausführlich über die Rechtslage zu beraten. Von der Anwältin ermutigt, begab sich die Nichte tags darauf in die Wohnung und veranstaltete ein Großreinemachen. Was immer ihr wertvoll oder wichtig erschien, wanderte, in Kartons verpackt, auf den Dachboden. Ausrangierte Kleider und nutzlosen Kleinkram stopfte sie in große Plastikmüllsäcke, die vor der Haustür abgestellt wurden. Schon am nächsten Tag rückten die Maler an, denn Dottoressa Marieschi hatte die Erbin davon überzeugt, daß sie ein lukratives Geschäft machen könne, wenn sie die Wohnung renoviert und neu eingerichtet in wöchentlichem Turnus an Touristen vermietete. Um geeignete Abnehmer wollte die Anwältin sich gerne kümmern, und nein, wenn die Verträge mündlich geschlossen würden und die Zahlungen in bar erfolgten, sah sie keinen Grund, diese Einkünfte dem Finanzamt zu melden. Nach einer weiteren Konsultation mit Dottoressa Marieschi, die ihr eine sagenhafte Rendite in Aussicht stellte, fand sich die Nichte bereit, auch die übrigen Wohnungen des Hauses zu renovieren.

So viel zum Stand der Dinge knapp drei Wochen nach dem Tod von Maria Grazia Battestini. Ihre irdischen Güter waren auf den Dachboden verbannt, lieblos in Kartons ge-

pfercht von ihrer Nichte und Alleinerbin, die sich nur inso-
fern dafür interessierte, als sie eines Tages, wenn sie dazu
käme, die Sachen gründlich zu sortieren, etwas Wertvolles
darunter zu finden hoffte. Und für die frisch gestrichene
Wohnung der Verstorbenen lag bereits eine sehr ernstge-
meinte Anfrage eines holländischen Zigarrenfabrikanten
vor, der die Räume gern in der letzten Augustwoche mieten
wollte.

3

Eigentlich waren alle Beteiligten mit der Situation zufrieden: die Polizei, die den Fall zwar nicht aufgeklärt, aber doch so gut wie ad acta gelegt hatte; Signora Battestinis Nichte, Graziella Simionato, der sich mit dem Erbe eine ebenso bequeme wie willkommene neue Erwerbsquelle erschloß; und nicht zuletzt Roberta Marieschi, die sich zu dem eleganten Schachzug gratulierte, mit dem es ihr gelungen war, die Familie Battestini weiterhin an ihre Kanzlei zu binden. Zweifellos wäre auch alles so geblieben, wenn nicht der mächtige Hausgott Venedigs, ja aller Städte und Gemeinwesen, dazwischengefunkt hätte: der Klatsch.

Am Spätnachmittag des dritten Sonntags im August gingen im zweiten Stock eines Hauses am Canale della Misericordia, nicht weit vom Palazzo del Cammello, die Fensterläden auf. Assunta Gismondi, die Wohnungsinhaberin, lebte von Geburt an in Venedig, auch wenn die gelernte Grafikdesignerin inzwischen hauptsächlich für ein Architekturbüro in Mailand arbeitete. Als sie die Läden zurückgeschlagen hatte, um die dumpfige Luft aus der Wohnung zu vertreiben, und ihr Blick sich aus jahrelanger Gewohnheit auf die Fenster jenseits des Kanals richtete, sah sie überrascht, aber sicher nicht enttäuscht, daß drüben im zweiten Stock die Läden geschlossen waren.

Signora Gismondi packte den Koffer aus, hängte ein paar Kleidungsstücke auf und stopfte andere in die Waschmaschine. Sie schaute die Post durch, die sich während ihres dreiwöchigen Londonaufenthalts angesammelt hatte, und las die eingegangenen Faxe. Den Computer schaltete sie gar nicht erst ein; dank des regen E-Mail-Verkehrs mit ihrem Liebsten und auch mit der Firma, der sie ihren Fortbildungskurs verdankte, hielt sich ihre Neugier auf irgendwelche neuen Nachrichten, die in ihrer Abwesenheit auf dem heimischen PC eingegangen waren, in Grenzen. Statt dessen nahm sie ihre Einkaufstasche und machte sich auf den Weg ins Billa an der Strada Nuova, dem einzigen Laden, in dem auch sonntags um diese Zeit noch alle nötigen Zutaten für eine frisch zubereitete Mahlzeit zu bekommen waren. Der Gedanke an einen weiteren Abend im Restaurant erfüllte sie mit Grauen. Lieber wollte sie zu Hause mit Pasta *aglio olio e peperoncini* vorliebnehmen, als noch einmal allein unter lauter Fremden zu speisen.

Das Billa an der Strada Nuova hatte tatsächlich noch offen, und Signora Gismondi konnte ihre Tasche nicht nur mit frischen Tomaten, Auberginen, Knoblauch und Salat füllen, sondern bekam auch zum erstenmal seit drei Wochen anständiges Obst und würzigen Käse, ohne für winzige Portionen gleich einen ganzen Wochenlohn hinblättern zu müssen. Daheim in ihrer Küche gab sie Olivenöl in eine Pfanne, hackte erst zwei, dann drei, dann vier Knoblauchzehen klein, ließ sie auf niedriger Flamme anbraten und sog mit einer tiefen, ja fast schon andächtigen Freude den Duft in die Nase, froh, wieder zu Hause zu sein, umgeben von den Dingen, Gerüchen und Bildern, die ihr ans Herz gewachsen waren.

Eine halbe Stunde später rief ihr Geliebter an, immer noch aus Argentinien, wo sich, wie er sagte, die Lage zusehends verschlechterte. Aber in etwa einer Woche versprach er zurück zu sein und für mindestens drei Tage von Rom herüberzufliegen. Nein, seiner Frau gegenüber würde er eine Geschäftsreise nach Turin vorschützen; ihr wäre es sowieso egal. Nach dem Telefonat setzte Assunta sich an den Küchentisch und aß einen Teller Pasta mit Tomatensauce und gegrillten Auberginen und hinterher noch zwei Pfirsiche. Dazu trank sie eine halbe Flasche Cabernet Sauvignon. Als ihr Blick durchs Fenster auf das Nachbarhaus fiel, schickte sie ein Stoßgebet zum Himmel und gelobte, sich nie wieder etwas vom Leben zu erbitten, falls sie dieses eine Mal erhört würde und die Läden drüben für immer geschlossen blieben.

Am nächsten Morgen machte sie auf dem Weg zu ihrer Lieblingsbar und einem Frühstück aus Kaffee und Brioche beim Zeitungsladen halt.

»Guten Morgen, Signora«, begrüßte sie der Mann hinter der Theke. »Sie habe ich ja schon eine ganze Weile nicht mehr gesehen. Waren Sie im Urlaub?«

»Nein, auf Dienstreise. In London.«

»Und, hat es Ihnen gefallen?« fragte er in einem Ton, der dieser Möglichkeit kaum eine Chance gab.

Sie griff nach dem *Gazzettino*, der in fetten Schlagzeilen von politischem Bankrott, Umweltkatastrophen und einem Verbrechen aus Leidenschaft in der Lombardei berichtete. Wie schön, wieder zu Hause zu sein. Auf die Frage des Zeitungshändlers antwortete Assunta mit einem verspäteten Schulterzucken, das soviel hieß wie: Wem gefällt es schon zu arbeiten, egal in welcher Stadt oder welchem Land.

»Es war ganz nett«, sagte sie schließlich ausweichend. »Aber es ist schön, wieder zu Hause zu sein. Und bei Ihnen? Gibt's was Neues?«

»Dann haben Sie es noch gar nicht gehört?« fragte er und strahlte vor Freude, weil er ihr die Schreckensnachricht als erster übermitteln durfte.

»Nein? Was denn?«

»Die Battestini, Ihre Nachbarin von gegenüber. Sie wissen von nichts?«

Ihr fielen die Fensterläden ein, und sie unterdrückte verschämt eine leise aufkeimende Hoffnung. »Nein. Ich weiß gar nichts. Was ist denn geschehen?« Sie legte die Zeitung auf die Theke und beugte sich zu ihm hinüber.

»Sie ist tot. Ermordet«, sagte er, andächtig das letzte Wort liebkosend.

Signora Gismondi verschlug es die Sprache. »Nein!« keuchte sie fassungslos. »Wie ist das passiert? Wann?«

»Vor ungefähr drei Wochen. Der Arzt, Sie wissen schon, der Doktor, der bei den alten Leuten Hausbesuche macht, also der hat sie gefunden. Mit eingeschlagenem Schädel.« Er hielt inne, um die Wirkung seiner Worte abzuschätzen, und da sie ihm angemessen schien, fuhr er fort: »Mein Cousin kennt einen der Polizisten, die zum Tatort gerufen wurden, und der meinte, wer immer es getan hat, muß sie wirklich gehaßt haben. Zumindest behauptet mein Cousin, daß er das gesagt hat.«

Der Zeitungshändler musterte seine Zuhörerin. »Aber das hat sie ja wohl auch, hm? Die Alte gehaßt, meine ich.«

»Was?« fragte Signora Gismondi, die sich, noch ganz benommen von der unerwarteten Nachricht, auf seine rätselhafte Bemerkung keinen Reim machen konnte. »Wer? Ich weiß nicht, wen Sie meinen.«

»Na, die Rumänin. Die war's doch, die hat sie umgebracht.« Er weidete sich an ihrer Verwirrung und ging zum zweiten, noch spannenderen Akt seines Dramas über. »Ja, ja, sie hat noch versucht, außer Landes zu fliehen, wurde aber im Zug nach Rumänien geschnappt.«

Signora Gismondi war plötzlich blaß geworden, doch das war erst recht nach seinem Geschmack. »Oben an der Grenze hat man sie abgefangen. Ich glaube in Villa Opicina. Ganz abgebrüht saß sie da im Zug, nachdem sie nur wenige Stunden zuvor die alte Frau erschlagen hatte. Von den Grenzern hat sie auch einen angefallen und wollte ihn unter einen fahrenden Zug stoßen, aber der Mann konnte sich zum Glück gerade noch retten, und statt dessen hat es sie erwischt.« Er sah ihr entgeistertes Gesicht und ergänzte, wohl mehr aus Respekt vor seinen Quellen: »So stand es jedenfalls in den Zeitungen, und so hab ich's auch von den Leuten gehört.«

»Wen hat's erwischt? Flori?«

»Hieß sie so, die Rumänin?« fragte er. Daß seine Kundin den Namen dieser Mörderin kannte, machte ihn mißtrauisch.

»Ja«, sagte Signora Gismondi. »Was ist mit ihr passiert?«

Die Frage schien ihn zu verblüffen. War es denn nicht sonnenklar, was passierte, wenn jemand von einem Zug überfahren wurde? »Ich hab's Ihnen doch gesagt, Signora«, versetzte er ungeduldig. »Sie ist unter den Zug geraten. Dort oben in Villa Opicina oder wo immer es war.« Der Mann war nicht besonders helle und hatte wenig Phantasie, weshalb diese Schilderung ihn nicht weiter berührte. Für ihn waren es nur Worte, und während er sie aussprach, sah er weder die Stahlräder vor sich, die, eine gewaltige Reibung erzeugend, über eisenblanke Schienen donnerten, noch konnte er sich ausmalen, was geschah, wenn ein Etwas, ein Jemand dazwischen zermalmt wurde.

Signora Gismondi stützte sich wie haltsuchend mit einer Hand auf den Zeitungsstapel. »Sie ist also tot?« fragte sie, als hätte der Mann gar nichts gesagt.

»Ja, sicher«, antwortete er ungehalten. Wie konnte man nur so begriffsstutzig sein? »Aber die arme alte Frau auch«, stieß er so entrüstet hervor, daß sie es im Ohr behielt.

»Natürlich«, sagte sie leise. »Grauenhaft, einfach grauenhaft.« Sie kramte ein paar Münzen aus der Tasche, legte sie auf die Theke, vergaß die Zeitung mitzunehmen und schwor sich, als sie den Laden verließ, ihn nie wieder zu betreten. Arme alte Frau. Arme alte Frau.

Sie verzichtete auf das Frühstück und kehrte auf dem schnellsten Weg in ihre Wohnung zurück, wo sie sich ins Internet einwählte und, obwohl sie das noch nie gemacht hatte, ja nicht einmal wußte, ob es überhaupt ging, den *Gazzettino* vom Tag nach ihrer Abreise aufrief. Jetzt bereute sie es, daß sie sich in London so konsequent abgeschottet hatte: keine Zeitungen und keine Nachrichten von daheim, kein Kontakt zu anderen Italienern. Es war fast, als hätten diese letzten drei Wochen in der Heimat gar nicht stattgefunden. Auch wenn der *Gazzettino* ihr im Nu das Gegenteil bewies.

Sie las nur die Artikel, die sich mit dem Mord an Signora Battestini befaßten, und während die täglichen Ausgaben über ihren Bildschirm wanderten, nahm die Geschichte nach und nach Gestalt an. Im wesentlichen deckten sich die Berichte mit der Schilderung des Zeitungshändlers: Alte Frau von ihrem Arzt tot aufgefunden, rumänisches Hausmädchen verschwunden, Express an der Grenze aufgehalten, Fluchtversuch mit Todesfolge. Falsche Papiere, eine Frau dieses Namens existierte nicht, Familie untröstlich über Ermordung ihrer Lieblingstante, Opfer in aller Stille beigesetzt.

Assunta Gismondi schaltete den Computer aus und starrte ratlos auf den schwarzen Bildschirm, bis sie das leid wurde und sich den Büchern zukehrte, die eine Wand ihres Arbeitszimmers säumten. Erst las sie die Namen der Dichter auf dem obersten Regal: Aristoteles, Platon, Aischylos, Euripides, Plutarch, Homer, dann schweifte ihr Blick zum Fenster und suchte nach den geschlossenen Läden auf der anderen Seite des Kanals.

Entschlossen griff sie zum Telefon, das rechts neben ihrem Computer stand, wählte die 113 und verlangte die Polizei.

Als sie eine halbe Stunde später die Questura betrat, ärgerte sie sich immer noch über ihre Naivität, die sie hatte glauben lassen, man würde jemanden zu ihr nach Hause schicken. Sie erfülle nur ihre staatsbürgerliche Pflicht, wenn sie Informationen von großer Wichtigkeit an die Polizei weitergab, hatte der gelangweilte Beamte, der sich weigerte, seinen Namen preiszugeben, sie belehrt; natürlich müsse sie ihre Aussage in der Questura machen. Hätte sie diesem aufgeblasenen Menschen nicht ihren Namen angegeben, wäre die

Versuchung groß gewesen, das Ganze auf sich beruhen und die Sorge der Polizei zu überlassen. Doch sie wußte nur zu gut, daß man sich dort keineswegs Sorgen machen und keinen Gedanken daran verschwenden würde (vorausgesetzt, diese Bürokraten dachten überhaupt), ihre einmal gefaßte Meinung zu revidieren, um dann mühselig neue Erkenntnisse zu sammeln.

Sie wandte sich nach rechts zu einem Schalter, hinter dem ein uniformierter Beamter saß. »Ich habe vor einer halben Stunde angerufen«, begann sie, »weil ich eine Aussage machen möchte. Es hieß, ich müßte persönlich vorbeikommen – also, hier bin ich.« Der Mann blieb ungerührt, und so fuhr sie fort: »Ich möchte jemanden sprechen, der für den Mord von vor drei Wochen zuständig ist.«

Der Mann besann sich so lange, als wäre er Sheriff in Dodge City und müsse erst überlegen, welchen Mord sie wohl meinte. »Geht es um die Battestini?« fragte er schließlich.

»Ja.«

»Dafür wäre Tenente Scarpa zuständig«, erklärte der Polizist.

»Kann ich ihn sprechen?«

»Ich frage mal, ob er da ist«, sagte der Polizist und griff zum Telefon. Er kehrte ihr den Rücken zu und sprach so leise in den Hörer, daß Signora Gismondi schon argwöhnte, er und dieser Tenente verabredeten womöglich, wie man sie dazu bringen könnte, ihre Beteiligung an dem Mord zu gestehen. Doch obwohl sie ziemlich lange warten mußte, kam der Mann schließlich aus seinem engen Kabuff hervor, wies auf den hinteren Teil des Gebäudes und sagte: »Dort den Gang entlang, Signora. Dann rechts um die Ecke und gleich die zweite Tür links. Der Tenente erwartet Sie.« Damit kehrte er in seine Kabine zurück und schloß die Tür hinter sich.

Überrascht, daß sie so ganz ohne Begleitung in der Questura herumspazieren durfte, machte Signora Gismondi sich auf den Weg. Hatten die hier denn noch nie von den Roten Brigaden gehört?

Sie fand die angegebene Tür, klopfte und wurde hereingerufen. Ein Mann etwa ihres Alters saß hinter einem metallenen Schreibtisch in einem Zimmer, das kaum geräumiger war als die Schalterkabine am Eingang. Der Tenente, der im Stehen sicher mindestens einen Kopf größer war als sie, hatte dunkles Haar und Augen, die aussahen, als beschränke sich ihre Wahrnehmung strikt auf die Oberfläche der Dinge. Er war in Uniform, und der Raum faßte nur seinen Schreibtisch mit einem Sessel dahinter und zwei Stühlen ohne Armlehne davor.

»Tenente Scarpa?« fragte sie.

Er sah zu ihr auf, nickte und wandte sich dann wieder den Papieren auf dem Schreibtisch zu.

Sie nannte Namen und Adresse und fragte: »Leiten Sie die Ermittlungen im Mordfall Battestini?«

»Das war mein Fall, ja.« Er hob abermals den Kopf, wies auf einen der Stühle und sagte: »Bitte nehmen Sie Platz.«

Ein Schritt brachte sie zu dem von ihm bezeichneten Stuhl, der, wie sie freilich erst im Sitzen bemerkte, so ausgerichtet war, daß die Sonne ihr voll ins Gesicht schien. Entschlossen stand sie auf, rückte den Stuhl von Schreibtisch und Fenster weg und setzte sich wieder hin.

Signora Gismondi hatte keine unmittelbare Erfahrung im Umgang mit der Polizei, aber sie war sechs Jahre mit einem sehr faulen und ebenso gewalttätigen Mann verheiratet gewesen, und nun versetzte sie sich einfach in diese Zeit und Lage zurück und verhielt sich entsprechend. »Sie sagten, es *war* Ihr Fall, Tenente«, begann sie leise. »Heißt das, die Ermittlungen werden von jemand anderem weitergeführt?« Wenn das so war, warum hatte man sie dann überhaupt erst zu ihm geschickt?

Er las angelegentlich seinen Text zu Ende und legte das Blatt beiseite, bevor er zu ihr aufsah. »Nein.«

Sie wartete auf eine Erklärung. Als die ausblieb, hakte sie nach: »Heißt das, die Ermittlungen sind abgeschlossen?«

Er ließ sich reichlich Zeit, bevor er abermals verneinte.

»Darf ich fragen, was es dann zu bedeuten hat?« So, wie sie das sagte, klang es weder ungehalten noch frustriert.

»Daß die Ermittlungen derzeit nicht aktiv betrieben werden.«

Die malträtierten Vokale und der Akzent, der bei seiner ersten längeren Antwort hörbar wurde, verrieten Signora Gismondi, daß sie es mit einem Süditaliener, wohl einem Sizilianer zu tun hatte. Mit gespieltem Gleichmut fragte sie: »An wen könnte ich mich denn wenden, wenn ich eine Aussage machen möchte?«

»Falls die Ermittlungen noch liefen, dann wäre ich zuständig.« Er überließ es ihr, die richtigen Schlüsse aus seiner Antwort zu ziehen, und wandte sich wieder seinen Akten zu. Auch wenn er sie nicht direkt aufforderte zu gehen, hätte er kaum deutlicher machen können, wie wenig ihn ihr Beitrag interessierte.

Einen Moment lang schwankte sie. Mit ihrer Aussage würde sie sich nur Scherereien einhandeln, ja wenn man ihr nicht glaubte, womöglich noch Schlimmeres. Warum stand sie also nicht einfach auf und vergaß die ganze Angelegenheit samt diesem Mann mit den teilnahmslosen Augen?

»Ich habe im *Gazzettino* gelesen, daß die Signora von der Rumänin ermordet wurde, die bei ihr gewohnt und für sie gearbeitet hat«, sagte sie.

»Das ist richtig.« Er nickte. »Die war's.« Eine Feststellung, die keinen Widerspruch duldete.

»Es mag wohl richtig sein, daß es im *Gazzettino* stand und ich es dort gelesen habe, trotzdem hat die Rumänin die alte Frau nicht ermordet.« Die Arroganz, mit der dieser Mann die Wahrheit für sich beanspruchte, reizte Signora Gismondi, ihm Paroli zu bieten.

Doch gegen seine Gleichgültigkeit war sie machtlos. »Können Sie das beweisen, Signora?« fragte er so herablassend, daß von vornherein klar war, wie wenig er sich für Beweise von Zeugen interessierte.

»Ich habe am Morgen des Mordtages mit der Rumänin gesprochen«, erklärte sie.

»Ich fürchte, das trifft auch auf Signora Battestini zu«, sagte der Tenente und kam sich dabei gewiß sehr schlagfertig vor.

»Ich habe sie außerdem zum Bahnhof gebracht.«

Das weckte endlich doch sein Interesse. Er stützte sich mit beiden Händen auf der Schreibtischplatte ab und beugte sich so weit vor, als wolle er über den Tisch hechten und ihr auf der Stelle ein Geständnis abpressen. »Was?« rief er scharf.

»Ich habe sie an den Zug nach Zagreb gebracht. Den, der über Villa Opicina geht. Sie hätte in Zagreb Richtung Bukarest umsteigen sollen.«

»Wovon reden Sie? Wollen Sie damit sagen, daß Sie ihr zur Flucht verholfen haben?« Er war schon fast auf dem Sprung, ließ sich dann aber doch wieder in seinen Sessel zurückfallen.

Assunta würdigte seine Frage keiner Antwort, sondern wiederholte statt dessen: »Ich will damit sagen, daß ich die Frau zum Bahnhof gebracht und ihr geholfen habe, eine Fahr- und eine Platzkarte für den Zug nach Zagreb zu kaufen.«

Er blieb lange stumm und musterte ihr Gesicht. Vielleicht hatte er ihr endlich richtig zugehört. Aber dann überraschte er sie mit der Feststellung: »Sie sind Venezianerin.« Es klang, als hätte er soeben begonnen, Belastungsmaterial gegen sie zu sammeln. Bevor sie fragen konnte, was er damit meinte, fuhr er fort: »Demnach sind Sie also gerade aus einer Amnesie erwacht, oder warum sonst kommen Sie mit drei Wochen Verspätung daher, um uns diese Geschichte aufzutischen?«

»Ich war im Ausland«, antwortete sie, selbst überrascht, wie schuldbewußt das klang.

Er konterte sofort. »Und da gab es kein Telefon, keine Zeitungen?«

»Ich habe in England einen Sprachkurs besucht und es strikt vermieden, Italienisch zu sprechen«, erklärte sie und unterschlug die Telefonate mit ihrem Geliebten. »Ich bin gestern abend zurückgekommen und habe erst heute morgen von dem Mord erfahren.«

Er wechselte das Thema, doch das Mißtrauen in seiner Stimme blieb. »Kannten Sie diese Rumänin?«

»Ja.«

»Und hat Sie Ihnen erzählt, was sie getan hat?«

Signora Gismondi zwang sich, die Geduld zu bewahren. Es war ihre einzige Waffe. »Sie hat gar nichts getan. Ich habe sie an jenem Morgen vor dem Haus getroffen. Ich wohne direkt gegenüber. Sie war ausgesperrt, und die alte Frau saß oben.«

»Oben?«

»Am Fenster. Flori stand vor der Haustür und läutete, aber die Signora wollte sie nicht hineinlassen.« Assunta Gismondi hob die rechte Hand und fuhr mit dem Daumen hin und her, so wie sie es bei der Alten gesehen hatte.

Scarpa sagte: »Sie nannten sie eben ›Flori‹. Waren Sie etwa mit ihr befreundet?«

»Nein. Ich sah sie nur oft vom Fenster aus. Hin und wieder winkten wir einander zu oder wechselten ein paar einfache Sätze. Ihr italienischer Wortschatz war sehr begrenzt, aber wir haben uns trotzdem verstanden.«

»Was hat sie Ihnen denn so erzählt?«

»Daß sie Flori hieß, daß sie drei Töchter hatte und sieben Enkelkinder. Daß eine ihrer Töchter in Deutschland arbeitete, aber sie wußte nicht wo, in welcher Stadt.«

»Und ihre Arbeitgeberin? Hat sie auch über die gesprochen?«

»Sie hat gesagt, daß sie schwierig sei. Aber das wußte ohnehin die ganze Nachbarschaft.«

»Konnte sie die Signora nicht leiden?«

Hier verlor Assunta doch für einen Augenblick die Geduld und erwiderte schroff: »Jeder, der sie kannte, hat sie verabscheut.«

»Genug, um sie zu töten?« fragte Scarpa begierig.

Signora Gismondi strich sich den Rock über den Knien glatt, kreuzte züchtig die Füße unterm Stuhl, holte tief Luft und sagte: »Tenente, ich fürchte, Sie haben mir nicht richtig zugehört. Ich traf Flori an dem Morgen auf der Straße. Die alte Frau war oben am Fenster und verweigerte ihr mit einer eindeutigen Geste den Zutritt. Da nahm ich Flori mit in ein Café. Ich wollte mit ihr reden, aber sie war so aufgebracht, daß sie keinen klaren Gedanken mehr fassen konnte. Sie hat die meiste Zeit geweint. Sie sagte, Signora Battestini hätte sie ausgesperrt, aber ihre ganzen Sachen seien noch oben in der Wohnung. Immerhin hatte sie ihren Paß bei sich. Ohne den, sagte sie, ginge sie nie aus dem Haus.«

»Er war gefälscht«, warf Scarpa ein.

»Und wenn schon«, konterte Signora Gismondi. »Für die Ausreise aus Italien und die Rückkehr nach Rumänien hätte er sicher gereicht.« Hitzig und unbesonnen setzte sie hinzu: »Bei der Einreise hat man ihn ja auch akzeptiert.« Erschrocken über ihren zornigen Ton hielt sie inne und zwang wenigstens ihre Stimme zur Ruhe, bevor sie mit den Worten schloß: »Das ist alles, was sie wollte, heim zu ihrer Familie.«

»Dafür, daß sie angeblich kaum Italienisch sprach, scheinen Sie sich ja sehr gut mit ihr verständigt zu haben«, bemerkte Scarpa spöttisch.

Signora Gismondi verkniff sich eine geharnischte Antwort und erklärte: »Sie kam mit wenigen Worten aus: *ba-*

sta, vado, treno, famiglia, Bucaresti, Signora cattiva.« Letzteres hätte sie am liebsten umgehend zurückgenommen.

»Sie sagen also, daß Sie die Frau zur Bahn gebracht haben?«

»Ich sage es nicht nur, Tenente. Ich verbürge mich dafür. Es ist die Wahrheit. Ich brachte sie zum Bahnhof und war ihr beim Kauf der Fahrkarte behilflich.«

»Und diese Person mit dem gefälschten Paß, die, wie Sie sagen, von ihrer Arbeitgeberin ausgesperrt worden war, hatte zufällig genug Geld bei sich, um eine Fahrkarte nach *Bucaresti* zu bezahlen?« fragte Scarpa. Sein Versuch, ihre Aussprache des Städtenamens nachzuäffen, mißlang kläglich.

»Die Fahrkarte habe ich gekauft«, berichtigte Signora Gismondi.

»Was?« fragte Scarpa so entgeistert, als hätte sie sich soeben selbst für verrückt erklärt.

»Ich habe ihre Fahrkarte bezahlt und ihr etwas Geld gegeben.«

»Wieviel?« wollte Scarpa wissen.

»Ich weiß nicht mehr. Sechs- oder siebenhundert Euro.«

»Sie wissen nicht mal, wieviel Sie ihr gegeben haben? Erwarten Sie etwa von mir, daß ich Ihnen das glaube?«

»Es ist die Wahrheit.«

»Wie kann das wahr sein? Sie sahen die Frau auf der Straße stehen, schnippten mit den Fingern, und schon flatterten siebenhundert Euro vom Himmel, worauf Sie dachten: Tu ein gutes Werk und gib das Geld der armen, ausgesperrten Rumänin, die hier nun keine Bleibe mehr hat und …«

Mit schneidender Stimme fiel sie ihm ins Wort: »Ich kam

gerade von der Bank, wo ich den Scheck eines Kunden ein-gelöst hatte. Ich hatte mir den Betrag bar auszahlen lassen, und als Flori sagte, sie wolle zurück nach Bukarest, da erkundigte ich mich, ob sie ihren Lohn bekommen habe.« Sie sah Scarpa wie verständnisheischend an. Und obwohl nichts dafür sprach, daß er ihr folgen konnte, fuhr sie fort. »Flori sagte, das Geld sei ihr egal, sie wolle nur noch nach Hause.« Assunta stockte; plötzlich war es ihr peinlich, sich diesem Mann gegenüber zu einer vermeintlich sentimentalen Schwäche zu bekennen. »Also habe ich ihr das Reisegeld gegeben.« Seine Miene wechselte, und sie sah ihm an, daß er ihre Schwäche, ihre Leichtgläubigkeit verachtete. »Flori hatte monatelang für die Signora gearbeitet, und die sperrte sie einfach aus, ohne ihr den ausstehenden Lohn zu zahlen oder sie wenigstens noch einmal hereinzulassen, damit sie ihre Sachen holen konnte.« Beinahe hätte sie ihn gefragt, was sie denn seiner Meinung nach in dieser Situation hätte tun sollen. Allein sie wußte, daß das sinnlos gewesen wäre, und sagte nur: »Ich konnte doch nicht zulassen, daß sie monate-lang umsonst gearbeitet hatte.«

»Und weiter?« drängte er.

»Ich fragte sie, was sie vorhabe, aber sie wollte, wie gesagt, nur noch eins: heim zu ihrer Familie. Inzwischen hatte sie sich immerhin etwas beruhigt und auch aufgehört zu weinen. Ich erbot mich, sie zum Bahnhof zu begleiten und die Abfahrtszeiten der Züge zu erfragen. Sie glaubte sich zu erinnern, daß der nach Zagreb um die Mittagszeit ging.« Ihr erschien das alles ganz natürlich. »Und dann habe ich sie eben zum Bahnhof gebracht.«

»Und dort haben Sie ihr auch noch die Fahrkarte bezahlt?« forschte er, entschlossen, sie in all ihrer Einfalt bloßzustellen.

»Ja.«

»Und dann?«

»Dann bin ich nach Hause gegangen. Ich mußte ja nach London.«

»Wann?«

Sie dachte einen Augenblick nach. »Der Flug ging um halb zwei. Um zwölf kam mein Taxi.«

»Und bis wann waren Sie am Bahnhof, Signora?«

»Ich weiß nicht. So bis zehn, halb elf.«

»Und wie lange hat das Ganze gedauert? Wann, sagten Sie, haben Sie die Frau getroffen?«

»Ich weiß nicht genau, vielleicht um halb zehn.«

»Sie wollten für drei Wochen ins Ausland, hatten bereits ein Taxi bestellt, und trotzdem nahmen Sie sich die Zeit, diese Person, die Sie nach eigener Aussage kaum kannten, zum Bahnhof zu bringen und ihr eine Fahrkarte zu kaufen?«

Wenn er sie nicht so offensichtlich hätte provozieren wollen, wäre es ihr ein leichtes gewesen, ihm zu erklären, wie verhaßt ihr jedesmal die letzten Stunden vor einer Reise waren, dieses ruhelose Hin und Her, nur um sich doppelt und dreifach zu vergewissern, ob man auch ja das Gas abgestellt, den Computer vom Netz genommen und Fenster und Läden geschlossen hatte. Aber diesem Menschen wollte sie nichts davon anvertrauen. Also sagte sie bloß: »Ich hatte genügend Zeit.«

»Können Sie es beweisen?« fragte er unvermittelt.

»Was denn?«

»Daß Sie dort waren.«

»Wo?«

»In London.«

Sie wollte schon zurückfragen, was das eine mit dem anderen zu tun hätte, als ihr einfiel, wie ihr Exmann jedesmal ausgerastet war, wenn sie seine Logik in Frage stellte, und so begnügte sie sich mit einem schlichten »Ja«.

»Sie haben sich dann also von ihr getrennt?« fragte er und ließ das Thema London wieder fallen.

»Ja.«

»Wo?«

»Am Bahnhof, vor den Fahrkartenschaltern.«

»Wie lange haben Sie gebraucht?«

»Wofür? Ihr eine Fahrkarte zu kaufen?«

»Nein, für den Heimweg.«

»Elf Minuten.«

Hier hob er die Brauen und lehnte sich im Sessel zurück. »Elf Minuten, Signora? Das ist aber sehr präzise. Haben Sie sich das vorher alles so schön zurechtgelegt?«

»Was?«

»Na, Ihren ganzen Roman.«

Sie holte zweimal tief Luft, bevor sie antwortete. »Tenente, das ist kein Roman, und ich kann die Zeit so genau bestimmen, weil ich seit fünf Jahren im selben Haus wohne und mindestens zweimal die Woche von dort zum Bahnhof laufe.« Sie spürte, wie ihr der Zorn in die Stimme stieg, versuchte ihn zu bekämpfen und verlor. »Für jeden, der nur ein bißchen rechnen kann, ergibt das über fünfhundertmal, hin und zurück. Wenn ich also sage, man braucht für den Weg elf Minuten, dann sind es elf Minuten.«

Ohne von ihrer Entrüstung Notiz zu nehmen, forschte er weiter: »Demnach würde sie auch so lange brauchen?«

»Wer?«

»Die Rumänin.«

Sie wollte ihn schon belehren, daß die Rumänin einen Namen habe, Flori, doch sie beherrschte sich und sagte nur: »So lange würde jeder brauchen, Tenente, der halbwegs gut zu Fuß ist.«

»Und wie spät war es, als Sie sich auf diesen Elf-Minuten-Weg machten, Signora?«

»Das habe ich doch schon gesagt. So gegen halb elf.«

»Und der Zug nach Zagreb geht um elf Uhr fünfundvierzig.« Es klang, als hätte er den Fahrplan im Kopf.

»Ich glaube, ja.«

In einem Ton, als wolle er ein Kind überzeugen, das noch kein Zeitgefühl besaß, sagte er: »Da bleibt über eine Stunde Spielraum, Signora.«

Was er damit unterstellen wollte, war so absurd, daß sie abermals heftig wurde. »Das ist doch lächerlich! Flori war nicht der Typ, der sich heimlich zurückschleichen und aus Rache einen Mord begehen würde.«

»Sie haben Erfahrung mit diesem Typ, Signora?«

Am liebsten hätte sie ihn geohrfeigt. Aber sie bezwang sich, atmete tief durch und sagte: »Ich habe Ihnen genau erzählt, was passiert ist.«

»Und Sie erwarten, daß ich das alles glaube, Signora?« fragte er spöttisch.

Sie hatte ganz spontan und aus reiner Anteilnahme gehandelt – woher sollte einer wie dieser Tenente Scarpa das verstehen? »Es spielt keine Rolle, ob Sie mir glauben oder nicht, Tenente. Ich sage die Wahrheit.« Und bevor er etwas erwidern konnte, fuhr sie fort: »Ich habe keinen Grund zu lügen. Ich hätte es mir auch einfach machen und die Geschichte für mich behalten können. Aber ich bin zu Ihnen gekommen, weil alles so war, wie ich gesagt habe: Die alte Frau hätte Flori nicht mehr in die Wohnung gelassen. Darum habe ich ihr das Geld gegeben und sie zum Bahnhof gebracht.« Er wollte etwas erwidern, doch sie winkte ab und fuhr fort: »Und ob Sie es nun glauben wollen oder nicht, Tenente, es bleibt doch die Wahrheit: Flori hat Signora Battestini nicht getötet.«

4

Eine Weile saßen sie einander schweigend gegenüber, dann stemmte Scarpa sich aus seinem Sessel hoch und ging an ihr vorbei aus dem Zimmer, ohne die Tür hinter sich zu schließen. Signora Gismondi blieb sitzen und ließ den Blick über den Schreibtisch wandern. Aber die beiden spärlich gefüllten Ablagekörbe, der einsame Kugelschreiber und das Telefon verrieten so gut wie nichts über den Mann, mit dem sie es zu tun hatte. Und auch der Christus, der von seinem Kruzifix auf sie herabsah, schien nicht gewillt zu enthüllen, was er im täglichen Miteinander über Tenente Scarpa in Erfahrung gebracht hatte.

Das Büro besaß nur ein einziges kleines Fenster, das obendrein geschlossen war, und Signora Gismondi litt trotz der offenen Tür in ihrem Rücken unter der stickigen Schwüle. Nachdem sie etwa zwanzig Minuten gewartet hatte, hielt sie es nicht mehr aus und erhob sich, um auf dem Flur Kühlung zu suchen. Doch sie war kaum aufgestanden, da erschien der Tenente, in der Hand einen Schnellhefter. Stirnrunzelnd blieb er in der Tür stehen und fragte: »Sie wollten doch nicht etwa gehen, Signora?«

Es klang nicht direkt wie eine Drohung; trotzdem nahm Signora Gismondi mit hängenden Armen wieder Platz. »Nein, keineswegs«, sagte sie und hätte doch nichts lieber getan, als sich zurückzuziehen und fortan aus allem herauszuhalten. Sollte die Polizei doch sehen, wie sie alleine zurechtkam.

Scarpa kehrte auf seinen Platz zurück und überflog die Papiere in der Ablage, als suche er nach Indizien dafür, daß sie in seiner Abwesenheit spioniert hätte. »Sie hatten genug Zeit zum Nachdenken, Signora«, sagte er. »Behaupten Sie immer noch, daß Sie dieser Frau Geld gegeben und sie zum Bahnhof gebracht haben?«

Auch wenn der Tenente das nie erfahren würde, war es gerade diese verächtlich hingeworfene Unterstellung, die Signora Gismondi ihren Kampfgeist zurückgab. Sie dachte an ihren Ex, der blond gewesen war, klein von Statur und mit dem Scarpa rein äußerlich nichts gemein hatte; dennoch waren beide Männer vom selben Schlag. »Ich ›behaupte‹ gar nichts, Tenente«, sagte sie mit erzwungener Ruhe. »Aber ich erkläre nochmals, und wenn Sie mir die Gelegenheit dazu geben, will ich es auch gern beeiden, daß die Rumänin, die ich unter dem Namen Flori kannte, von Signora Battestini ausgesperrt wurde und daß die Signora höchst lebendig am Fenster stand, als ich Flori auf der Straße begegnete. Ferner verbürge ich mich dafür, daß Flori, als ich sie am Bahnhof verließ, ruhig und gefaßt wirkte und ich keinerlei Anzeichen von Mordgelüsten an ihr entdecken konnte.« Und in Anspielung auf seinen höhnischen Kommentar ergänzte sie: »Was auch immer das für Anzeichen sein mögen.« Es drängte sie fortzufahren, diesem Rohling klarzumachen, daß Flori, die arme tote Flori, dieses Verbrechen nie und nimmer begangen haben konnte. Ihr Herz hämmerte, zwischen ihren Brüsten sammelte sich der Schweiß: Sie brannte förmlich darauf, ihn bloßzustellen, ihm zu beweisen, wie gründlich er sich verrannt hatte. Aber der anerzogene Zivilgehorsam war stärker, und sie sagte nichts mehr.

Scarpa erhob sich ungerührt und verließ abermals das Zimmer. Seine Akte nahm er wieder mit. Signora Gismondi richtete sich auf und versuchte ihre verspannten Glieder zu lockern. Sie hatte, sagte sie sich, ihren Standpunkt dargelegt, und damit basta. Bemüht, tief und ruhig zu atmen, lehnte sie sich im Stuhl zurück und schloß die Augen.

Nach langen Minuten hörte sie ein Geräusch hinter sich, öffnete die Augen und schaute zur Tür. Ein Mann so groß wie der Tenente, aber in Zivil, stand auf der Schwelle, in der Hand offenbar Scarpas Akte. Er nickte, als ihre Blicke sich trafen, und lächelte verhalten. »Wenn Sie erlauben, Signora, führe ich Sie hinauf in mein Büro. Es hat zwei Fenster, dürfte also ein wenig kühler sein.« Einladend trat er einen Schritt beiseite.

Sie stand auf und ging zur Tür. »Und der Tenente?« fragte sie.

»Der wird uns da nicht behelligen«, sagte er und streckte die Hand aus. »Ich bin Commissario Guido Brunetti, Signora, und ich interessiere mich sehr für das, was Sie uns zu erzählen haben.«

Sie sah ihm prüfend ins Gesicht, kam zu dem Schluß, daß sein Interesse aufrichtig sei, und ergriff die dargebotene Hand. Nach dieser formellen Begrüßung ließ er ihr mit einer höflichen Geste den Vortritt auf dem Weg zur Treppe, einem auffallend eleganten Zeugnis ehemaliger Pracht in einem Gebäude, das im Namen der Zweckmäßigkeit schon so manche architektonische Schmach erlitten hatte.

»Sie kommen mir bekannt vor«, sagte Signora Gismondi.

»Ja«, antwortete er, »Sie mir auch. Arbeiten Sie vielleicht irgendwo am Rialto?«

Sie lächelte entspannt. »Nein, ich arbeite zu Hause, drüben beim Campo della Misericordia, aber ich komme mindestens dreimal die Woche auf den Markt. Vermutlich sind wir uns da begegnet.«

»Bei Piero?« fragte Brunetti in Anspielung auf den briefmarkengroßen Laden, in dem er und Paola ihren *parmigiano* kauften.

»Natürlich! Und ich glaube, ich habe Sie auch im Do Mori gesehen«, setzte sie hinzu.

»Dort allerdings immer seltener.«

»Seit Roberto und Franco das Lokal verkauft haben?«

»Ja«, bestätigte er. »Ich weiß, die neuen Besitzer sind ausgesprochen nett, aber irgendwie ist es doch nicht mehr dasselbe.«

Es muß unerträglich sein, in dieser Stadt einen florierenden Betrieb zu übernehmen, dachte sie. Ganz gleich, wie gut der Nachfolger ist und wie viele Verbesserungen er einführt: Die Leute werden noch zehn, zwanzig Jahre nach dem Wechsel darüber jammern, um wieviel besser der Laden war, als Franco oder Roberto oder selbst ein Pinco Pallino noch die Geschäfte führte. Die beiden neuen Eigentümer vom Do Mori – ihre Namen kannte sie bis heute nicht – waren ebenso zuvorkommend wie ihre Vorgänger, verkauften den gleichen Wein und sogar bessere Sandwiches, doch wie gut ihr Angebot auch sein mochte, sie waren dazu verurteilt, sich bis zum Ende ihres Erwerbslebens an einem mit den Jahren verblaßten, zugleich aber auch verklärten Niveau messen zu lassen, das sie nie und nimmer erreichen konnten, zumindest so lange nicht, bis die alte Kundschaft endgültig weggestorben oder verzogen war. Erst dann konnten sie zum neuen Maßstab aufrücken, an dem wiederum ihre Nachfolger scheitern würden.

Oben an der Treppe wandte Brunetti sich nach links und führte Signora Gismondi den Flur entlang bis zu einer Tür, an deren Schwelle er ihr wiederum den Vortritt ließ. Das erste, was ihr drinnen auffiel, waren die hohen Fenster mit Blick auf die Kirche von San Lorenzo und der große Schrank an einer Wand. Ansonsten bestand auch hier die Einrichtung aus einem Schreibtisch mit einem Sessel dahinter und zwei Stühlen davor.

»Darf ich Ihnen etwas zu trinken anbieten, Signora? Einen Kaffee? Ein Glas Wasser?« Er lächelte ermunternd, aber sie war immer noch so verärgert über Scarpas rüdes Verhalten, daß sie, wenn auch höflich, ablehnte. »Später vielleicht«, sagte sie und wählte den Stuhl, der näher am Fenster stand.

Statt sich hinter seinem Schreibtisch zu verschanzen, rückte der Commissario den zweiten Besucherstuhl heran und nahm ihr gegenüber Platz. Nachdem er die Akte beiseite gelegt hatte, sagte er lächelnd: »Tenente Scarpa hat mir berichtet, was Sie ihm erzählt haben, Signora, aber ich würde es gern noch einmal mit Ihren Worten hören. Und ich wäre dankbar, wenn Sie mir so viele Details wie möglich schildern könnten.«

Sie war gespannt, ob er ein Tonbandgerät mitlaufen lassen oder einen Notizblock zücken würde: Sie hatte Kriminalromane gelesen. Aber er saß ihr ganz entspannt gegenüber, den Ellbogen auf den Schreibtisch gestützt, und wartete auf ihren Bericht.

Also wiederholte sie noch einmal , was sie schon Scarpa vorgetragen hatte: Wie sie auf dem Heimweg von der Bank, wo sie den Scheck eingelöst hatte, Flori mit nichts als einer Plastiktüte in der Hand vor dem Haus angetroffen; wie Signora Battestini stumm vom Fenster auf sie herabgeschaut und mit unmißverständlichem Handzeichen strikte Verweigerung signalisiert hatte.

»Und Sie erinnern sich wirklich nicht, wieviel Sie ihr gegeben haben, Signora?« fragte er, als sie geendet hatte.

Sie schüttelte den Kopf. »Nein, der Scheck belief sich auf tausend Euro. Auf dem Heimweg habe ich noch etwas eingekauft: Kosmetika, Batterien für meinen CD-Walkman und noch verschiedene Kleinigkeiten, die ich inzwischen vergessen habe. Aber ich weiß noch, daß ich, als ich das Geld für Flori aus dem Portemonnaie nahm, ein paar Scheine zurückbehielt und ihr die übrigen – es waren lauter Hunderternoten – zusteckte.« Sie rief sich die Szene ins Gedächtnis und versuchte sich zu erinnern, ob sie zu Hause das restliche Geld gezählt hatte. »Nein, es waren an die sechs- oder siebenhundert Euro, genauer kann ich es nicht sagen.«

»Sie sind sehr großzügig, Signora«, versetzte er lächelnd.

Aus Scarpas Mund hätte ein solcher Satz zynisch geklungen und das Gegenteil bedeutet; dieser Mann wollte ihr damit schlicht ein Kompliment machen, und Signora Gismondi fühlte sich aufrichtig geschmeichelt. »Ich weiß selber nicht, warum ich es getan habe«, sagte sie versonnen. »Aber sie stand ja buchstäblich auf der Straße, mit nichts als einem billigen Polyesterkittel und leinenen Turnschuhen, von denen einer an der Seite schon eingerissen war. Dabei hatte sie monatelang für die Alte gearbeitet. Ich weiß nicht genau, wann sie kam, aber die Fenster waren zu der Zeit jedenfalls noch geschlossen.«

Er lächelte. »Das ist aber eine ungewöhnliche Datierungsweise, Signora.«

»Nicht, wenn man in der Nähe der alten Battestini wohnt«, erwiderte sie ziemlich heftig. Und setzte, als sie sein verdutztes Gesicht sah, erklärend hinzu: »Der Fernseher. Der lief andauernd, bei Tag und bei Nacht. Im Winter, wenn alle die Fenster geschlossen halten, ist es nicht gar so schlimm. Aber während der Sommermonate, also von Mai bis September, treibt es mich zum Wahnsinn. Meine Wohnung liegt nämlich genau gegenüber. Und sie läßt den Kasten die ganze Nacht laufen, so laut, daß ich immer wieder die Polizei rufen muß.« Sie merkte erst jetzt, daß sie die Gegenwartsform gebraucht hatte, und korrigierte sich nachträglich.

Er schüttelte verständnisvoll den Kopf, ganz mitfühlender Venezianer und damit Bürger einer Stadt, deren Gassen zu den engsten und deren Bewohner zu den betagtesten in Europa zählen.

Durch seine Reaktion ermutigt, fuhr sie fort: »Eine Zeitlang habe ich bei Ihnen, also bei der Polizei, angerufen und mich beschwert, aber es hat nie jemand eingegriffen. Bis mir letzten Sommer ein Beamter den Rat gab, ich solle lieber die Feuerwehr rufen. Dort allerdings hieß es, wegen Lärmbelästigung allein könnten sie nicht ausrücken, es müsse sich schon um eine Gefahrensituation oder um einen Notfall handeln.«

Brunetti nickte zum Zeichen, daß er ihr aufmerksam zuhörte.

»Also habe ich, wenn der Fernseher weiterlief, obwohl ich sie schlafend im Bett liegen sah – von meinem Schlafzimmerfenster aus kann ich ihr Bett sehen«, flocht sie ein und verfiel dabei unwillkürlich wieder ins Präsens –, »dann habe ich die Feuerwehr gerufen und gesagt, ich könne die Signora nicht mehr sehen und…« Ihre Stimme nahm unwillkürlich jenen leiernden Tonfall an, in dem man einen vorgefertigten Text abzulesen pflegt. »… und hätte die Befürchtung, ihr sei etwas zugestoßen.« Sie blickte auf und schmunzelte erst verstohlen, dann, als sie sein verständnisvolles Lächeln sah, frei heraus. »Und nun waren sie gesetzlich verpflichtet zu kommen.«

Doch als ob ihr jäh die traurige Wirklichkeit wieder zu Bewußtsein käme, setzte sie ernüchtert hinzu: »Und jetzt ist ihr tatsächlich etwas Furchtbares zugestoßen.«

»Ja«, sagte Brunetti, »in der Tat.«

Eine Weile herrschte Schweigen, bis er endlich fragte: »Könnten Sie mir mehr über diese Flori erzählen? Wissen Sie vielleicht auch, wie sie mit Nachnamen hieß?«

»Nein, nein«, antwortete Signora Gismondi. »Sehen Sie, es war ja nicht so, als ob wir einander richtig vorgestellt worden wären. Wir sahen uns nur hin und wieder am Fenster, und dann, wie das so ist, lächelte man sich zu und grüßte, und ich fragte, wie es ihr geht, oder umgekehrt. Und gelegentlich wechselten wir auch noch ein paar Worte, nur so aus Freundlichkeit, ohne daß wir wirklich über etwas gesprochen hätten.«

»Hat sie sich je über Signora Battestini geäußert?« Die Frage klang nur neugierig, ohne jeden Hintergedanken.

»Nun ja«, gestand Signora Gismondi, »ich wußte ohnehin ganz gut über sie Bescheid. Sie wissen doch, wie das unter Nachbarn ist: Jeder ist über den anderen im Bilde, und sie war alles andere als beliebt. Und dann dieser Fernseher, der pausenlos lief. Wenn ich Flori fragte, wie es mit der Signora gehe, dann zuckte sie nur lächelnd die Achseln, schüttelte den Kopf und sagte: ›difficile‹ oder so ähnlich, gerade genug, um mir zu verstehen zu geben, daß sie so ihre Erfahrungen gemacht hatte.«

»Sonst noch was?«

»Hin und wieder rief ich drüben an und bat sie, den Fernseher leiser zu stellen«, sagte Signora Gismondi und fügte erklärend hinzu: »Ich meine, Flori. Signora Battestini hatte ich jahrelang angerufen, und manchmal war sie sehr nett und machte leiser, aber an anderen Tagen beschimpfte sie mich. Einmal knallte sie sogar den Hörer auf und stellte den Fernseher noch lauter, Gott weiß warum.« Sie musterte ihn prüfend. Was er wohl von diesen Geschichten halten mochte, von diesem unseligen Kleinstadttratsch – denn mehr war es ja nicht? Allein er wirkte immer noch durchaus interessiert. »Flori dagegen sagte jedesmal: ›Sì, Signora‹ und stellte den Ton leiser. Wahrscheinlich mochte ich sie deshalb, oder sie hat mir leid getan, was auch immer.«

»Bestimmt war ihr Entgegenkommen eine große Erleichterung für Sie. Es gibt doch nichts Schlimmeres als Geräuschbelästigung, nicht wahr, besonders, wenn sie einen am Schlafen hindert?« Es klang nach aufrichtigem Mitgefühl.

»Mitunter, vor allem natürlich im Sommer, war es unerträglich. Ich habe ein Haus in den Bergen, in der Nähe von Trento, und es ging so weit, daß ich mich dorthin flüchten mußte, nur um einmal eine Nacht durchzuschlafen.« Kopfschüttelnd dachte sie an diese aberwitzigen Kämpfe zurück.

»Ich weiß, es klingt unglaublich, daß jemand sich dergestalt aus den eigenen vier Wänden vertreiben läßt, aber ich versichere Ihnen, es war so.« Und dann setzte sie mit spitzbübischem Lächeln hinzu: »Bis ich auf die Feuerwehrleute stieß.«

»Ach ja, aber sagen Sie, wie kamen die eigentlich zu ihr hinein?« fragte Brunetti.

Sie verriet es ihm mit sichtlichem Vergnügen. »Die Haustür unten ist immer abgeschlossen, der normale Zugang war ihnen also versperrt. Sie mußten sich in der Kirche Madonna dell'Orto oder anderswo eine Steckleiter besorgen, die sie vor dem Haus der Signora zusammensetzten, bis sie an ihre Fenster reichte…«

»Zweiter Stock?« fragte er.

»Ja. Die Leiter war, ich weiß nicht, bestimmt so sieben oder acht Meter lang. Und dann kletterten sie zu zweit nach oben, stiegen durchs Fenster in ihr Schlafzimmer ein und weckten sie.«

»Und Sie haben das alles mit angesehen?«

»Ja. Von meinen Fenstern aus. Wenn die Männer bei ihr einstiegen, wechselte ich ins Schlafzimmer. Von dort sah ich dann, wie sie die Alte aufweckten.« Die Erinnerung brachte ein Lächeln auf ihre Lippen. »Die waren wirklich sehr nett, diese Feuerwehrleute. Es sind alles Venezianer, daher gab es keine Verständigungsprobleme mit der Alten. Sie erkundigten sich nach ihrem Befinden, rieten ihr, den Fernseher leiser zu stellen, und dann gingen sie wieder.«

»Wie?«

»Verzeihung?«

»Wie haben sie die Wohnung verlassen? Über die Leiter?«

»O nein«, erwiderte sie lachend. »Sie sind ganz normal zur Tür hinaus- und über die Treppe hinuntergegangen. Draußen holten sie dann die Leiter ein und schraubten sie wieder auseinander.«

»Wie oft haben Sie das gemacht, Signora?«

»Wieso? Ist es verboten?« Zum erstenmal schien auch dieser freundliche Commissario ihr Angst einzujagen.

»Das kann ich mir nicht vorstellen«, versetzte er ruhig. »Ganz im Gegenteil. Wenn Sie die alte Dame von einem Ihrer Fenster aus nicht mehr sehen konnten, dann hatten Sie, denke ich, allen Grund zu der Befürchtung, ihr könnte etwas zugestoßen sein.«

Er stellte seine Frage nicht noch einmal, aber sie beantwortete sie trotzdem. »Viermal, glaube ich. Die Feuerwehr war jedesmal binnen einer Viertelstunde da.«

»Hm«, brummte er anerkennend, und sie hätte gern gewußt, ob er angenehm überrascht war oder gar stolz. »Haben Sie damit aufgehört, als Flori kam?« erkundigte er sich.

»Ja.«

Er ließ eine ganze Weile verstreichen und sagte dann: »Der Tenente hat mir berichtet, daß Sie Flori – Signora Ghiorghiu – zum Bahnhof gebracht und sich dort von ihr verabschiedet haben, Signora. Entspricht das der Wahrheit?«

»Ja.«

»So gegen halb elf?«

»Ja.«

Der Commissario wechselte das Thema und fragte: »Hatte Signora Ghiorghiu Ihres Wissens noch andere Freunde hier in der Stadt?«

Es gefiel ihr, daß er so respektvoll von Flori sprach, doch

statt des Lächelns, das ihm dafür danken sollte, brachte sie nur eine starrlippige Grimasse zustande. »Mich können Sie wohl kaum als ihre Freundin bezeichnen, Commissario.«

»Ihrem Verhalten nach schon.«

Um darauf nicht näher eingehen zu müssen, wich sie auf seine ursprüngliche Frage aus. »Nein, soweit mir bekannt ist, hatte sie hier keine Freunde. Und wir waren uns wohl sympathisch, aber zu einer Freundschaft im eigentlichen Sinne hätte es schon wegen der Sprachschwierigkeiten nicht gereicht.«

»Und als Sie die Signora am Bahnhof verließen, wie würden Sie da ihr Verhalten oder ihre Stimmung beschreiben?«

»Natürlich war sie immer noch erregt über das, was vorgefallen war, aber längst nicht mehr so wie zuvor.«

Sein Blick senkte sich für einen Moment zu Boden, dann suchte er wieder den ihren. »Haben Sie von Ihrem Fenster aus noch anderes beobachtet, Signora?« fragte er und ergänzte, bevor sie auch nur auf die Idee kam, sich gegen den Verdacht der Schnüffelei zu verwahren: »Ich frage das aus folgendem Grund: Wenn wir davon ausgehen, daß Flori den Mord nicht begangen hat, dann muß es jemand anders gewesen sein, und alles, was Sie mir über Signora Battestini sagen können, würde uns helfen…«

»…den wahren Schuldigen zu finden?« fragte sie.

»Ganz recht, ja.«

Er hatte die Möglichkeit, Flori könnte unschuldig sein, so bereitwillig akzeptiert, daß ihr keine Zeit blieb, sich darüber zu wundern. »Seit meinem Anruf in der Questura habe ich immerzu darüber nachgedacht«, sagte sie.

»Das kann ich mir sehr gut vorstellen, Signora«, versetzte er, ohne jedoch weiter in sie zu dringen.

»Über vier Jahre, seit ich die Wohnung gekauft habe, waren wir Nachbarn.« Sie stockte, doch er machte keinerlei Anstalten, sie zur Eile zu mahnen. »Ich bin, glaube ich, im Februar eingezogen, jedenfalls war noch Winter. Daher ist sie mir anfangs gar nicht aufgefallen, sondern erst im Frühling, als es wärmer wurde und man die Fenster offenlassen konnte. Das heißt, vielleicht habe ich sie auch vorher schon in ihrer Wohnung herumgehen sehen, nur eben damals noch nicht auf sie geachtet.

Das änderte sich natürlich, sobald der Krach losging. Erst versuchte ich es mit Zurufen über die *calle*, aber umsonst. Sie schlief einfach weiter. Also ging ich eines Tages hinüber, prägte mir den Namen auf dem Klingelschild ein, schlug anschließend ihre Nummer im Telefonbuch nach und rief sie an. Ich sagte nicht, wer ich war oder wo ich wohnte oder dergleichen, sondern bat nur darum, ob sie vielleicht nachts ihren Fernseher leiser stellen könne.«

»Und wie hat sie reagiert?« fragte er.

»Sie sagte, sie schalte ihn immer aus, bevor sie zu Bett gehe, und legte auf.«

»Und dann?«

»Dann ging es auch bei Tage los, und ich rief wieder drüben an und bat sie, immer sehr höflich, den Ton leiser zu stellen.«

»Und?«

»Meistens hat's geklappt.«

»Verstehe. Und nachts?«

»Manchmal blieb der Fernseher wochenlang aus, und

ich fing schon an zu hoffen, sie sei weggezogen oder in ein Altenheim gekommen.«

»Haben Sie je daran gedacht, ihr Kopfhörer zu besorgen, Signora?«

»Die hätte sie nie getragen«, antwortete Signora Gismondi im Brustton der Überzeugung. »Sie ist nämlich verrückt. Völlig übergeschnappt. Glauben Sie mir, Commissario, ich habe mich gründlich mit der Frau befaßt: Mit ihrer Anwältin habe ich gesprochen, mit ihrem Arzt, der Nichte, den Leuten vom psychiatrischen Zentrum im Palazzo Boldù, den Nachbarn, ja sogar mit dem Postboten.«

Sie merkte, wie sehr ihn das interessierte, und fuhr fort: »Im Boldù war sie jahrelang in Behandlung, früher, als sie noch Treppen steigen konnte und nicht ans Haus gefesselt war. Aber entweder hat sie die Therapie abgebrochen, oder die haben sie rausgeworfen – das heißt, falls ein psychiatrischer Dienst Patienten rauswerfen darf.«

»Das bezweifle ich«, sagte er. »Aber vermutlich könnte man einem unliebsamen Patienten nahelegen, den Arzt zu wechseln.« Er wartete einen Moment, ehe er fragte: »Und die Nichte? Was hat die gesagt?«

»Daß ihre Tante ›eine schwierige Frau‹ sei.« Signora Gismondi schnaubte verächtlich. »Als ob ich das nicht am eigenen Leib erfahren hätte. Aber die Nichte wollte auf keinen Fall hineingezogen werden. Ich bin nicht mal sicher, ob sie mir überhaupt richtig zugehört hat. Mit der Polizei war es, wie gesagt, genauso, und mit den Carabinieri.« Nach einer kleinen Pause fuhr sie fort: »Jemand aus der Nachbarschaft – ich weiß nicht mehr, wer es war – erzählte mir, ihr Sohn sei vor fünf oder sechs Jahren gestorben, und da habe das mit dem Fernseher angefangen. Weil sie sonst keine Gesellschaft mehr hatte.«

»Der Sohn starb also, bevor Sie einzogen?«

»Ja. Aber nach dem, was ich gehört habe, war sie wohl schon immer schwierig.«

»Und ihre Anwältin?« fragte Brunetti.

»Die versprach mir, mit Signora Battestini zu reden.«

»Und?«

Statt zu antworten, preßte Signora Gismondi nur verächtlich die Lippen zusammen.

»Der Postbote?« forschte er lächelnd weiter.

Da lachte sie laut auf. »Der hat kein gutes Haar an ihr gelassen. Er mußte ihr ja alles rauftragen, wann immer sie Post bekam, hieß es für ihn Treppen steigen – und sie hat ihm nie was gegeben. Nicht einmal zu Weihnachten. Keinen Cent.«

Seine Aufmerksamkeit war ungebrochen, und so fuhr sie denn fort. »Die beste Geschichte, die ich über sie gehört habe, kam von dem Marmorierer, dem bei der Miracoli«, sagte sie.

»Costantini?« fragte er.

»Ja, Angelo«, ergänzte sie, erfreut, daß er wußte, wer gemeint war. »Er ist ein alter Freund der Familie, und als ich mich bei ihm über Signora Battestini beklagte, da erzählte er mir, was ihm mit ihr passiert war. Vor etwa zehn Jahren hatte sie ihn telefonisch zu sich bestellt, weil sie einen Kostenvoranschlag für eine neue Treppe wollte. Angelo kannte sie bereits oder hatte jedenfalls genug über sie gehört, um zu wissen, daß, wer mit ihr Geschäfte machte, meist den kürzeren zog. Aber er ging trotzdem hin, maß die Treppe aus, stellte alle nötigen Berechnungen an und kehrte am nächsten Tag zurück, um ihr zu sagen, wie viele Stufen man benötige, wie hoch sie sein müßten und wieviel das Ganze kosten würde.« Wie jeder gute Geschichtenerzähler setzte sie vor der Pointe eine Pause, und Brunetti ging darauf ein, wie man es von einem guten Zuhörer erwartet: »Und?«

»Und sie sagte, sie wisse genau, daß er sie übers Ohr hauen wolle, und er solle gefälligst weniger Stufen nehmen und sie flacher bemessen.« Signora Gismondi ließ dieses Ansuchen in seinem ganzen Schwachsinn nachwirken, bevor sie trocken anmerkte: »Da fragt man sich schon, ob die vom Palazzo Boldù sie vielleicht doch rausgeworfen haben.«

Der Commissario nickte beifällig. »Bekam sie viel Besuch, Signora?« fragte er.

»Nein, nicht daß ich wüßte. Also ich erinnere mich an niemanden, der öfter dort gewesen wäre. Abgesehen von den Frauen natürlich, die für sie arbeiteten. Meist waren es Schwarze, und einmal kam ich mit einer ins Gespräch, die mir erzählte, sie stamme aus Peru. Doch nach ein paar Wochen sind sie in der Regel alle wieder gegangen.«

»Aber Flori blieb?« fragte er.

»Sie hatte drei Töchter und sieben Enkel, da war sie wohl auf die Stelle angewiesen, um ihre Familie in der Heimat unterstützen zu können.«

»Wissen Sie denn, ob sie überhaupt bezahlt wurde, Signora?«

»Wer? Flori?«

»Ja.«

»Ich denke schon, jedenfalls hatte sie ein wenig Geld.«

Bevor er nachhaken konnte, fuhr sie fort: »Einmal habe ich sie auf der Strada Nuova getroffen. Das war vor ungefähr sechs Wochen. Ich trank gerade einen Kaffee in der Eckbar beim *traghetto*-Halt Santa Fosca, als sie hereinkam. Ich ging zu ihr, und sie erkannte mich auch gleich und küßte mich auf die Wange, als ob wir alte Freunde wären. Sie hielt ein offenes Portemonnaie in der Hand, und ich sah, daß nur etwas Kleingeld darin war. Wieviel, weiß ich nicht, ich habe nicht so genau hingesehen, aber es waren auf jeden Fall bloß ein paar Euro.« Die Erinnerung an jenen Nachmittag in der Bar ließ sie für einen Moment verstummen. »Ich erkundigte mich, was sie haben wolle, und sie sagte: ein Eis. Und wenn ich es recht verstanden habe, sagte sie auch noch so etwas wie: Ich schwärme für Eis. Nun kenne ich den Besitzer der Bar, und ich rief ihm zu, er solle der Signora nichts berechnen, ich würde sie einladen.«

Was dann folgte, war ihr offenbar erst jetzt, im nachhinein eingefallen: »Hoffentlich habe ich sie nicht gekränkt? Ich meine, indem ich darauf bestand, für sie zu bezahlen.«

»Ganz sicher nicht, Signora«, beruhigte er sie.

»Nun gut, ich fragte sie, welche Sorte sie möchte, und sie sagte Schokolade. Als ich daraufhin zwei Kugeln bestellte, sah ich ihr an, daß sie nur eine genommen hätte, und da tat sie mir so unendlich leid. Tag und Nacht mußte sie sich mit dieser schrecklichen alten Frau herumplagen und konnte sich noch nicht mal zwei Kugeln Eis leisten.«

Lange Zeit herrschte Schweigen.

»Und das Geld, das Sie ihr gegeben haben, Signora?« fragte er endlich.

»Eine spontane Geste, nichts weiter. Das Geld hatte ich

für einen Auftrag erhalten, um den ich mich zwar beworben, das Honorar aber absichtlich so hoch angesetzt hatte, daß ich nicht damit rechnete, ihn zu bekommen. Es ging um Verpackungsentwürfe für ein neues Glühbirnenmodell, ein Projekt, das mich überhaupt nicht reizte. Doch ich erhielt den Zuschlag, und die Arbeit ging mir so leicht von der Hand, daß ich fast ein schlechtes Gewissen hatte, so viel Geld dafür zu nehmen. Darum fiel es mir wahrscheinlich auch leichter, es wegzugeben, als wenn ich mich ernsthaft dafür angestrengt hätte.« Und im Gedanken an ihr leichtverdientes Geld und die spontane Eingebung, die sie bewogen hatte, es Flori zu schenken, schloß sie traurig: »Es hat ihr nicht viel geholfen, nicht wahr? Sie hatte nicht mal die Chance, es auszugeben.«

Doch dann kam ihr eine Erleuchtung. »Warten Sie, mir ist da grade was eingefallen. Ich habe Flori ja nicht das ganze Honorar gegeben. Das restliche Geld habe ich hier gelassen, als ich nach England fuhr, weil ich dort ja keine Verwendung für Euros gehabt hätte. Die Scheine sind noch in meiner Wohnung.«

Das lebhafte Interesse in seinen Augen veranlaßte sie fortzufahren. »Mehr brauchen Sie nicht, um zu beweisen, daß sie Signora Battestini nicht bestohlen, sondern das Geld von mir hatte.« Als er nicht antwortete, fuhr sie fort: »Es waren lauter druckfrische Banknoten, wahrscheinlich alle aus einer fortlaufenden Serie. Wenn ich Ihnen also die gebe, die ich übrig behalten habe, und wenn Sie die Seriennummern mit denen der Scheine vergleichen, die Flori im Zug dabeihatte, dann werden Sie sehen, daß sie niemanden bestohlen hat.«

Verwundert darüber, daß er so gar keine Begeisterung zeigte, und insgeheim auch ein bißchen enttäuscht über den ausbleibenden Beifall, fragte sie: »Na? Wäre das etwa kein Beweis?«

»Doch«, versetzte er widerstrebend, »das wäre ein Beweis.«

»Aber?« forschte sie weiter.

»Aber das Geld ist verschwunden.«

5

Wie ist denn das möglich?« stammelte Signora Gismondi. Aber zwischen ihrer Frage und seiner Antwort verstrich soviel Zeit, daß letztere sich erübrigt hatte, als er endlich das Wort ergriff. Sie brauchte nur einen Augenblick nachzudenken, und ihr war klar, daß die Chance, einen solch hohen Geldbetrag unbeschadet durch die Instanzen und über die Schreibtische diverser Beamter zu schleusen, ungefähr so groß war wie die, einen Eiswürfel am Strand des Lido unbeschadet von Hand zu Hand weiterzureichen.

»Nachdem die Polizei in Villa Opicina den Fund gemeldet und weitergeleitet hatte, gibt es offenbar keinen Nachweis mehr über den Verbleib des Geldes«, sagte er.

»Warum erzählen Sie mir das, Commissario?«

»In der Hoffnung, daß Sie es niemandem weitersagen«, antwortete er und versuchte dabei nicht, ihrem Blick auszuweichen.

»Fürchten Sie die schlechte Publicity?« Es war mehr als ein Quentchen Sarkasmus, das in ihrer Frage mitschwang – als ob sie sich bei Tenente Scarpa angesteckt hätte.

»Nein, nicht besonders, Signora. Trotzdem wäre es mir lieber, wenn hiervon nichts an die Öffentlichkeit dringt; so wie ich übrigens auch das, was Sie mir erzählt haben, für mich behalten werde.«

»Und darf ich fragen, warum?« Der Sarkasmus war aus ihrer Stimme gewichen, aber sie klang immer noch ziemlich skeptisch.

»Ganz einfach: Je weniger der Täter vom Stand unserer Ermittlungen weiß, desto besser für uns.«

»Sie sagen ›der Täter‹, Commissario. Heißt das, Sie glauben mir, daß Flori die alte Frau nicht getötet hat?«

Er lehnte sich in seinem Stuhl zurück und führte den Zeigefinger der linken Hand an die Unterlippe. »So, wie Sie Flori beschrieben haben, Signora, würde man sie kaum für eine Mörderin halten; geschweige denn eine, die auf so grausame Weise tötet.« Ihre Anspannung wich, als sie das hörte; sie vertraute ihm, und er fuhr fort: »Außerdem kann ich mir kaum vorstellen, daß sie mit einer Fahrkarte in die Heimat und Ihrem Geldgeschenk in der Tasche noch einmal umkehren und die alte Frau töten würde, wie ›schwierig‹ die auch gewesen sein mag.« Brunetti zog einen Notizblock hervor und klappte ihn auf. »Wissen Sie noch, was Signora Ghiorghiu anhatte an jenem letzten Tag?«

»Eins von diesen Kittelkleidern, die eigentlich längst aus der Mode sind. Vorn durchgeknöpft, kurzärmelig, aus Nylon oder Viskose. Irgendein Kunststoff eben. Muß furchtbar gewesen sein bei der Hitze. Es war grau oder beige, jedenfalls ein heller Grundton mit einem kleinen Muster drin, an das ich mich allerdings nicht mehr erinnern kann.«

»Trug sie dieses Kleid auch bei der Arbeit, also wenn Sie sie vom Fenster aus sahen?«

Signora Gismondi überlegte kurz. »Ich denke schon. Entweder das oder eine helle Bluse mit einem dunklen Rock. Aber meistens hatte sie eine Schürze vorgebunden, darum kann ich über ihre Kleidung eigentlich nicht viel sagen.«

»In der Zeit, als sie bei Signora Battestini war, haben Sie da irgendwelche Veränderungen an ihr wahrgenommen?«

»Ich weiß nicht, was meinen Sie mit Veränderungen?«

»Hat sie sich eine neue Frisur zugelegt, oder ließ sie sich die Haare färben? Trug sie auf einmal eine Brille?«

Assunta Gismondi erinnerte sich an den weißen Haaransatz, der ihr aufgefallen war, als sie Flori an jenem letzten Tag, um sie zu beruhigen, in ein Café geführt hatte. »Sie hörte auf, sich die Haare zu färben«, sagte sie. »Wahrscheinlich konnte sie es sich nicht mehr leisten.«

»Wie kommen Sie darauf?« fragte er.

»Haben Sie eine Ahnung, was Haarefärben in dieser Stadt kostet?« konterte sie und überlegte, ob er verheiratet und wenn ja, ob seine Frau in dem Alter war, wo man der natürlichen Haarfarbe schon ein wenig nachhelfen mußte. Sie schätzte ihn auf fünfzig plus: Ohne den lichten Scheitel und die Fältchen um die Augen hätte er freilich jünger gewirkt. Paradoxerweise erschienen wiederum seine Augen ausgesprochen jung: klug, hellwach und von rascher Auffassungsgabe.

»Natürlich«, sagte Brunetti, der den Sinn ihrer Frage offenbar sofort verstanden hatte. »Können Sie mir sonst noch etwas über Signora Battestini erzählen? Irgend etwas, Signora, egal wie unwichtig oder belanglos es Ihnen vorkommen mag, und ja«, setzte er mit einem verbindlichen Lächeln hinzu, »auch wenn es noch so sehr nach Klatsch klingt.«

Sie kam seiner Aufforderung bereitwillig nach. »Ich glaube, ich erwähnte bereits, daß sie in der Nachbarschaft ziemlich verschrien war.« Er nickte, und sie fuhr fort: »Und die Leute wissen auch, daß sie mir sehr viel Ärger bereitet hat...« Hier stockte sie kurz und flocht dann erläuternd ein: »Ich bin nämlich die einzige, deren Schlafzimmerfenster zu ihrer Wohnung hinausgehen. Ich weiß nicht, ob die Schlafzimmer der anderen immer schon nach hinten zu lagen oder ob sie ihre Wohnungen im Lauf der Jahre umgeräumt haben, um dem Lärm der Alten zu entgehen.«

»Oder ob der erst in jüngster Zeit begonnen hat«, warf er ein.

»Nein«, widersprach sie umgehend. »Jeder, mit dem ich gesprochen habe, hat mir versichert, daß es seit dem Tod des Sohnes so geht. Meine Nachbarn zur Rechten haben eine Klimaanlage und schlafen bei geschlossenen Fenstern, und die alten Leute unter mir halten sowohl Fenster als auch Läden geschlossen. Ein Wunder, daß sie während der Sommermonate nicht ersticken.« Sie merkte plötzlich, wie töricht und geschwätzig ihre Litanei sich anhören mußte, brach ab und versuchte sich zu erinnern, wie sie auf dieses Thema gekommen war. Dann besann sie sich auf ihren Ausgangspunkt und nahm den Faden wieder auf. »Wie gesagt: Jeder in der Nachbarschaft kennt sie, und sobald ich ihren Namen erwähne, werden die Leute redselig. Ich habe ihre Lebensgeschichte bestimmt schon ein dutzendmal gehört.«

»Wirklich?« Brunetti, der sich inzwischen doch Notizen machte, schlug eine Seite seines Blocks um und sah sie mit einem Lächeln an, das sie als Aufforderung verstand.

»Nun ja, sagen wir, ich kenne Details und Auszüge ihrer Lebensgeschichte.«

»Und darf ich die auch erfahren?«

»Also, sie lebte schon seit Jahrzehnten im selben Haus. Nach dem, was die Leute sagen, muß sie an die Achtzig gewesen sein, vielleicht auch älter«, sagte Signora Gismondi.

»Sie hatte einen Sohn, aber der ist, wie gesagt, verstorben. Wenn man den Nachbarn glauben darf, war ihre Ehe nicht glücklich. Ihr Mann ist seit ungefähr zehn Jahren tot.«

»Wissen Sie, was er von Beruf war?«

Sie versuchte sich zu erinnern, indem sie in Gedanken einen über Jahre angesammelten Klatsch-Fundus durchforstete. »Ich glaube, er war bei der Stadt oder bei der Provinzverwaltung, aber ich weiß nicht, in welcher Funktion. Die Leute sagen, er hätte nach Feierabend meistens in der Bar an der Ecke gesessen und Karten gespielt. Angeblich das einzige Mittel, das ihn davon abhielt, sie – ähm – sie umzubringen.« Bei dem letzten Wort blickte sie erschrocken auf, aber dann fuhr sie fort. »Bei allen, die über ihn sprachen, habe ich herausgehört, daß man ihn eigentlich recht nett fand.«

»Wissen Sie, woran er gestorben ist?«

Diesmal zögerte sie lange mit der Antwort. »Nein, aber ich erinnere mich dunkel, daß von einem Schlaganfall die Rede war oder einem Herzinfarkt.«

»Starb er hier in Venedig?«

»Keine Ahnung. Ich habe nur gehört, daß er tot ist und ihnen alles hinterlassen hat, ihr und dem Sohn: das Haus, was immer an Geld da war, und ich glaube noch eine Wohnung am Lido. Als der Sohn starb, wurde sie dann wohl zur Alleinerbin.«

Während sie erzählte, nickte Brunetti hin und wieder, sowohl zum Zeichen, daß er verstand, wovon die Rede war, als auch zu ihrer Ermunterung.

»Ich denke, das ist alles, was ich über den Ehemann weiß.«

»Und was ist mit dem Sohn?«

Sie zuckte die Achseln.

»Was haben die Leute denn von ihm erzählt?«

»Gar nichts«, sagte sie, offenbar erstaunt über ihre eigene Antwort. »Also zumindest mir gegenüber hat ihn nie jemand erwähnt. Na ja, abgesehen von dem einen, der mir gesagt hat, daß er tot ist.«

»Und die Signora? Was war mit ihr?«

Diesmal kam die Antwort prompt. »Im Lauf der Jahre hat sie sich mit allen in ihrer Umgebung überworfen.«

»Und weswegen?«

»Sie sind doch Venezianer, oder?« Eine Frage, die, da Sprache und Aussehen Brunettis Herkunft zweifelsfrei verrieten, nur scherzhaft gemeint sein konnte.

Brunetti lächelte, und sie fuhr fort: »Dann wissen Sie ja, worüber man bei uns streitet: den Müll, der vor einer fremden Haustür abgestellt wurde, die Post, die im falschen Briefkasten landet und nicht weitergereicht wird, einen Hund, der ständig bellt – der Anlaß spielt eigentlich keine Rolle. Man braucht nur einmal falsch zu reagieren, sich vielleicht im Ton zu vergreifen, und schon haben Sie einen Feind fürs Leben.«

»Und Signora Battestini gehörte offenbar zu denen, die mit Vorliebe falsch reagieren.«

»Ja«, sagte sie und nickte gleich zweimal bekräftigend.

»Gab es irgendeinen besonderen Vorfall?« fragte er.

»Meinen Sie einen, der ihren Widersacher zu einem Mord hätte verleiten können?« Signora Gismondis Gegenfrage sollte ironisch klingen, was aber nicht recht gelang.

»Kaum. Wegen eines Nachbarschaftsstreits bringt man

so schnell niemand um. Andernfalls«, ergänzte er mit einem mutwilligen kleinen Lächeln, »wären Sie Ihrer eigenen Aussage nach am ehesten verdächtig. Doch ich kann Sie mir schwerlich als Mörderin vorstellen.«

Als sie ihn das sagen hörte, wurde ihr bewußt, daß dies eine der merkwürdigsten, zugleich aber auch angenehmsten Unterhaltungen war, die sie je geführt hatte.

»Soll ich Ihnen noch mehr Klatschgeschichten erzählen, oder wollen Sie hören, was ich mir für einen Reim darauf mache?« fragte sie.

»Letzteres wäre, denke ich, hilfreicher?« antwortete er.

»Und zeitsparender«, orakelte sie aufs Geratewohl.

»Nein, nein, Signora. Ich bin überhaupt nicht in Eile. Bitte, glauben Sie das nicht. Mich interessiert alles, was Sie zu sagen haben.«

Bei einem anderen Mann hätte das womöglich zweideutig geklungen, so als bemäntele er den Versuch, mit ihr zu flirten, durch eine scheinbar seriöse Beteuerung, aber bei ihm nahm sie jedes Wort für bare Münze.

Sie lehnte sich so entspannt zurück, wie ihr das in Gegenwart des anderen Polizisten unmöglich gewesen wäre; mit ihm oder Männern seines Schlages hätte sie auch nie so offen reden können. »Die Wohnung habe ich, wie gesagt, erst seit vier Jahren. Aber ich arbeite zu Hause und habe in der Regel ein offenes Ohr für die Leute, die mit mir reden wollen, schon weil ich die meiste Zeit allein bin mit meiner Arbeit.« Sie besann sich kurz und ergänzte seufzend: »Das heißt, wenn ich bei dem Krach zum Arbeiten komme.«

Brunetti nickte. Er wußte aus Erfahrung, daß die meisten Menschen mitteilungsbedürftig sind, und auch, wie leicht es fällt, ihnen mit echtem oder auch nur vorgetäuschtem Interesse eine Meinung zu jedem beliebigen Thema zu entlocken.

Mit einem bitteren Lächeln fuhr Signora Gismondi fort: »Und die Nachbarn, wissen Sie, die haben mir noch ganz andere Sachen über die Alte erzählt. Aber auch wenn ihre Geschichten noch so deutlich bezeugten, wie verhaßt sie war: Zum Schluß beteuerte jeder unweigerlich, man müsse Mitleid haben mit ihr, denn sie sei schließlich eine arme Witwe, die obendrein das grausame Schicksal tragen müsse, ihr einziges Kind überlebt zu haben.«

Da er spürte, daß sie ihn gern noch weiter mit Nachbarschaftsklatsch versorgt hätte, fragte Brunetti: »Um was ging es denn bei diesen Geschichten, die man Ihnen sonst noch zugetragen hat, Signora?«

»Zum einen um ihren Geiz. Ich sagte Ihnen ja schon, daß sie dem Postboten nie ein Trinkgeld gab, aber auch für sich hat sie offenbar immer nur das Billigste gewählt. Sie war imstande und marschierte durch die halbe Stadt, um fünfzig Lire an einer Packung Pasta zu sparen. Und mein Schuster sagte, er sei es irgendwann leid gewesen, daß sie dauernd versprach, beim nächsten Mal bekäme er sein Geld, um dann, wenn sie wiederkam, zu behaupten, sie hätte bereits bezahlt. Das ging so lange, bis er sich schließlich weigerte, weiter für sie zu arbeiten.« Sie sah seinen Gesichtsausdruck und räumte ein: »Ich weiß natürlich nicht, wieviel da Wahres dran ist. Sie wissen ja, wie so was geht: Sobald jemand einen bestimmten Ruf hat, machen Geschichten die Runde, bei denen es bald nicht mehr darauf ankommt, ob das, was erzählt wird, sich wirklich so zugetragen hat oder nicht.«

In der Tat war Brunetti seit langem mit dieser unheilvollen Kettenreaktion vertraut. Ja, er hatte Menschen gekannt, die deswegen ermordet, und andere, die dadurch in den Tod getrieben wurden.

Signora Gismondi fuhr fort: »Manchmal habe ich erlebt, wie sie die Frauen, die bei ihr arbeiteten, anschrie, daß man es über den ganzen *campo* hinweg hören konnte. Sie erhob die schlimmsten Vorwürfe: bezichtigte die Frauen der Lüge oder des Diebstahls. Oder sie beschwerte sich über das Essen, das sie ihr gekocht hatten, oder darüber, wie ihr Bett gemacht war. Und ich bekam das alles mit, zumindest im Sommer, es sei denn, ich schottete mich mit Kopfhörern ab. Manchmal sah ich eine der Frauen am Fenster und winkte oder lächelte hinüber, wie man das halt so macht. Und wenn ich eine von ihnen auf der Straße traf, grüßte ich oder nickte ihr zu.« Signora Gismondi blickte verlegen zur Seite, wohl weil sie vorher nie darüber nachgedacht hatte, warum sie sich so verhielt. »Wahrscheinlich wollte ich ihnen zu verstehen geben, daß nicht alle Menschen so sind wie die Alte, oder vielmehr nicht alle Venezianer.«

Brunetti nickte zum Zeichen, daß er das sehr wohl nachvollziehen konnte.

»Eine von ihnen, sie kam aus Moldawien, fragte mich eines Tages, ob ich vielleicht Arbeit für sie hätte. Ich mußte ihr sagen, daß ich leider schon seit Jahren dieselbe Zugehfrau habe. Aber sie wirkte so verzweifelt, daß ich mich umhörte und eine Freundin fand, deren Putzfrau gerade gekündigt hatte. Die übernahm dann diese Jana und war sehr zufrieden mit ihr und lobte sie als ehrlich und fleißig.« Signora Gismondi lächelte kopfschüttelnd über die eigene

Redseligkeit. »Jedenfalls erzählte Jana meiner Freundin, daß Signora Battestini ihr ganze siebentausend Lire – das war noch vor der Euro-Umstellung – die Stunde gezahlt habe.« Sie konnte ihre Entrüstung nicht verhehlen, als sie fortfuhr: »Das sind weniger als vier Euro die Stunde! Davon kann doch kein Mensch leben.«

Brunetti bewunderte sie für ihr zorniges Engagement. »Glauben Sie, daß sie Signora Ghiorghiu genauso wenig gezahlt hat?« fragte er.

»Keine Ahnung, aber es würde mich nicht wundern.«

»Wie hat sie denn reagiert, als Sie ihr das viele Geld geschenkt haben?«

Die Frage machte Signora Gismondi sichtlich verlegen. »Oh, ich denke, sie hat sich gefreut.«

»Da bin ich mir sicher«, versetzte Brunetti. »Aber wie hat sie *reagiert*?«

Signora Gismondi senkte den Blick auf ihre im Schoß gefalteten Hände. »Sie hat geweint«, sagte sie und setzte nach einigem Zögern hinzu: »Und versucht, mir die Hand zu küssen. Aber das konnte ich doch nicht zulassen, so auf offener Straße.«

»Gewiß nicht«, pflichtete Brunetti ihr bei und unterdrückte ein Lächeln. »Fällt Ihnen sonst noch etwas zu Signora Battestini ein?«

»Ich glaube, sie war früher Schulsekretärin. Wo, weiß ich nicht genau, aber soviel ich gehört habe, in einer Grundschule. Sie muß allerdings schon vor über zwanzig Jahren in Rente gegangen sein. Vielleicht noch früher, so leicht, wie das damals noch ging.« Auch wenn er sich nicht ganz sicher war, klang das für Brunetti eher vorwurfsvoll als bedauernd.

»Und ihre Familie? Sie erwähnten vorhin eine Nichte, mit der Sie gesprochen hätten, Signora.«

»Ja, aber die wollte auch nichts mit der Alten zu tun haben. Die Signora hatte eine Schwester in Dolo, die Mutter der Nichte; ursprünglich hatte ich mich an die gewandt, aber bei meinem letzten Anruf war die Nichte am Apparat und teilte mir mit, ihre Mutter sei gestorben.« Nach einiger Überlegung setzte sie hinzu: »Ich hatte das Gefühl, sie wollte nichts von ihrer Tante hören, solange die nicht tot und begraben war und sie das Haus übernehmen konnte.«

»Sagten Sie nicht auch, Sie hätten mit einer Anwältin gesprochen, Signora?«

»Ja, Dottoressa Marieschi. Sie hat eine Kanzlei, zumindest laut Eintrag im Telefonbuch, irgendwo in Castello. Ich habe sie nie persönlich kennengelernt, sondern nur mit ihr telefoniert.«

»Wie haben Sie all diese Leute eigentlich ausfindig gemacht, Signora?« fragte er.

Da sie aus seinem Tonfall nichts als schlichte Neugier heraushörte, antwortete sie freimütig: »Ich habe mich umgehört und die jeweilige Person dann im Telefonbuch nachgeschlagen.«

»Wie haben Sie zum Beispiel den Namen der Anwältin herausbekommen?«

Diesmal kam die Antwort erst nach reiflicher Überlegung. »Einmal habe ich Signora Battestini angerufen und gesagt, ich sei vom Elektrizitätswerk und müsse mit ihr über eine unbezahlte Rechnung reden. Da verwies sie mich an ihre Anwältin – sie hat mir sogar die Nummer gegeben.«

Brunetti schenkte ihr ein anerkennendes Lächeln, hütete sich aber ansonsten, sie für diesen listigen Schachzug zu loben, der zweifellos irgendeinen Straftatbestand erfüllte. »Wissen Sie auch, ob diese Anwältin ihren gesamten Geschäftsverkehr regelte?«

»Damals am Telefon hörte es sich so an«, antwortete Signora Gismondi.

»Bei ihrem Telefonat mit Signora Battestini oder mit der Anwältin?«

»Oh, entschuldigen Sie. Ich meinte Signora Battestini. Die Anwältin war – nun ja, wie Juristen eben sind: Sie gab kaum Informationen preis und tat so, als ob sie nur sehr wenig Einfluß auf ihre Mandantin hätte.«

Treffender hätte man die bewährte Taktik der Advokatengilde kaum beschreiben können. Doch statt ihr zu ihrer scharfsinnigen Beobachtungsgabe zu gratulieren, fragte Brunetti: »Meinen Sie, daß von all dem, was Sie da in Erfahrung gebracht haben, etwas wichtig sein könnte für uns?«

»Ich fürchte, das kann ich nicht beurteilen, Commissario«, gab sie lächelnd zurück. »Die Nachbarn fanden sie jedenfalls durch die Bank unausstehlich, und wenn ihr Mann überhaupt zur Sprache kam, dann hieß es, er sei ein schlichtes Gemüt gewesen, ohne besondere Merkmale, und die beiden hätten keine glückliche Ehe geführt.« Falls Brunetti erwartet hatte, daß sie das mit der Bemerkung kommentieren würde, an Signora Battestinis Seite hätte wohl kein Mann glücklich werden können, so sah er sich getäuscht.

»Tut mir leid, wenn ich Ihnen nicht recht weiterhelfen konnte«, sagte sie und deutete damit an, daß sie das Gespräch langsam beenden wollte.

»Im Gegenteil, Signora, ich würde sagen, Sie waren uns

eine große Hilfe. Sie haben uns nicht nur davor bewahrt, einen Fall abzuschließen, der noch nicht zur Genüge ausermittelt wurde, sondern uns darüber hinaus auch gute Gründe dafür geliefert, unsere ursprünglichen Schlußfolgerungen zu revidieren.« Womit er ihr indirekt zu verstehen gab, daß zumindest er es nicht für nötig hielt, die Glaubwürdigkeit ihrer Aussage zu prüfen.

Brunetti erhob sich und trat mit ausgestreckter Hand auf sie zu. »Ich danke Ihnen für Ihr Kommen und für Ihre Offenheit, Signora. So wie Sie hätten nicht viele gehandelt.«

Signora Gismondi, die darin eine indirekte Entschuldigung für Scarpas arroganten Auftritt sah, schüttelte dem Commissario die Hand und verließ sein Büro.

6

Nachdem die Frau gegangen war, kehrte Brunetti an seinen Schreibtisch zurück und dachte nach über das, was er eben gehört hatte, zunächst aus Scarpas Sicht und dann von Signora Gismondi persönlich. Sie hatte ihm eine völlig plausible Geschichte erzählt: Leute verreisten, und während sie fort waren, ging das Leben in der Stadt seinen Gang. Oft genug hielten die Abwesenden keine Verbindung mit daheim, sei es, um das Gefühl des Fernseins besser auskosten zu können, sei es, weil sie, wie im Falle der Signora, uneingeschränkt in eine fremde Sprache oder Kultur eintauchen wollten. Warum hätte eine allem Anschein nach so vernünftige und ehrliche Frau wie Signora Gismondi eine solche Geschichte erfinden und trotz der Einwände, die Scarpa mit Sicherheit erhoben hatte, daran festhalten sollen? Brunetti konnte sich keinen einleuchtenden Grund vorstellen.

Viel leichter war es, an der Lauterkeit von Scarpas Motiven zu zweifeln. Hätte er Signora Gismondis Aussage akzeptiert, wäre das gleichbedeutend mit dem Eingeständnis gewesen, daß die Polizei sich übereilt für eine bequeme Lösung des Verbrechens entschieden hatte. Und natürlich hätte man eine Erklärung für den Verbleib des von der Polizei beschlagnahmten und dann verschwundenen Geldes finden müssen. Beides hatte Tenente Scarpa zu verantworten. Vor allem aber müßte, sofern man Signora Gismondis Geschichte Glauben schenkte, der Fall Battestini neu aufgerollt werden; besser gesagt, man wäre genötigt, über drei

Wochen nach dem Mord die Ermittlungen erstmals ernsthaft in Angriff zu nehmen.

Brunetti war, als Signora Battestinis Leiche gefunden wurde, im Urlaub gewesen, und da man den Fall bei seiner Rückkehr bereits zu den Akten gelegt hatte, widmete er sich wieder den Ermittlungen gegen den Gepäckabfertigungsdienst am Flughafen. Da die Beschuldigten mehrfach dabei gefilmt worden waren, wie sie die Koffer der Passagiere durchwühlten und Wertgegenstände entwendeten, und da einige der Verdächtigen sich in der Hoffnung auf ein leichteres Strafmaß bereit erklärt hatten, gegen die anderen auszusagen, blieb für Brunetti kaum mehr zu tun, als Akten und Protokolle zu wälzen und in ermüdenden Verhören diejenigen zu überführen, die bislang nicht geständig waren. Zwar hatte er im Urlaub etwas über den Mord gelesen, doch da er sich törichterweise dazu verleiten ließ zu glauben, was in den Zeitungen stand, war auch er von der Schuld der Rumänin überzeugt gewesen. Warum sonst hätte sie versuchen sollen, das Land zu verlassen? Warum sonst dieser panikartige Fluchtversuch vor der Polizei?

Nun, Signora Gismondi hatte ihm eben sehr einleuchtende Antworten auf diese Fragen geliefert: Florinda Ghiorghiu wollte aus Italien fort, weil sie hier ihre Arbeit verloren hatte, und sie versuchte der Polizei zu entkommen, weil sie aus einem Land stammte, in dem die Polizei als ebenso korrupt wie gewalttätig galt und wo der bloße Gedanke, ihren Schergen in die Hände zu fallen, ausreichte, um auch einen Unschuldigen in die Flucht zu schlagen.

Als der Commissario Scarpa vor einer Stunde in Signorina Elettras Büro begegnet war, hatte der Tenente geschäumt vor Wut über eine, wie er steif und fest behauptete, lügenhafte Zeugin. Signorina Elettra, die seine Stimmung rasch erfaßt hatte, machte ihm den Vorschlag: »Vielleicht könnte ja ein anderer die Wahrheit aus der Frau herausbekommen.«

Brunetti wunderte sich, wie höflich Signorina Elettra auf den Tenente einging und wie bereitwillig sie ihm zu glauben schien. Erst als sie sich an ihn wandte, durchschaute er ihre List. »Commissario, der Tenente hat ja schon wichtige Vorarbeit geleistet, indem er den Schwindel dieser Frau aufdeckte. Vielleicht könnte jemand anders sie noch einmal ins Gebet nehmen und herausfinden, warum sie ihre Geschichte erfunden hat.« Hier hob sie Scarpa mit übertrieben respektvoller Geste die Hände entgegen und schloß zaghaft: »Natürlich nur, wenn Sie glauben, daß es etwas nützen würde, Tenente.« Brunettis Blick fiel auf ihre ungewohnt schlichte weiße Baumwollbluse: Vielleicht lag es ja an dem hochgeschlossenen Kragen, daß sie heute so unschuldig wirkte.

Ein Schatten huschte über Scarpas Gesicht und bezeugte sein tief verwurzeltes Mißtrauen gegenüber Signorina Elettra, aber bevor er etwas sagen konnte, nahm Brunetti das Wort. »Schauen Sie nicht mich an, Signorina. Ich stecke mitten in der Flughafensache, mir bleibt keine Zeit für solche Mätzchen.« Und er wandte sich zum Gehen.

Brunettis Sträuben erreichte, was Signorina Elettras Werben nicht gelungen war: Scarpa ließ sich aus der Reserve locken. »Mir wird sie garantiert immer wieder dieselbe Geschichte auftischen«, brummte er.

Es war eine Feststellung, keine Bitte, und so blieb Brunetti denn fest. »Ich muß mich um den Flughafen kümmern«, sagte er, schon auf dem Weg zur Tür.

Das reichte, um Scarpa den entscheidenden Stoß zu versetzen. »Wenn diese Frau in einem Mordfall lügt, dann ist das wichtiger als so ein läppischer Diebstahl am Flughafen.«

Brunetti blieb kurz vor der Tür stehen und wandte sich nach Signorina Elettra um, die ihm mit einem resignierten Seufzer zunickte. »Ich glaube, der Tenente hat recht, Commissario.«

Brunetti, das wandelnde Ebenbild eines leidgeprüften, sorgengeplagten Mannes, versetzte vielleicht eine Spur zu schicksalsergeben: »Also gut, aber ich will in nichts hineingezogen werden. Wo ist sie?«

So kam sein Gespräch mit Signora Gismondi zustande, und alles, was er dabei erfuhr, schien Signorina Elettra recht zu geben. Denn Brunetti zweifelte nicht daran, daß die Aussage dieser späten Zeugin der Wahrheit entsprach.

Als der Commissario wieder in Signorina Elettras Büro hinunterkam, telefonierte sie gerade. Doch sie hob die Hand und reckte zwei Finger in die Höhe, zum Zeichen, daß es nur noch einen Moment dauern würde. Mit gesenktem Kopf machte sie sich ein paar Notizen, sagte: »Besten Dank«, und legte auf.

»Wie ist denn das zugegangen?« fragte er und deutete mit dem Kinn auf die Stelle, wo Tenente Scarpa gestanden hatte.

»Erkenne deinen Feind«, antwortete sie lapidar.

»Und was heißt das?« fragte er.

»Scarpa haßt Sie, aber gegen mich ist er nur wahnsinnig mißtrauisch. Also brauchte ich ihm bloß die Chance zu bieten, Ihnen scheinbar gegen Ihren Willen diese Vernehmung aufzuzwingen, und schon besiegte der Wunsch, Sie zu schikanieren, sein Mißtrauen gegen mich.«

»Bei Ihnen hört sich das so einfach an wie das kleine Einmaleins«, sagte er.

»Zuckerbrot und Peitsche«, versetzte sie lächelnd. »Ich lockte ihn mit Zuckerbrot, und er dachte, er könne es in eine Peitsche verwandeln und Sie damit treffen.« Dann wurde sie plötzlich ernst. »Was hat die Frau denn nun gesagt?«

»Daß sie die Rumänin zum Bahnhof gebracht, ihr eine Fahrkarte nach Bukarest gekauft und sich dann von ihr verabschiedet hätte.«

»Wie lange vor Abfahrt des Zuges?« fragte Signorina Elettra prompt.

Brunetti rechnete es ihr hoch an, daß auch sie den Schwachpunkt in Signora Gismondis Geschichte sofort erkannt hatte. »Ungefähr eine Stunde vorher.«

»In der Zeitung stand, der Mord geschah in der Nähe vom Palazzo del Cammello.«

»Stimmt.«

»Dann wäre der Frau reichlich Zeit geblieben, nicht wahr?«

»Ja.«

»Und?«

»Warum hätte sie die Alte töten sollen?« fragte er. »Diese Zeugin, Assunta Gismondi, sagt, sie habe der Rumänin ungefähr siebenhundert Euro geschenkt«, begann Brunetti, und als er sah, wie Signorina Elettra die Stirn runzelte, setzte er hinzu: »Und ich glaube ihr. Sie ist impulsiv, diese Signora Gismondi, und ich denke, sehr großzügig.« Tatsächlich war er überzeugt, daß es genau diese Eigenschaften waren, die sie heute morgen in die Questura geführt hatten, diese beiden und ihre Ehrlichkeit.

Signorina Elettra schob ihren Stuhl zurück und schlug die Beine übereinander. Sie trug einen kurzen roten Rock und so hohe Pumps, daß sie damit selbst über das schlimmste *acqua alta* hätte hinwegstöckeln können.

»Wollen Sie mir eine ungebührliche Frage gestatten, Commissario?« begann sie und fuhr, als er zustimmend nickte, fort: »Lassen Sie sich da von Ihrem Kopf oder von Ihrem Herzen leiten?«

Er überlegte kurz und antwortete: »Von beiden.«

»Wenn das so ist«, sagte sie und erhob sich, was sie dank der Absätze fast auf Augenhöhe mit ihm brachte, »dann gehe ich wohl am besten mal runter in Scarpas Büro und mache eine Kopie von der Akte.«

»Ist die nicht da drin?« fragte er und wies auf ihren Computer.

»Nein. Der Tenente zieht es vor, seine Berichte auf der Schreibmaschine zu tippen und in seinem Büro aufzubewahren.«

»Wird er Ihnen denn die Akte geben?«

Sie lächelte. »Natürlich nicht.«

Auf die Gefahr hin, sich zu blamieren, fragte Brunetti: »Und wie wollen Sie drankommen?«

Sie bückte sich, zog eine Schublade auf und entnahm ihr ein schmales Lederetui. Als sie es öffnete, sah er einen Satz Sperrhaken und Drahtwerkzeuge, die erschreckende Ähnlichkeit mit den Dietrichen hatten, deren er sich bisweilen bediente. »Ich werde sie stehlen, Commissario. Und eine Kopie anfertigen. Danach lege ich sie dorthin zurück, wo ich sie gefunden habe. Und da der Tenente ein mißtrauischer Mann ist, werde ich mich vor dem halben Zahnstocher in acht nehmen, den er zwischen die siebte und achte Seite der Akten klemmt, die ihm wichtig scheinen und von denen er fürchtet, es könnten sich auch andere dafür interessieren.«

Ihr Lächeln bekam etwas Triumphierendes. »Wenn Sie in Ihrem Büro auf mich warten wollen, Commissario, dann bringe ich Ihnen die Kopie nachher hinauf.«

Brunetti konnte nicht an sich halten. »Aber wo ist er?« Was er eigentlich fragen wollte, war, woher sie wisse, daß Scarpa nicht in seinem Büro sei.

»Auf einem unserer Polizeiboote, unterwegs zu den Fondamenta Nuove.«

Brunetti fühlte sich an die berühmten Pattsituationen aus einem der vielen Western erinnert, die er als Junge gesehen hatte, jene Szenen, in denen der Held und der Bösewicht einander Auge in Auge gegenüberstanden und sich so lange anstarrten, bis einer von beiden aufgab. Nur daß es sich hier nicht um ein Duell der Guten gegen die Bösen handelte – es sei denn, man wollte so kleinlich sein und jemanden dafür verurteilen, daß er heimlich in ein Zimmer der Questura eindrang, um unerlaubt ein amtliches Dokument zu kopieren. Brunetti, der eine viel zu hehre Meinung von Recht und Gesetz hatte, um solch spießige Maßstäbe anzulegen, ging und hielt Signorina Elettra die Tür auf. Als sie an ihm vorbeiglitt, verhieß sie lächelnd: »Es wird nicht lange dauern.«

Wie macht sie das bloß? rätselte er unwillkürlich auf dem Weg zurück in sein Büro. Doch er dachte dabei weniger an die Mittel, die Signorina Elettra benutzte: den Computer und die Freunde, mit denen sie in ständigem Telefonkontakt stand und die, um ihr einen Gefallen zu tun, ohne weiteres Vorschriften oder Gesetze mißachteten. Auch die Methoden, deren sie sich bediente, um Lebenswandel und Schwächen ihrer Vorgesetzten auszuforschen, interessierten ihn nicht besonders. Was ihn beschäftigte, war die Frage, woher sie den Mut nahm, sich den oberen Chargen ebenso offen wie beharrlich zu widersetzen und niemals zu verhehlen, auf wessen Seite sie stand. Sie hatte ihm einmal erklärt, wie und warum sie eine glänzende Laufbahn im Bankgewerbe ausgeschlagen und gegen einen in den Augen ihrer Familie und Freunde ungleich minderwertigeren Posten bei der Polizei eingetauscht hatte. Ihren Prinzipien zuliebe, von denen sie sich vermutlich auch jetzt leiten ließ, hatte sie die Bank verlassen. Doch er hatte sich nie getraut, diesen Prinzipien auf den Grund zu gehen.

Wieder an seinem Schreibtisch, stellte er als erstes eine Liste aller noch fehlenden Informationen zusammen: Wie hoch bezifferte sich Signora Battestinis Hinterlassenschaft; wie weit war Avvocatessa Marieschi in Signora Battestinis Geschäfte verwickelt und worin bestanden diese Geschäfte; hatte der Name der Toten respektive ihres Mannes irgendwann Eingang in die Polizeiakten gefunden; was wußten die Nachbarn über eventuelle Streitigkeiten der Alten; und gab es (was nach drei Wochen kaum wahrscheinlich war) aussagewillige Zeugen, die am Mordtag außer der Rumänin noch jemanden beim Betreten oder Verlassen der Wohnung gesehen hatten. Außerdem würde er noch mit dem Hausarzt der Alten sprechen müssen.

Kaum war Brunetti mit seiner Liste fertig, erschien Signorina Elettra. Bevor sie sein Büro betrat, hatte sie ganz gegen ihre Gewohnheit vorsorglich angeklopft.

»Haben Sie auch eine Kopie für Vianello gemacht?« fragte er.

»Ja, Commissario«, antwortete sie, legte ihm einen Schnellhefter auf den Schreibtisch und hielt einen zweiten, genau gleich aussehenden in die Höhe.

»Wissen Sie, wo er ist?« Brunetti vermied tunlichst, das »er« besonders zu betonen, damit es sich nicht so anhörte, als hätte sie die Ohren sämtlicher Mitarbeiter der Questura mit Computerchips bestückt und könne sie nun alle über eine Satellitenverbindung von ihrem Rechner aus überwachen.

»Er sollte heute nachmittag im Haus sein, Commissario.«

»Haben Sie reingesehen?« fragte er und deutete auf den Ordner.

»Nein.«

Er glaubte ihr.

»Dann werfen Sie doch einen Blick in Vianellos Kopie, bevor Sie sie abgeben.« Er brauchte ihr nicht zu erklären, warum er das vorschlug.

»Natürlich, Commissario. Möchten Sie, daß ich die auffälligsten Punkte gleich überprüfe?«

Früher hätte er noch gefragt, was sie damit meine, aber inzwischen kannte er sie gut genug, um zu wissen, daß ihre »Punkte« vermutlich mit den Notizen auf seinem Schreibtisch übereinstimmten, und darum beließ er es bei einem »Ja, bitte.«

»Mach ich gern«, flötete sie und ging.

Zuoberst in dem Hefter lag der Obduktionsbericht. Aus langjähriger Erfahrung sah Brunetti als erstes nach, wer ihn unterzeichnet hatte, und war erleichtert, als er Rizzardis krakelige Schrift erkannte.

Signora Battestini war zum Zeitpunkt ihres Todes dreiundachtzig Jahre alt gewesen. Nach Ansicht des Pathologen hätte sie gut und gern noch zehn Jahre vor sich gehabt: Herz und alle übrigen lebenswichtigen Organe waren in ausgezeichneter Verfassung. Sie hatte mindestens einmal entbunden, sich aber irgendwann später einer Totaloperation unterzogen. Davon abgesehen gab es keinerlei Hinweise auf ernstere Erkrankungen, Knochenbrüche oder dergleichen. Aufgrund ihres Gewichts (über hundert Kilo) zeigten die Kniegelenke allerdings so gravierende Verschleißerscheinungen, daß sie wohl große Beschwerden beim Laufen hatte und Treppen kaum mehr bewältigen konnte. Erschlafftes Muskelgewebe zeugte von generellem Bewegungsmangel.

Das Opfer hatte mehrere Schläge – nach Rizzardis Schätzung fünf – auf den Hinterkopf bekommen. Welcher davon tödlich gewesen war, ließ sich nicht feststellen, da allesamt mehr oder weniger die gleiche Stelle getroffen hatten. Als unmittelbare Todesursache mußte ohnehin ein massiver traumatischer Schock angenommen werden. Der Mörder, mutmaßlich Rechtshänder, war entweder sehr viel größer als sein Opfer, oder er hatte im Stehen auf die sitzende Frau eingeschlagen. Die brutal zertrümmerte Schädeldecke sprach für die zweite Variante, die es dem Angreifer ermöglicht hätte, mit einem Schwungradius von fast einem Meter zuzuschlagen.

Rizzardi enthielt sich jeglicher Spekulation bezüglich der Tatwaffe; ob er von der bei der Leiche gefundenen Statue Kenntnis hatte, ging aus dem Bericht nicht hervor. Darin war lediglich von einem klobigen, zwischen einem und drei Kilo schweren Gegenstand aus Holz oder Metall die Rede, der aufgrund der Schädelverletzung eine Reihe horizontal verlaufender Kerben oder Rillen aufweisen müsse.

Dem Obduktionsergebnis angeheftet war der Laborbefund, demzufolge die Verzierungen an der Bronzestatue mit dem Splittermuster der zertrümmerten Schädeldecke übereinstimmten. Die Blutspuren an der Statue waren identisch mit der Blutgruppe von Signora Battestini; es gab keine Fingerabdrücke.

Unmittelbar hatten Trauma und hoher Blutverlust den Tod herbeigeführt. Doch selbst wenn man das Opfer früher gefunden und die Blutung hätte stillen können, wäre die alte Frau aufgrund der massiven Verletzung des Hirngewebes und der daraus resultierenden neurologischen Schäden nicht mehr zu retten gewesen.

Die Spurensicherung hatte den Tatort offenbar bestenfalls oberflächlich untersucht. Nur in einem Zimmer waren Fingerabdrücke gesichert worden, und die vier Fotos in der Akte – ausschließlich Aufnahmen von der Leiche – vermittelten kaum einen Eindruck vom Zustand des Mordzimmers und erst recht nicht von der »hastigen Durchsuchung«, die dem Bericht zufolge noch vor Eintreffen der Polizei stattgefunden hatte. Ob diese Nachlässigkeit darauf zurückzuführen war, daß man die Rumänin vorschnell für schuldig befunden hatte, konnte Brunetti nicht beurteilen: Er hoffte jedenfalls, daß solche Schlampereien nicht mittlerweile an der Tagesordnung waren. Die Unterzeichner des Tatortprotokolls ließen sich anhand der paar unleserlichen Initialen nicht ermitteln.

Als nächstes stieß er auf den Paß, den Florinda Ghiorghiu bei sich geführt hatte. Wenn der gefälscht war, wie lautete dann der wirkliche Name jener Frau, die man in Villa Opicina beigesetzt hatte? Nicht einmal das wußte er, denn der Bericht machte keine näheren Angaben über die Grabstätte. Das Paßfoto zeigte eine Frau mit dunklem Haar und dunklen Augen, die bar jeden Lächelns so furchtsam in die Kamera starrte, als könne die ihr etwas antun. Was ja auch indirekt zutraf: Über das Foto war sie an den Paß gelangt, durch den an ihre Arbeitsstelle, und als sie die verlor, kam es zu der Festnahme im Zug und ihrer todbringenden Flucht über die Schienen.

Als nächstes folgten Fotokopien von Florinda Ghiorghius Aufenthalts- und Arbeitserlaubnis, deren Angaben sich mit den Daten im Paß deckten. Man hatte ihr einen sechsmonatigen Aufenthalt in Italien genehmigt, aber der Einreisestempel im Paß war über ein Jahr alt. Signora Gismondi hatte ausgesagt, Flori sei im späten Frühling zu Signora Battestini gekommen: blieben acht oder neun Monate offen.

Damit endete das Dossier. Es gab weder Aufschluß darüber, wie Florinda Ghiorghiu die Stelle bei Signora Battestini bekommen hatte, noch enthielt es Lohnquittungen von Arbeitgeber oder Arbeitnehmer. Was Brunetti nicht weiter verwunderte; die meisten dieser Frauen, die überwiegend aus Osteuropa oder von den Philippinen stammten, arbeiteten schwarz – zumal diejenigen, die sich als Pflegerinnen um die ständig wachsende Zahl alter Menschen kümmerten.

Kurz entschlossen nahm er die Akte und ging damit nach unten, wohl wissend, daß das, was er vorhatte, alles andere als professionell war. Doch als er Signorina Elettras Büro betrat, sah sie ihm so unbefangen entgegen, als ob sie ihn schon erwartet hätte.

»Ich habe die Einträge im Ufficio Stranieri für das Veneto überprüft«, begann sie und setzte eilig hinzu: »Keine Angst, das war ganz legal. Wir haben die Daten alle hier in unserem Computer.«

Ohne darauf einzugehen, fragte er: »Und was haben Sie herausgefunden?«

»Daß Florinda Ghiorghiu eine makellos rechtsgültige Arbeitserlaubnis besaß«, sagte sie, lächelte dabei aber so verheißungsvoll, daß er unwillkürlich nachhakte.

»Und weiter?«

»Der auf ihren Namen ausgestellte Paß wurde noch von drei anderen Frauen benutzt.«

»Wie bitte?«

»Drei«, wiederholte sie. »Eine hier in Venedig, eine in Mailand und eine in Triest.«

»Aber das ist doch unmöglich.«

»Sollte man meinen«, räumte sie ein. »Aber es ist nun mal Tatsache.« Bevor er fragen konnte, ob es sich um ein und dieselbe Frau handle, die sich in verschiedenen Städten um Arbeit beworben hatte, erklärte sie: »Eine von ihnen nahm eine Stelle in Triest an, während die hier gemeldete bei Signora Battestini arbeitete.«

»Und die dritte?«

»Weiß ich noch nicht. Ich habe Probleme mit Mailand.«

Statt um Auflösung dieses Rätsels zu bitten, fragte er: »Gibt es denn dafür keine Zentralkartei oder wenigstens eine übergeordnete Behörde?«

»Im Prinzip schon«, bestätigte sie, »aber die Provinzen sind nicht untereinander vernetzt. Und unser Archiv erfaßt außer Venedig nur noch das Veneto.«

»Wie haben Sie's dann überhaupt herausbekommen?« fragte er gespannt, aber ohne Skrupel vor der Rechtmäßigkeit ihrer Methoden.

Nach reiflicher Überlegung antwortete sie: »Ich glaube, das sage ich Ihnen lieber nicht, Commissario. Das heißt, es wäre ein leichtes, eine technisch so komplizierte Antwort zu erfinden, daß Sie nichts damit anfangen könnten, doch ich gehe lieber den ehrlichen Weg und sage Ihnen klipp und klar, daß ich darüber nicht sprechen möchte.«

»In Ordnung«, versetzte Brunetti, wohl wissend, daß sie recht hatte. »Aber Sie sind sich doch sicher?«

Sie nickte. Und als hätte sie seine Gedanken gelesen, sagte sie: »Die Fingerabdrücke.« Eine Anspielung auf die großspurigen Pläne der Regierung, binnen fünf Jahren die Fingerabdrücke aller Bewohner des Landes, Italiener wie Zuwanderer, komplett in einer Zentraldatei zu erfassen. Brunetti hatte gelacht, als er das erste Mal von diesem Vorhaben hörte: Die Bahn kann ihre Züge nicht auf den Schienen halten, Schulen stürzen beim leisesten Erdbeben ein, drei Leute können denselben Paß benutzen – und die da oben wollen über fünfzig Millionen Fingerabdrücke katalogisieren.

Ein englischer Freund des Commissario hatte einmal

behauptet, das Leben in Italien sei nicht viel anders als das in einer *loony bin*. Und obwohl Brunetti damals keine Ahnung hatte, was genau dieses Tollhaus sein noch wo es sich befinden sollte, hatte er dem Freund aufs Wort geglaubt: Ja, mehr noch, er hielt dessen Vergleich für die treffendste Deutung Italiens, die er je gehört hatte.

»Wissen Sie, wo die anderen Frauen sich aufhalten, Signorina? Haben Sie ihre Adressen?«

»Die in Triest ja, aber nicht die in Mailand.«

»Haben Sie alle Provinzen einbezogen?«

»Nein. Nur den Norden. Bei den anderen wäre es reine Zeitverschwendung. Da unten kümmert sich keiner groß um so was wie Aufenthaltsgenehmigungen oder Arbeitserlaubnis.«

Wie immer, wenn er die eigenen Vorurteile aus dem Mund eines anderen vernahm, wurde ihm schmerzlich bewußt, wie überheblich sie klangen. »Da unten« – »Im Süden«. Wie oft hatte er diese abfälligen Bezeichnungen nicht nur gehört, sondern auch selber benutzt? Er glaubte zwar, daß er sich zumindest vor den Kindern nie so geäußert hatte, wenigstens nicht in jenem verächtlichen und geringschätzigen Ton, dem er gleichwohl so oft begegnete. Aber der Commissario konnte nicht leugnen, daß er schon längst zu der Überzeugung gekommen war, der Süden sei ein unlösbares Problem; ein krimineller Sumpf, der fortbestehen würde, lange nachdem er, Brunetti, aufgehört hätte, sich beruflich dafür zu interessieren.

Doch sein Gerechtigkeitssinn und die Erinnerung an gewisse Vorkommnisse, die er kürzlich hier, im ach so überlegenen Norden erlebt hatte, widersetzten sich diesem Pauschalurteil. Und dann riß ihn Signorina Elettras Stimme vollends aus seinen Gedanken: »…könnten Sie ja mal hingehen und sich in ihrer Wohnung umsehen.«

»Entschuldigung«, sagte er, »ich habe gerade an etwas anderes gedacht. Was haben Sie gesagt?«

»Daß es vielleicht eine gute Idee wäre, wenn Sie sich Zutritt zur Wohnung der Toten verschafften, um herauszubekommen, was dort wirklich passiert ist.«

»Ja, natürlich!« pflichtete er ihr bei und fragte mit einer Geste zu dem Ordner auf ihrem Schreibtisch: »Haben Sie beim Original die Schlüssel der Toten gefunden?«

»Nein. Nichts.«

»In dem Bericht sind sie auch nicht erwähnt. Scarpa hat Ihnen nicht gesagt, ob die Wohnung noch versiegelt ist, oder?«

»Nein.«

Brunetti dachte nach. Wenn die Schlüssel nicht verfügbar waren, dann müßte er Scarpa darum bitten, was er aber nicht wollte. Verlangte er sie dagegen von Signora Battestinis Angehörigen, wären Personen, die sehr wohl zum Kreis der Verdächtigen zählen mochten, gewarnt, daß die Polizei sich aufs neue für den Fall interessierte.

Endlich wandte er sich an Signorina Elettra und sagte: »Darf ich mir Ihre Dietriche ausborgen?«

7

Es war fast Mittagszeit, und Brunetti, seit langem daran gewöhnt, daß seine Frau Wert darauf legte, im voraus zu wissen, wie viele Personen zum Essen daheim sein würden, griff zum Telefon, um sich für heute zu entschuldigen.

»Wunderbar«, antwortete Paola.

»Wie bitte?« fragte er verblüfft.

»Ach Guido, stell dich doch nicht so an. Die Kinder sind beide bei Freunden eingeladen, und wenn du auch nicht kommst, kann ich beim Essen lesen.«

»Was gibt's denn zu essen?« fragte er.

»Möchtest du nicht wissen, was ich lesen werde?«

»Nein. Mich interessiert, was du essen wirst.«

»Damit du weißt, was dir entgeht?«

»Ja.«

»Und schmollen kannst?«

»Nein.«

Es entstand eine lange Pause, während der er beinahe hören konnte, wie ihre Gedanken am anderen Ende der Leitung arbeiteten. Endlich sagte sie: »Wenn ich verspreche, nur *grissini* und Käse zu essen und zum Nachtisch den zerdrückten Pfirsich – wäre dir dann wohler?«

»Ach, sei nicht albern, Paola«, wehrte Brunetti ab, doch er lachte dabei.

»Mein Wort darauf«, sagte sie. »Und als Entschädigung für das verpaßte Mittagessen verspreche ich dir für heute abend Schwertfischsteaks mit Shrimps.«

»In Tomatensauce?«

»Ja. Und wenn ich Zeit habe, mache ich aus den restlichen Pfirsichen Eiscreme als Dessert.«

»Und den Fisch vielleicht mit ein bißchen weniger Knoblauch als sonst?« fragte Brunetti, der eine vermeintlich starke Verhandlungsposition nicht ungenutzt lassen wollte.

»Fürs Eis?«

Lachend legte er auf und nahm sich vor, sie, wenn er heimkam, nach ihrer Lektüre zu fragen.

Nun konnte er die Mittagspause für einen Besuch in Signora Battestinis Wohnung nutzen, wofür ihm diese Stunde besonders günstig schien, zu der die Einheimischen sich in ihre Häuser zurückzogen und die Hitze auch die Touristen von den Straßen vertrieb. Er entschied sich für ein paar *tramezzini* als dürftigen Ersatz fürs Mittagessen, und nach reiflicher Überlegung fiel seine Wahl auf die Enoteca Boldin, die nicht nur die besten Sandwiches machte, sondern auch fast auf seinem Weg lag, so daß er bequem gegen eins die Wohnung von Signora Battestini erreichen würde.

Der Kater, der auf den Namen Olga hörte, schlief auf seinem Stammplatz vor der Bar, und Brunetti sah mit Freuden, daß sein Fell endlich nachgewachsen war, auch wenn es den seidiggrauen Schimmer von früher nicht wiedererlangt hatte. Die geheimnisvolle Krankheit, der Olga vor drei Jahren anheimgefallen war, wurde in der Nachbarschaft lebhaft diskutiert und hatte die abenteuerlichsten Deutungen erfahren: Nach einer Version hatte man den Kater mit Säure übergossen, eine andere führte seine entsetzliche Kahlheit auf eine plötzliche Allergie zurück. Unabhängig davon, welcher Lesart sie anhingen, hatten sich zahlreiche Stammgäste der Enoteca Boldin an den Tierarztrechnungen beteiligt, darunter auch Brunetti, der jetzt, auf dem Weg in die Bar, über die schlafende Katze hinwegstieg.

Nicht einmal im Zustand geistiger Entrückung konnten zwei *tramezzini* mit *prosciutto* und Zucchini (und seien sie noch so gut) und zwei Glas Weißwein als Mittagessen durchgehen, aber der Gedanke an Paolas kümmerliche Knabberstangen nebst Käse und angeschimmeltem Pfirsich machte ihm sein Los halbwegs erträglich.

Als er vor dem Haus anlangte, waren die Fensterläden geschlossen. Da das einzige Klingelschild den Namen »Battestini« trug, konnte er sich nicht seiner üblichen List bedienen und aufs Geratewohl bei jemandem läuten, unter dem Vorwand, er wolle zu einem Nachbarn, dessen Namen er auf dem Klingelbrett gelesen hatte. Ein Trick, mit dem er immer durchkam, wenn er obendrein noch Veneziano sprach. Heute aber würde er auf Signorina Elettras Dietriche zurückgreifen müssen. Er unterdrückte den Impuls, sich umzuschauen und zu vergewissern, daß er nicht beobachtet wurde, schob die Hand in die Jackentasche und fischte den kleinsten Dietrich heraus. Es war ein einfaches Schloß, das er im Nu aufbekam. Als er die Tür aufstieß, zwang er sich abermals, nicht über die Schulter zu sehen.

Nach der Hitze draußen empfing ihn im Hausflur eine angenehme Kühle. Die Wände waren frisch geweißelt, und durch die Fenster über der Tür fiel helles Licht herein. Als Brunetti sich auf den Weg in den zweiten Stock machte, stellte er fest, daß auch die Wände im Treppenhaus blitzsauber waren und die Marmorstufen glänzten. Ein Namensschild an der Wohnungstür erübrigte sich, da Signora Battestini ja über das ganze Haus verfügt hatte. Er bückte sich, um das Schloß in Augenschein zu nehmen, und sah, daß es ein einfaches Cisa war, ein Modell, das er schon etliche Male aufbekommen hatte. Diesmal wählte er den mittleren Dietrich, führte ihn behutsam ein, schloß die Augen, um sich ganz auf seine Finger zu konzentrieren, und tastete nach der ersten Zuhaltung.

In weniger als einer Minute hatte er das Schloß geknackt.

Er stieß die Tür auf, tastete an der Wand nach dem Lichtschalter und war, als die Lampe anging, verblüfft über die kühle, schlichte Einrichtung, die ihm so gar nicht zu der betagten Signora Battestini zu passen schien: weder der helle, maschinengewirkte Teppich auf dem Fußboden, noch die beiden fleckenlosen weißen Polstersessel oder das dunkelblaue Sofa, das aussah, als wäre es nie benutzt worden, und schon gar nicht der niedrige Glastisch mit einer flachen Holzschale in der Mitte. Doch dann begriff der Commissario, was passiert sein mußte: Entgegenkommende Polizisten oder übereifrige Verwandte hatten das Siegel entfernt, und die Wohnung war in aller Eile renoviert worden. Bei näherem Hinsehen entpuppten sich die vermeintlichen Ahornmöbel als billiges Resopal, genau das, was ein Hausbesitzer in eine Wohnung stellen würde, die er wochenweise zu vermieten beabsichtigte.

Brunetti ging nach hinten durch und fand in jedem Raum das gleiche Kalkül am Werk: Überall weiße Wände und helle Ausstattung mit jeweils einem dunklen Möbelstück als Kontrast. Einzig am Bad ließ sich ablesen, wie die Wohnung früher ausgesehen haben mochte: Die Armaturen waren erneuert worden, aber die zum Teil schon altersmatten, angelaufenen rosa Kacheln hatte man beibehalten.

Als Brunetti stichprobenartig Schränke und Schubladen öffnete, fand er neue Laken und Handtücher, teils noch in Plastik verpackt, und in der Küche neues Geschirr und Besteck. Nirgends, weder unter den Betten noch in den obersten Schrankfächern, entdeckte er eine Spur von der früheren Bewohnerin.

Da er aus Angst, sonst die Nachbarn zu alarmieren, die Fensterläden zugelassen hatte, machte ihm die aufgestaute Hitze bald so zu schaffen, daß er die Wohnung verließ und eine Treppe höher stieg. Ohne sich auf der nächsten Etage weiter aufzuhalten, kletterte er ganz hinauf bis zum Speicher. Dort stieß er auf eine Tür, deren Holz vom Alter morsch und rissig geworden war. Aber in Pfosten und Türfüllung waren massive Doppelflanschen getrieben und die Metallringe zu beiden Seiten mit einem Vorhängeschloß verankert, gegen das Brunetti mit bloßen Händen nichts ausrichten konnte. Also kehrte er in Signora Battestinis Wohnung zurück, wo er lange vergebens nach einem Werkzeug suchte. Am Schluß holte er aus der Küche eins der neuen und offenbar noch unbenutzten Messer aus rostfreiem Stahl und machte sich abermals auf den Weg zum Dachboden.

Selbst bei dem morschen Holz bedurfte es einiger Anstrengung, um den Flansch im Türpfosten zu lockern und herauszureißen. Endlich aber hatte er es doch geschafft, öffnete die Tür und spähte in den niedrigen Speicherraum. Zum Glück hatte der am anderen Ende zwei Fenster, die, obgleich nicht besonders sauber, immerhin genügend Licht hereinließen, so daß er sich einen Überblick verschaffen und zumindest die Umrisse dessen erkennen konnte, was man nach hier oben verbannt hatte.

An einer Wand stand ein Doppelbett mit geschnitztem Rahmen, wie er es aus dem Haus seiner Großmutter kannte; daneben ein passender Frisiertisch mit Marmorplatte und stockfleckigem Spiegel. Seitlich davon umrahmten zwei Polstersessel einen rosa Wäschekorb aus Resopal.

Unter den Fenstern stapelten sich mehrere Reihen Pappkartons. Körniger Staub knirschte unter seinen Füßen, als Brunetti darauf zuschritt. Er öffnete den obersten Karton, der zum Glück nicht mit Klebstreifen verschlossen war, fand aber nichts außer altem Schuhwerk. Seufzend stellte er den Karton auf dem Boden ab und wandte sich dem zweiten im Stapel zu, der offenbar ausrangiertes Küchengerät enthielt: ein Tranchiermesser mit gelblich verfärbtem Porzellangriff, einen Korkenzieher, eine Handvoll Silberbesteck von verschiedenen Garnituren, zwei schmutzige Topflappen und allerlei Utensilien aus Metall, deren Sinn und Zweck er sich nicht erklären konnte. Im dritten Karton, der merklich schwerer war als die beiden anderen, lagen lauter dick in Zeitungspapier eingeschlagene Päckchen. Brunetti wickelte aufs Geratewohl eines aus, und zum Vorschein kam, eingebettet in einen zwei Wochen alten Sportteil, eine häßlich bemalte Madonnenfigur, der es gar nicht zu gefallen schien, daß sie, bildlich gesprochen, zumindest für die nächste Zukunft in den jüngsten Drogenskandal des Radsports verwickelt war. Gleich neben der Madonna entdeckte Brunetti im Wirtschaftsteil des *Gazzettino* ein weiteres Prunkstück dessen, was Paola »Chiesa-Kitsch« nannte: eine Schneekugel aus Plexiglas, in der winzige Styroporflocken auf die Krippe von Bethlehem rieselten. Brunetti packte beides wieder ein und stellte den Karton beiseite.

Der nächste enthielt leicht fleckige Zierdeckchen und Sesselschoner voller ausgebleichter Flecken, verwaschene Tischdecken, die wohl aus der Küche stammten, sowie Geschirrtücher, die er kaum anfassen mochte. Im übernächsten befanden sich ungefähr ein Dutzend weiße Baumwollhemden, alle tadellos gebügelt und fein säuberlich zusammengelegt; und unter den Hemden lagen sechs oder sieben dunkelgestreifte Krawatten, jede einzeln in Zellophan verpackt. Der nächste Karton war wieder schwerer, und als Brunetti ihn öffnete, stieß er auf ein Sammelsurium von Schriftgut: alte Illustrierte, Zeitungen, Kuverts, in denen offenbar noch Briefe steckten, Postkarten, Quittungen und andere Papiere, die er in dem trüben Licht nicht erkennen konnte. Da er allein den ganzen Stapel unmöglich hätte tragen können, blieb ihm nichts anderes übrig, als den Fund vor Ort zu sichten und nur das mitzunehmen, was für den Fall von Interesse sein mochte.

Unterdessen wurde die Hitze immer unerträglicher; schwül preßte sie sich auf seine Haut; kribbelnd kroch sie ihm mitsamt dem Staub in die Nase. Ermattet legte er die Papiere zurück in den Karton und schickte sich an, die Jacke abzulegen, die ihm durch das schweißgetränkte Hemd am Körper klebte. Aber er hatte sie kaum von den Schultern gestreift, da hörte er unter sich eine Tür gehen und erstarrte, die Jacke im Kreuz.

Stimmen wurden laut; die eine klang hell – entweder die einer Frau oder eines Kindes –, die andere männlich tief. Beide sprachen so laut, daß man ihre Schritte auf der Treppe nicht hören konnte. Brunetti versuchte sich zu erinnern, ob er bei Signora Battestini das Licht ausgemacht und die Wohnungstür hinter sich zugezogen hatte. Sie hatte eins dieser Schnappschlösser, die auch ohne Schlüssel einrasten. Als er das erste Mal auf den Dachboden gestiegen war, hatte er sie offen gelassen, das wußte er, und konnte also nur hoffen, daß er beim zweiten Mal daran gedacht hatte, sie zu schließen.

Die Stimmen kamen näher, wobei die helle und die dunkle einander in so regelmäßiger Rede und Gegenrede abwechselten, daß Brunetti den Gedanken an ein Kind verwarf. Er hörte, wie eine Tür auf- und zuging, und dann waren die Stimmen verstummt. Er schloß die Augen, um sich besser konzentrieren zu können, und lauschte angestrengt. Er hatte keine Ahnung, in welche Wohnung die beiden gegangen waren, ob in die unmittelbar unter ihm oder eins tiefer in die von Signora Battestini. Bislang hatte er überhaupt nicht auf das Geräusch seiner Schritte auf dem Holzfußboden geachtet, und als er jetzt probeweise sein Gewicht ein klein wenig zur Seite verlagerte, erstarrte er abermals, so laut protestierten die knarrenden Dielen.

Er schlüpfte wieder in seine Jacke und sah auf die Uhr. Es war fünf Minuten vor zwei. Um fünf nach klaubte er die Papiere aus dem Karton, hielt sie ins Licht und versuchte zu lesen. Doch er mußte bald einsehen, daß er sich nicht konzentrieren konnte, solange die beiden unter ihm in der Wohnung waren. Also legte er den Stapel wieder an seinen Platz zurück und wartete. Es dauerte nicht lange, da meldete sich sein Rücken, und er kreiste ein paarmal die Hüften, um die Verspannung zu lösen.

Eine weitere Viertelstunde verstrich, bevor er die Stimmen wieder hörte, nachdem sich die Tür geräuschlos geöffnet hatte. Wie konnte er sich herausreden, falls die beiden heraufkämen und ihn in der Dachkammer ertappten? Strenggenommen handelte es sich immer noch um einen Tatort, und das gab ihm das Recht, hier zu sein. Aber das geknackte Wohnungsschloß und die aufgebrochene Speichertür gehörten nicht gerade zur gängigen Ermittlungspraxis und würden ihm sicher gehörigen Ärger einhandeln.

Die Stimmen blieben eine Weile in gleicher Lautstärke, dann wurden sie allmählich schwächer. Endlich hörte Brunetti die Haustür zuschlagen, und als es wieder vollkommen still war, trat er zwei Schritte zurück, streckte beide Arme weit über den Kopf – und blieb prompt mit der Rechten in einem Spinnennetz hängen. Hastig zog er die Hand zurück und wischte sie an der Jacke ab. Als nächstes lief er, um seine verspannten Glieder zu lockern, etliche Male zwischen Tür und Fenstern auf und ab und schüttelte dabei kräftig die Hände aus.

Einer plötzlichen Eingebung folgend, ging er zurück zu dem Karton mit den Küchentüchern und kramte eins jener Plastikeinkaufsnetze heraus, die in seiner Kindheit sehr beliebt gewesen, inzwischen aber längst aus der Mode waren. Er streifte sich die großen runden Henkel übers linke Handgelenk und wischte sich die Hände an einem Geschirrtuch ab, das er anschließend wieder in den Karton warf.

Als nächstes sichtete er rasch die Papiere. Illustrierte und Zeitungen legte er zurück, während Briefe und Geschäftsunterlagen ins Netz wanderten. Brunetti ging zügig zu Werk, denn auf einmal drängte es ihn ins Freie, ja er konnte es kaum erwarten, diesem stickigen Raum, der Hitze und dem penetranten Geruchsgemisch von Staub und ungewaschenem Plunder zu entkommen.

Mit Hilfe des Küchenmessers montierte er den Flansch am Türpfosten wieder an und schob das Messer anschließend in seine Jackentasche. Im Hinuntergehen überzeugte er sich, daß die Tür zu Signora Battestinis Wohnung zugezogen war, machte sich aber nicht die Mühe, mit dem Dietrich zu prüfen, ob sie auch abgeschlossen war.

Als er, unten angekommen, die Haustür aufstieß und in die pralle Nachmittagssonne hinaustrat, hatte er die tröstliche Empfindung, ihre sengenden Strahlen würden ihn vom Dreck und Gestank der Dachkammer reinigen.

Es war kurz nach drei, als der Commissario in die Questura zurückkehrte, und der erste, der ihm dort begegnete, war ausgerechnet Tenente Scarpa, der eben in einer Polizeibarkasse anlangte. Da sie am Eingang unweigerlich zusammentreffen würden, manövrierte Brunetti, während er sich eine unverfängliche Begrüßung zurechtlegte, das Plastiknetz vorsorglich aus Scarpas Blickfeld.

»Nanu, haben Sie sich geprügelt, Commissario?« fragte Scarpa mit geheuchelter Besorgnis, als er die Flecken auf Brunettis Hemd und Jacke sah.

»Nein, nein, bin bloß an einer Baustelle gestolpert und gegen eine Mauer geprallt«, gab Brunetti ebenso scheinheilig zurück. »Trotzdem danke für Ihre Anteilnahme.«

Während er das Netz so gut es ging hinter seinem Rükken verbarg, nickte Brunetti dem Posten zu, der ihnen die

Tür aufhielt, seinen Gruß erwiderte und schneidig vor dem Tenente salutierte. Brunetti, der jeder weiteren Unterhaltung mit Scarpa aus dem Weg gehen wollte, war schon auf der Treppe, als er den Tenente hinter sich sagen hörte: »So ein Netz habe ich schon ewig nicht mehr gesehen, Commissario. Sieht genauso aus wie die, die unsere Mütter früher hatten.« Und nach einer wirkungsvollen Pause: »Als sie ihre Besorgungen noch selber erledigen konnten.«

Für einen Augenblick geriet Brunetti aus dem Tritt, hatte sich aber so rasch wieder gefangen, daß es nicht auffiel – ebensowenig wie die ersten Anzeichen der geistigen Umnachtung, an der seine Mutter seit zehn Jahren litt. Er konnte sich nicht erklären, wie Scarpa davon erfahren hatte, ja war nicht einmal sicher, ob der Tenente wirklich Bescheid wußte. Doch warum sonst die häufigen Anspielungen auf ihre Mütter? Und sein auffallender Hang, Gedächtnislücken oder Leistungsabfall bei Kollegen, wenn auch als Scherz verbrämt, für Zeichen von Senilität zu erklären?

Brunetti ignorierte die Bemerkung und setzte seinen Weg fort. Im Büro angelangt, schloß er die Tür, legte das Netz auf den Schreibtisch, zog die Jacke aus und besah sich den Schaden. Es war eins seiner Lieblingsjacketts, aber nun machten sich auf dem grauen Leinen große schwarze Flecken breit, die vermutlich keine Reinigung mehr rausbekommen würde. Seufzend hängte er die Jacke über die Stuhllehne und lockerte seine Krawatte, wobei ihm auffiel, wie schmutzig seine Finger waren. Er ging hinunter in den Waschraum, wusch sich, netzte sein Gesicht mit Wasser und fuhr sich mit den nassen Händen über den Nacken.

Zurück an seinem Schreibtisch, nahm er sich unverzüglich die mitgebrachten Papiere vor. Den Gedanken, sie etwa nach Sachgebieten zu ordnen, verwarf er rasch und hielt sich statt dessen an die vorgegebene Reihenfolge. Zuoberst lagen Gas- und Stromrechnungen, Wasser- und Abfallgebühren: chronologisch geordnet, jeweils nach den zuständigen Versorgungsämtern abgeheftet, aber allesamt von einem Konto bei der Uni Credit abgebucht. Dann kam ein Bündel mit Beschwerdebriefen der Nachbarn, darunter auch Signora Gismondi, die bis zu sieben Jahre zurückreichten. Alle waren *posta raccomandata* verschickt worden, und immer drehte es sich um die Lautstärke des Fernsehers. Als nächstes stieß er auf eine Fotokopie der Heiratsurkunde und ein Schreiben vom Ministero dell'Interno an Signor Battestini, das den Empfang seines Berichts vom 23. Juni 1982 bestätigte.

Es folgte ein Stoß Briefe, adressiert an Signora Battestini oder ihren Mann, manchmal auch an beide gemeinsam. Brunetti öffnete sie, las jeweils den ersten Absatz und überflog dann den Rest, um festzustellen, ob etwas Wichtiges dabei war. Eine Nichte namens Graziella bedankte sich regelmäßig in peinlich gedrechselten Floskeln für ein Weihnachtsgeschenk, das freilich nie benannt wurde. Graziellas ungelenke Schrift und ihr hölzerner Stil blieben über die Jahre unverändert.

In einem der Kuverts mit Graziellas Absender fand sich statt eines Briefes von ihr ein einzelnes Blatt mit Notizen in einer steilen, gestochen scharfen Schrift. Eine Liste mit Initialen auf der linken Seite wurde rechts jeweils durch eine Ziffernfolge ergänzt, der in einigen Fällen ein oder mehrere Buchstaben folgten beziehungsweise vorangestellt waren.

Noch ehe er sich einen Reim darauf machen konnte, hörte Brunetti seinen Namen rufen und sah, aufblickend, Vianello in der Tür stehen. Anstelle einer Begrüßung überraschte er seinen Inspektor mit der Frage: »Sie lösen doch gern Kreuzworträtsel, nicht wahr?«

Vianello nickte und trat näher. Sowie er auf einem der Besucherstühle vor dem Schreibtisch Platz genommen hatte, schob Brunetti ihm das Notizblatt zu und sagte: »Was fällt Ihnen dazu ein?«

Vianello nahm den Zettel entgegen, strich ihn sorgfältig auf der Tischplatte glatt und betrachtete ihn, das Kinn in die Hände gestützt, mit sinnendem Blick. Brunetti ließ ihm Zeit und wandte sich wieder den übrigen Papieren zu.

Nachdem etliche Minuten verstrichen waren, fragte Vianello, ohne die Augen von dem Blatt zu wenden: »Geben Sie mir einen Hinweis?«

»Das habe ich auf dem Dachboden der alten Frau gefunden, die letzten Monat ermordet wurde.«

Es dauerte wieder ein paar Minuten, bis Vianello sich erkundigte: »Haben Sie ein Telefonbuch, Commissario? Die Gelben Seiten.«

Brunettis Neugier war geweckt; er bückte sich und zog das Branchenbuch für Venedig aus der untersten Schreibtischlade.

Der Inspektor schlug es vorne auf und blätterte ein paar Seiten um. Dann nahm er den Notizzettel und legte ihn in das aufgeschlagene Buch. Mit dem rechten Zeigefinger markierte er den ersten Punkt auf der Liste, während er mit dem linken die Buchseite entlangfuhr, die Brunetti nicht einsehen konnte. Offenbar fündig geworden, glitt Vianellos rechte

Fingerkuppe eine Zeile tiefer, und die linke wanderte abermals die Seite des Telefonbuches hinunter. Dann brummte er zufrieden, und wieder rutschte der rechte Finger abwärts. Das ging so weiter, bis Vianello, beim vierten Listenpunkt angekommen, lächelnd zu Brunetti aufsah.

»Und?« fragte der gespannt.

Vianello drehte das Buch um und schob es quer über den Schreibtisch. Auf der rechten Seite stand in Großbuchstaben das Stichwort BAR, gefolgt von den ersten paar Dutzend der in alphabetischer Reihenfolge aufgeführten mehreren hundert Bars der Stadt. Ehe Brunetti um Aufklärung bitten konnte, schob sich Vianellos dicker Zeigefinger ins Blickfeld und lenkte sein Augenmerk auf die linke Seite. Brunetti verstand sofort: BANCHE. Natürlich, Banken! Hinter den Initialen auf der Liste verbargen sich die Kürzel diverser Kreditinstitute, gefolgt von den dazugehörigen Kontonummern.

»Ich kenne auch noch eine kambodschanische Währungseinheit mit drei Buchstaben, die mit K beginnt, Commissario«, sagte Vianello trocken.

8

Nach kurzer Beratung ging Brunetti hinunter, um ein paar Kopien der Liste zu machen. Als er zurückkam, notierten er und Vianello neben jedem Kürzel den vollen Namen der betreffenden Bank. »Sind Sie imstande, die zu knacken?« fragte Brunetti, sobald sie damit fertig waren, und überließ Vianello die Schlußfolgerung, daß er dabei an Computer dachte und nicht an Spitzhacke und Brecheisen.

Vianello schüttelte bedauernd den Kopf. »Noch nicht, Commissario. Sie hat mir mal einen Versuch gestattet, bei einer Bank in Rom, aber ich hinterließ eine so dicke Spur, daß ein Freund von ihr am nächsten Tag ein E-Mail schickte und wissen wollte, was denn mit ihr los sei.«

»Er wußte, daß sie dahintersteckte?« fragte Brunetti verblüfft.

»Na ja, er erkannte ihre Technik an der Art, wie ich mich ins System eingeloggt hatte.«

»Und was ist das für eine Technik?«

»Ach, das würden Sie nicht verstehen, Commissario«, sagte Vianello, und es war geradezu unheimlich, wie genau er dabei jenen kühl beherrschten Ton traf, mit dem Signorina Elettra sich solcher Fragen zu erwehren pflegte. »Sie hatte mir einen Startcode vorgegeben, mit dessen Hilfe ich dann nach einer bestimmten Information suchen sollte.«

»Nämlich welcher?« erkundigte sich Brunetti, schob aber gleich ein verbindliches »Falls die Frage erlaubt ist« hinterher.

»Sie wollte sehen, ob ich herausbekommen würde, wieviel Geld von einem Nummernkonto in Kiew auf ein ganz bestimmtes Konto hier bei uns überwiesen wurde.«

»Wessen Konto?« fragte Brunetti.

Vianello preßte angestrengt die Lippen zusammen, doch dann überwand er sich und nannte den Staatssekretär im Handelsministerium, der bei der Aushandlung staatlicher Subventionen für die Ukraine federführend gewesen war.

»Und haben Sie's herausgefunden?«

»Bevor ich soweit kam«, antwortete Vianello, »begannen die Alarmglocken zu läuten – bildlich gesprochen, natürlich. Worauf ich mich ganz schnell ausgeklinkt habe, nur hatte ich da leider schon unübersehbare Spuren hinterlassen.«

»Warum wollte sie ausgerechnet so was wissen?« überlegte Brunetti laut.

»Ich glaube, sie wußte es bereits, Commissario«, antwortete Vianello. »Ich bin mir sogar ganz sicher. Wie sonst hätte sie mir helfen können, den Zugangscode zu knacken.«

»Und hat sie's ihrem Freund erklärt?« forschte Brunetti weiter.

»Oh, nein, Commissario. Wenn der erfahren hätte, daß sie Erkundigungen für die Polizei anstellt, wäre alles nur noch schlimmer geworden.«

»Soll das heißen, keiner von ihren Informanten weiß, wo sie arbeitet?« fragte Brunetti verblüfft.

»Um Himmels willen! Wenn das rauskäme, wäre alles zu Ende.«

»Aber was glauben denn diese Leute, für wen sie arbeitet?« Brunetti lebte in der vagen Vorstellung, daß es möglich sein müsse, Signorina Elettras Anfragen zur Questura zurückzuverfolgen. Zumindest anhand der E-Mail-Adressen, die allen Mitarbeitern zugewiesen waren: Sogar er hatte die seine schon ein paarmal benutzt und wußte, daß man sie zweifelsfrei der Questura di Venezia zuordnen konnte.

»Ich nehme an, daß sie ihre Mails irgendwie umleitet, Commissario«, versetzte Vianello diplomatisch.

Brunetti wußte zwar nicht, *wie* so etwas funktionieren sollte, doch die Tatsache, daß es ein Wort dafür gab, bewies, *daß* es funktionierte. »Umleiten, aha – aber wie? Über wen?«

»Wahrscheinlich ihren früheren Arbeitgeber.«

»Die Banca d'Italia?« rief Brunetti baß erstaunt. Und als Vianello nickte, forschte er weiter: »Sie meinen, sie empfängt und verschickt Post über die Adresse eines Arbeitgebers, für den sie schon seit Jahren nicht mehr tätig ist?« Vianello nickte abermals, doch da wurde Brunetti laut: »Mann Gottes, wir reden hier von der italienischen Nationalbank! Wie können die jemanden, der längst nicht mehr dazugehört, weiter ihre Adresse benutzen lassen?«

»Ich glaube nicht, daß sie es gestatten würden, Commissario«, schränkte Vianello ein, »das heißt, falls die Bank etwas davon erführe.«

Wenn er dieses Gespräch fortsetzte, dachte Brunetti, dann lief er Gefahr, entweder den Verstand zu verlieren oder sich, schlimmer noch, strafrelevante Fakten anzueignen, deren Kenntnis er womöglich irgendwann unter Eid würde leugnen müssen. Allein seine Neugier war stärker. »Und haben Sie's herausbekommen?« fragte er.

»Was denn?«

»Wie hoch die Überweisung war.«

»Nein.«

»Und die Signorina?«

»Nehme ich doch an.«

»Wieso? Hat sie's Ihnen verraten?«

»Nein. Sie sagte, das sei eine vertrauliche Information, an die käme ich nur, wenn ich sie mir selbst beschaffte.«

Eine Erklärung, bei der Brunetti unwillkürlich der Begriff »Ganovenehre« einfiel. Aber Bewunderung und Respekt überwogen, so daß er alle Bedenken beiseite wischte und wieder zu seinem eigentlichen Anliegen zurückkehrte. »Dann müssen wir also sie um Hilfe bitten?«

»Ich denke, ja.«

Beide erhoben sich wie aufs Stichwort, Vianello steckte das Blatt mit den entschlüsselten Initialen ein, und gemeinsam machten sie sich auf die Suche nach Signorina Elettra.

Sie trafen sie in ihrem Büro, nur leider nicht allein, sondern in Gesellschaft ihres direkten Vorgesetzten. Vice-Questore Giuseppe Patta trug heute zum cremefarbenen Anzug ein schwarzes Hemd, beides aus leichtem Sommerleinen. Seine Krawatte aus schiefergrauer Seide war mit zarten Schrägstreifen in der Farbe des Anzugs durchwirkt. Erst als er sie so nebeneinander sah, bemerkte Brunetti, der vorher nicht darauf geachtet hatte, daß Signorina Elettra ein schwarzes Leinenkostüm und eine cremefarbene Seidenbluse trug. Wäre diese Übereinstimmung beabsichtigt gewesen, dachte Brunetti, dann von seiten Pattas, um mit seiner eleganten Sekretärin zu wetteifern, bei ihr dagegen eher aus parodistischen Motiven.

»Was ist das, Ispettore?« fragte Patta gebieterisch und deutete auf das Blatt Papier, das Vianello hinter seinem Rükken zu verstecken suchte. »Hat der Commissario Sie jetzt etwa auch schon mit der fixen Idee angesteckt, daß diese Frau nicht von ihrer rumänischen Putzfrau ermordet wurde?«

»Nein, Vice-Questore«, beteuerte ein beflissener Vianello. »Das ist nur mein Merkzettel für die Mannschaftswahl beim Totocalcio.« Er streckte den Arm aus, tat so, als wolle er Patta das Papier zeigen, und fuhr fort: »Sehen Sie, in der ersten Spalte notiere ich die Abkürzungen der Mannschaftsnamen, und dann kommen die Nummern der Spieler, denen ich den Sieg…«

»Das reicht, Vianello«, fuhr Patta gereizt dazwischen. Und zu Brunetti: »Auf ein Wort, Commissario – das heißt, falls Sie die Zeit erübrigen können und nicht auch mit Ihren Wettscheinen beschäftigt sind.« Damit wandte er sich um und schritt auf sein Büro zu.

»Selbstverständlich, Vice-Questore«, sagte Brunetti und folgte ihm, während Vianello mit Signorina Elettra zurückblieb.

Patta ging zu seinem Schreibtisch, bot Brunetti jedoch keinen Platz an: ein gutes Zeichen, denn es bedeutete, daß der Vice-Questore es eilig hatte. Und wirklich, es war fast fünf: Patta blieb also kaum noch Zeit, sich von einer Polizeibarkasse zum Schwimmen ins Cipriani bringen zu lassen, wenn er pünktlich zum Essen daheim sein wollte.

»Ich werde Sie nicht lange aufhalten, Commissario. Ich möchte Sie nur daran erinnern, daß dieser Fall abgeschlossen ist, ganz gleich, was Sie sich für alberne Flausen in den Kopf gesetzt haben«, begann er. Daß er sich nicht die Mühe machte zu erklären, welche von Brunettis Ideen er so albern fand, gab ihm die Freiheit, sie samt und sonders abzutun. »Die Tatsachen sprechen für sich. Die Rumänin hat die arme alte Frau getötet, versuchte dann außer Landes zu fliehen und lieferte einen klaren Beweis ihrer Schuld, indem sie sich an der Grenze einer Routinekontrolle zu entziehen suchte.« Patta führte die Hände im spitzen Winkel zusammen und legte die Zeigefinger für einen kurzen Augenblick an den Mund. Dann öffnete er die Hände wieder und sagte: »Ich dulde nicht, daß die Arbeit dieser Dienststelle von einer mißtrauischen und verantwortungslosen Presse in Verruf gebracht wird.«

Er reckte das Kinn und blickte Brunetti durchdringend an. »Habe ich mich klar ausgedrückt, Commissario?«

»Vollkommen, Vice-Questore.«

»Gut«, sagte Patta, der Brunettis Antwort als Versprechen deutete, seine Weisungen zu befolgen. »Dann will ich Sie nicht länger aufhalten. Zumal ich gleich in eine Sitzung muß.«

Brunetti murmelte ein paar höfliche Worte und verließ das Büro. Draußen im Vorzimmer saß Signorina Elettra an ihrem Schreibtisch und las in einer Illustrierten; von Vianello keine Spur. Als sie aufblickte, hob Brunetti einen Finger und wies erst auf seine Nase, dann nach oben in Richtung seines Büros. Hinter sich hörte er Pattas Tür. Ohne eine Miene zu verziehen, wandte Signorina Elettra sich wieder ihrer Zeitschrift zu und blätterte lässig eine Seite weiter. Brunetti, der gleichwohl sicher war, daß sie ihn verstanden hatte, ging in sein Büro, um dort auf sie zu warten.

Als der Commissario sein Zimmer betrat, stand Vianello am Fenster. Auf die Zehenspitzen gereckt, beugte er sich weit hinunter zum Pier vor der Questura. Der Motor einer Polizeibarkasse heulte auf, und Brunetti hörte das Boot Richtung Bacino davonfahren, vermutlich mit Kurs aufs Cipriani. Schweigend zog Vianello den Kopf zurück und setzte sich wieder.

Gleich darauf erschien Signorina Elettra. Sie nahm neben Vianello Platz, während Brunetti an seinen Schreibtisch gelehnt stehenblieb.

Er brauchte Elettra wohl kaum zu fragen, ob Vianello ihr gesagt habe, was zu tun sei. »Werden Sie alle überprüfen können?« erkundigte er sich statt dessen.

»Schwierig wird es nur bei der hier«, antwortete sie und zeigte auf einen Namen in der Mitte der Liste. »Die Niederlassung der Deutschen Bank, die zwei italienische Institute übernommen hat, wurde erst vor kurzem eröffnet. Ich hatte noch nie mit den Leuten zu tun, und bis man sich da eingeführt hat, das dauert seine Zeit. Aber die Anfragen bei den anderen Banken kann ich noch heute nachmittag rausschicken. Dann dürften wir morgen Antwort haben.« So wie sie es formulierte, hätte jeder, der mit ihren Taktiken nicht vertraut war, angenommen, es handle sich um ein ganz legales Verfahren, bei dem die Banken alle gewünschten Informationen kraft gerichtlicher Verfügung erteilten, die wiederum im Zuge eines polizeilichen Ersuchens auf striktem Dienstweg erwirkt worden war. Da eine solche Vorgehensweise indes Monate in Anspruch genommen hätte und durch neue Gesetze zunehmend erschwert, wenn nicht gar vereitelt worden wäre, mußte man die Informationen in

Wahrheit so behutsam aus den Bankdateien angeln, wie einem ahnungslosen belgischen Touristen auf der Vaporettolinie eins die Geldbörse aus der Gesäßtasche gezogen wurde.

Fragend sah der Commissario Vianello an. »Was meinen Sie?«

Mit einem höflichen Nicken in Signorina Elettras Richtung, zum Zeichen, daß sie ihm von Brunettis Unterredung mit Signora Gismondi berichtet hatte, antwortete der Inspektor: »Wenn die Frau, mit der Sie gesprochen haben, die Wahrheit sagt, dann kommt Signora Ghiorghiu wohl kaum als Täterin in Frage. Was bedeutet, daß jemand anderer die alte Frau umgebracht haben muß, und diese Kontoauszüge bieten, denke ich, einen guten Einstieg für die Suche nach einem Motiv. Denn der Mörder…«

Hier unterbrach ihn Signorina Elettra. »Halten Sie es für möglich, Commissario, daß es vielleicht doch die Frau gewesen ist?«

Vianello blickte ihn ebenso gespannt an, doch Brunetti schüttelte den Kopf: »Wenn Sie die Fotos von Signora Battestinis Leiche gesehen haben, dann wissen Sie, wie brutal der Mörder zugeschlagen hat.« Und ihr Schweigen als Zustimmung wertend, fuhr er fort: »Abgesehen davon, daß ich das einer Frau nicht zutrauen würde, sehe ich keinen Grund, warum Signora Ghiorghiu noch einmal hätte umkehren und ihre Arbeitgeberin kaltblütig erschlagen sollen. Sie hatte reichlich Geld, eine Fahrkarte nach Hause, und sie war bereits am Bahnhof. Im übrigen hatte sie sich nach Signora Gismondis Eindruck inzwischen auch wieder einigermaßen beruhigt. Und sie wollte nur eins: nach Hause.

Außerdem, wenn sie die alte Frau getötet hätte, dann sicher nicht auf diese Art. Da war blinde Wut am Werk, keine Berechnung.«

»Oder Berechnung als Wut getarnt«, warf Vianello ein.

Das eröffnete Perspektiven auf ein Ausmaß an Heimtücke und Niedertracht, dem Brunetti erst gar nicht weiter nachspüren mochte. Trotzdem nickte er widerstrebend. Doch statt über Eventualitäten zu spekulieren, hielt er sich lieber an die Tatsachen. »Morgen«, sagte er zu Signorina Elettra, »morgen rede ich mit ihrer Anwältin und mit den Angehörigen.« Und an Vianello gewandt: »Ich möchte, daß Sie sich noch einmal in der Nachbarschaft umhören, ob jemand am Mordtag irgend etwas gesehen oder beobachtet hat.«

»Dienstlich, Commissario?« fragte Vianello.

Brunetti seufzte. »Besser wäre es wohl, wenn Sie Ihre Fragen ganz ungezwungen stellen, falls so was möglich ist.«

»Ich werde Nadia fragen, ob sie dort jemanden kennt«, versetzte Vianello. »Vielleicht gehen wir auch auf ein Glas Wein oder zum Essen in das neue Lokal an der Ecke beim Campo dei Mori.«

Brunetti grinste beifällig zu Vianellos Plan; dann wandte er sich an Signorina Elettra mit der Bitte: »Was ich noch gern wüßte, ist, ob sie bei uns aktenkundig war.«

»Wer? Die Rumänin?«

»Nein. Signora Battestini.«

»Achtzigjährige Schwerverbrecher!« Sie kicherte. »Wie gern würde ich so jemanden entlarven.«

Brunetti nannte einen ehemaligen Premierminister und schlug vor, sie solle einmal dessen Akten durchforsten.

Vianello lachte lauthals, und sie lächelte verbindlich.

»Und wenn Sie schon dabei sind, überprüfen Sie auch gleich den toten Ehemann und den verstorbenen Sohn«, kehrte Brunetti zur Tagesordnung zurück.

»Soll ich auch einen Blick auf die Anwältin werfen?«

»Ja.«

»Auf Advokaten Jagd zu machen, finde ich herrlich«, gestand Signorina Elettra. »Die bilden sich ein, sie verstünden sich wer weiß wie gut darauf, Spuren zu verwischen. Dabei ist es so leicht, ihre Verstecke aufzuspüren. Fast zu leicht.«

»Würden Sie ihnen lieber eine faire Chance einräumen?« erkundigte sich Vianello.

Die Frage brachte sie wieder zur Vernunft. »Fairneß gegenüber einem Advokaten? Halten Sie mich für verrückt?«

9

Da er noch etliche Zeugenaussagen in dem Flughafenfall auszuwerten hatte und weil ihm Gespräche mit Anwälten nicht besonders lagen, begnügte Brunetti sich mit einem Anruf in Avvocatessa Marieschis Kanzlei, wo er einen Termin für den kommenden Morgen vereinbarte. Auf die Frage der Sekretärin nach seinem Anliegen antwortete er nur, es handle sich um die Klärung eines Erbschaftsanspruches. Daß er bei der Polizei war, verschwieg er wohlweislich, als sie ihn um seine Personalien bat.

Eine geschlagene Stunde kämpfte er sich durch widersprüchliche und wechselseitig unvereinbare Aussagen. Da zum Glück jedem Protokoll ein kleines Foto beigeheftet war, konnte er immerhin die vernommenen Zeugen mit den Personen identifizieren, die er auf den Videos der Überwachungskameras in der Gepäckhalle am Flughafen gesehen hatte. Soweit er es überblickte, sagten von den sechsundsiebzig Festgenommenen lediglich zwölf die ganze Wahrheit, denn nur deren Aussage deckte sich mit dem Videomaterial, das Brunetti in der letzten Woche gesichtet hatte und auf dem alle Angeklagten bei irgendwelchen Diebereien ertappt und gefilmt worden waren.

Allein es lohnte sich kaum, viel Zeit in die Ermittlungen zu investieren, zumal die Verteidigung gegen die Videodokumentation als Beweismittel protestierte, mit der Begründung, die Kameras seien ohne Wissen der Beklagten installiert worden und mithin eine widerrechtliche Verletzung von deren *privacy*: wieder diese verbale Allzweck-waffe, die das Italienische aus dem Englischen entlehnt hatte, um einen Anspruch geltend zu machen, für den es in der eigenen Sprache zuvor nicht einmal ein Wort gab. Falls die Verteidigung sich mit ihrer Argumentation vor Gericht durchsetzen konnte (was Brunetti für nicht unwahrscheinlich hielt), dann mußte die Staatsanwaltschaft sich geschlagen geben, denn sowie das entscheidende Beweismittel gegen sie wegfiel, würden alle, die sich schuldig bekannt hatten, ihr Geständnis umgehend widerrufen.

Ihre Arbeitsstelle hatten sie ohnehin alle behalten, weil, wie die Anwälte geltend machten, eine Entlassung angesichts eines verfassungsmäßig garantierten Rechts auf Arbeit verfassungswidrig gewesen wäre. »Das reinste Tollhaus«, murmelte Brunetti vor sich hin und entschied, es sei an der Zeit, Feierabend zu machen.

Zu Hause angekommen, stellte er fest, daß Paola Wort gehalten hatte, denn die Düfte, die ihm beim Betreten der Wohnung entgegenschlugen, vereinten sich zu einer köstlichen Komposition aus Meeresfrüchten, Knoblauch und etwas, das er nicht genau bestimmen konnte, vielleicht Spinat. Brunetti stellte die COIN-Tüte mit dem schmutzigen Jackett neben der Tür ab und ging in die Küche, wo Paola bereits mit einem Glas Wein und einem Buch am Tisch saß.

»Also«, sagte er, »verrate mir, was du liest.«

Sie blickte ihn über die Lesebrille hinweg an und sagte: »Etwas, wofür wir uns beide sehr interessieren sollten, Guido: Chiaras Religionslehrbuch.«

Brunetti ahnte gleich, daß diese Einleitung nichts Gutes verhieß. Trotzdem fragte er weiter: »Wieso denn wir?«

»Weil es uns die Augen öffnet über die Welt, in der wir leben«, antwortete sie, ließ das Buch sinken und trank einen Schluck Wein.

»Kannst du mir ein Beispiel geben?« Brunetti trat an den Kühlschrank und entnahm ihm die offene Weinflasche. Es war der gute Ribolla Gialla, den sie bei einem Freund in Corno di Rosazzo gekauft hatten.

»Zum Beispiel das Kapitel hier« – Paola deutete auf das aufgeschlagene Buch – »über die sieben Todsünden.«

Brunetti hatte oft gedacht, es sei sehr praktisch, daß man für jeden Wochentag eine Sünde zur Auswahl habe, aber den Gedanken behielt er vorerst lieber für sich. »Und?« fragte er.

»Und ich habe mir überlegt, wie es kam, daß unsere Gesellschaft sie gar nicht mehr als Frevel ansieht oder es zumindest geschafft hat, sie weitgehend vom Ruch der Sünde zu befreien.«

Brunetti zog sich einen Stuhl heran und setzte sich ihr gegenüber, bereit zuzuhören, auch wenn ihn das Thema nicht besonders interessierte. Er hob sein Glas und trank ihr zu. Der Wein war so vorzüglich, wie er ihn in Erinnerung hatte. Danken wir also Gott für guten Wein und gute Freunde und nicht zuletzt für eine Ehefrau, die sich selbst durch ein Religionslehrbuch für die Mittelschule zum Polemisieren anregen ließ.

»Denk nur an Wollust«, fuhr sie fort.

»Mach ich oft«, sagte er mit einem anzüglichen Grinsen.

Paola überhörte den Einwurf geflissentlich. »In unserer

Jugend war die vielleicht keine große Sünde mehr, aber doch wenigstens noch eine halbe; zumindest sprach man nicht darüber und praktizierte sie auch nicht in der Öffentlichkeit. Heute dagegen begegnet sie dir überall, im Kino, im Fernsehen, in den Illustrierten.«

»Und findest du das schlimm?« fragte er.

»Nicht unbedingt. Aber eben anders. Vielleicht ist Völlerei ein besseres Beispiel.«

Ah, das geht auf mich, dachte Brunetti und zog ein wenig den Bauch ein.

»Heutzutage werden wir ständig dazu animiert. Du brauchst nur eine Illustrierte oder die Zeitung aufzuschlagen.«

»Und die animieren zur Völlerei?« fragte er verdutzt.

»Nicht nur aufs Essen bezogen«, erwiderte sie, »sondern ganz allgemein zum übermäßigen Konsum oder der Anschaffung von Dingen, die wir gar nicht brauchen. Oder was ist der Besitz von mehr als einem Fernseher, einem Auto, einem Haus anderes als eine Form der Völlerei?«

»So habe ich das noch nie betrachtet«, antwortete er ausweichend und ging wieder zum Kühlschrank, um sich noch ein Glas Wein zu holen.

»Nein, ich auch nicht – bis ich anfing, dieses Buch zu lesen. Da wird Völlerei mit Eßsucht gleichgesetzt, und damit hat sich's. Aber ich habe mir überlegt, was so ein Triebverhalten in einem größeren Kontext bedeuten könnte.«

Das, dachte Brunetti, war absolut typisch für seine Frau, in die er immer noch rasend verliebt war: Immerfort betrachtete sie etwas – wenn nicht gar, wie ihm manchmal schien, alles – in größerem Kontext.

»Meinst du, du könntest zur Abwechslung in größerem Kontext übers Abendessen nachdenken?« fragte er.

Sie blickte erst ihn an, dann auf ihre Uhr, sah, daß es lange nach acht war, und seufzte, fast wie erstaunt darüber, daß er ihren Gedankengang mit einem solch profanen Ansinnen unterbrach. »Ja, sicher«, sagte sie. »Ich habe die Kinder schon kommen hören.« Und als sähe sie ihn zum erstenmal bewußt an, schickte sie die Frage hinterher: »Was hast du denn mit deinem Hemd gemacht? Es als Handtuch benutzt?«

»Ja«, antwortete er und ergänzte auf ihren erstaunten Blick hin: »Ich erklär's dir nach dem Essen.«

Chiara und Raffi waren beide zu Hause, was im Sommer selten genug vorkam, weil sie da häufig mal einzeln, mal gemeinsam bei Freunden eingeladen waren und bisweilen auch über Nacht blieben. Raffi war jetzt in einem Alter, wo man seine Schwärmerei für Sara Paganuzzi so ernst nehmen mußte, daß Brunetti ihn eines Nachmittags vor ein paar Monaten beiseite genommen und versucht hatte, mit ihm über Sex zu reden. Worauf er sich von seinem Sohn belehren lassen mußte, daß er darüber bereits alles Wissenswerte in der Schule erfahren habe. Wieder einmal war es Paola gewesen, die tags darauf die Initiative ergriffen und beim Abendessen erklärt hatte: Ganz gleich, wie es seine Freunde hielten – sie habe mit Saras Eltern gesprochen, und sie, die Erwachsenen, seien sich einig, daß er jedenfalls nicht bei Sara übernachten dürfe und sie nicht bei ihm.

»Aber das ist ja wie im Mittelalter«, hatte Raffi gejammert.

»Trotzdem bleibt es dabei«, war Paola jedem weiteren Einspruch zuvorgekommen.

Was auch immer Raffi und Sara untereinander ausgemacht hatten: Beide schienen mit der Lösung zufrieden, denn wenn Sara zum Essen kam, war sie zu allen höflich und freundlich, und selbst Raffi schien es seinen Eltern nicht mehr zu verübeln, daß sie ihm Regeln auferlegten, die außer ihm sicher auch die meisten seiner Freunde als »mittelalterlich« bezeichnet hätten.

Raffi und Chiara hatten beide den Tag am Strand von Alberoni verbracht, wenn auch mit verschiedenen Cliquen, und sich beim Schwimmen einen solchen Appetit geholt, daß sie zulangten wie die Feldarbeiter. Nach der Größe der Platte zu schließen, auf der Paola Fisch und Shrimps angerichtet hatte, schien sie einen ganzen Schwertfisch gekauft zu haben. »Nimmst du noch eine dritte Portion?« fragte Brunetti, als er sah, wie begehrlich sein Sohn die fast leere Platte beäugte.

»Er ist im Wachstum, papà«, warf Chiara überraschend ein, was nur bedeuten konnte, daß sie für heute satt war.

Brunetti sah verstohlen zu Paola hinüber, doch die nahm sich gerade Spinat nach und versäumte leider die Chance, den Großmut zu bewundern, mit dem er auf die Frage verzichtete, ob ihr Sohn vielleicht der Sünde der Völlerei fröne. Statt dessen sagte Paola, als sie sich wieder dem Tischgespräch zuwandte, gleichmütig: »Iß ruhig auf, Raffi. Kalten Fisch mag ja doch keiner.«

»Apropos kalter Fisch – auf englisch könnte man daraus jetzt ein Wortspiel machen, oder, *mamma*?« fragte Chiara. Zwar wußte Brunetti längst, daß seine Tochter außer Paolas Nase und ihrer knabenhaften Figur auch deren Sprach-leidenschaft geerbt hatte, aber heute geschah es zum erstenmal, daß sie sich an so etwas wie Komik und Doppeldeutigkeit in ihrer Zweitsprache erprobte.

Als sie das Eis aufgegessen hatten, war Chiara schon so schläfrig, daß Paola beide Kinder zu Bett schickte, noch bevor sie den Tisch abdeckte. Brunetti trug die leere Eiscremeschüssel in die Küche und schleckte, an die Arbeitsplatte gelehnt, genüßlich den Vorlegelöffel ab, mit dem er anschließend die letzten Pfirsichstückchen aus der Schüssel fischte. Als auch der allerletzte Schnitz vertilgt war, stellte er die Schüssel neben die Spüle und ging zurück, um die Gläser zu holen.

Sobald sie das Geschirr eingeweicht hatte, schlug Paola vor: »Wollen wir beim Obst bleiben und noch ein Gläschen Williamsbirne auf der Terrasse trinken, was meinst du?«

»Wahrscheinlich wäre ich längst verhungert, wenn du nicht so rührend für mich sorgen würdest«, sagte Brunetti.

»Guido, mein Liebling«, gurrte sie, »ich ängstige mich sehr viel um dich, weil ich weiß, was dir in deinem Beruf alles zustoßen könnte, aber, glaub mir, die Sorge, daß du Hungers sterben könntest, die habe ich nun wirklich nicht.« Damit ging sie voraus auf die Terrasse.

Er schenkte zwei Gläser ein, ließ die Flasche aber stehen. Gegebenenfalls konnte er jederzeit wieder hineingehen und Nachschub holen. Draußen fand er Paola mit geschlossenen Augen im Sessel sitzen; die Füße hatte sie auf der untersten Sprosse des Geländers abgestützt. Als er näher kam, streckte sie einen Arm aus, und er drückte ihr das Glas in die Hand. Sie nippte daran, seufzte und nahm gleich noch einen Schluck. »*God's in His heaven – All's right with the world*«, zitierte sie genüßlich.

»Vielleicht hast du schon genug getrunken, Paola«, bemerkte er.

»Erzähl mir, was mit dem Hemd passiert ist«, bat sie, und er gehorchte.

»Und du glaubst dieser Frau, dieser Signora Gismondi?« fragte sie, als Brunetti geendet hatte.

»Ich denke schon«, antwortete er. »Sie hätte keinen Grund zu lügen. Nichts von dem, was sie ausgesagt hat, deutet darauf hin, daß sie mehr war als die Nachbarin der alten Frau.«

»Gegen die sie einen Groll hegte«, gab Paola zu bedenken.

»Wegen des Fernsehers?« fragte er.

»Ja.«

»Aber wegen eines zu lauten Fernsehers bringt man doch niemanden um«, beharrte er.

Da langte Paola herüber und legte ihm die Hand auf den Arm. »Ich habe dir nun schon so viele Jahre zugehört, Guido, wenn du von deinen Ermittlungen erzählst, und ich habe den Eindruck, bei vielen Morden geht es um weit weniger als einen zu lauten Fernseher.«

»Zum Beispiel?«

»Erinnerst du dich an den Mann, ich glaube, es war in Mestre, der den Typen in dem Wagen vor seinem Haus aufforderte, das Radio leiser zu stellen? Wie lange ist das jetzt her, vier Jahre? Der wurde auch umgebracht, oder?«

»Aber der Täter war ein Mann«, wandte Brunetti ein.

»Und einschlägig vorbestraft.«

»Und deine Signora Gismondi ist unbescholten?«

Was Brunetti daran erinnerte, daß er Signorina Elettra hatte bitten wollen, Erkundigungen über Signora Gismondi einzuholen. »Etwas anderes kann ich mir kaum vorstellen«, sagte er.

»Wahrscheinlich würdest du ohnehin nichts gegen sie finden«, meinte Paola.

»Warum sollte ich dann an ihr zweifeln?«

Sie seufzte leise. »Mitunter enttäuscht es mich, daß du nach all den Jahren meinen Gedankengängen immer noch nicht folgen kannst.«

»Ich fürchte, das wird mir nie gelingen«, gestand Brunetti ohne eine Spur von Ironie. Und dann: »Was habe ich denn diesmal nicht begriffen?«

»Daß ich deine Meinung über Signora Gismondi teile. Ich bitte dich, Guido: eine Frau, der es peinlich ist, wenn jemand ihr in der Öffentlichkeit die Hand küssen will!« So direkt hatte Signora Gismondi das zwar nicht gesagt; auch würde Brunetti wohl kaum Gelegenheit haben, Paolas Einschätzung noch einmal zu überprüfen; trotzdem hielt er sie für ein selten brauchbares Rezept zur Beurteilung menschlichen Verhaltens.

»Aber ich möchte, daß du Leuten wie Patta und Scarpa, die dir nicht so ohne weiteres glauben werden, stichhaltige Beweise liefern kannst.«

Paola hatte die Augen noch immer geschlossen, und er betrachtete ihr Profil: gerade Nase, vielleicht etwas zu lang, zarte Fältchen um die Augen, von denen er wußte, daß sie vom Lachen herrührten, und unterm Kinn die ersten schwachen Anzeichen für ein Erschlaffen der Haut.

Er dachte an die Kinder und daran, wie müde sie nach dem Essen gewesen waren, während sein Blick an Paolas Körper hinabwanderte. Er stellte sein Glas auf den Tisch und beugte sich zu ihr. »Meinst du, wir könnten unsere Erforschung der sieben Todsünden fortsetzen?« fragte er.

10

Brunettis Termin bei Avvocatessa Roberta Marieschi war für zehn Uhr am nächsten Morgen anberaumt. Da ihre Kanzlei in Castello lag, gleich am Beginn der Via Garibaldi, nahm der Commissario ein Vaporetto der Linie eins und stieg bei den Giardini aus. Die Bäume in den Anlagen wirkten müde und staubig und sehr regenbedürftig. Was man mit Fug und Recht auch von den meisten Bürgern der Stadt behaupten konnte. Die Kanzlei fand er ohne Schwierigkeiten in unmittelbarer Nähe einer ehemals sehr guten Pizzeria, die inzwischen leider einem Laden für nachgemachtes Muranoglas hatte weichen müssen. Er läutete an der Haustür, betrat das Gebäude und stieg hinauf zu der Kanzlei im ersten Stock.

Die Sekretärin, mit der er am Vortag telefoniert hatte, blickte hoch, kaum daß er eintrat, und erkundigte sich lächelnd, ob er Signor Brunetti sei. Als er bejahte, bat sie ihn, sich noch ein paar Minuten zu gedulden, da die Dottoressa noch mit einem anderen Mandanten beschäftigt sei. Brunetti nahm auf einem bequemen grauen Sofa Platz, überflog die Zeitschriftenauswahl auf dem Tisch zu seiner Linken und entschied sich für den *Oggi*, denn den bekam er nur selten zu lesen; kaufen mochte er ihn nicht, und damit gesehen zu werden, war ihm peinlich. Er hatte sich gerade in die Hochzeitsgeschichte eines drittklassigen skandinavischen Fürstensprosses vertieft, als die Tür links vom Schreibtisch der Sekretärin aufging und ein älterer Herr ins

Vorzimmer kam – in einer Hand eine schwarzlederne Aktentasche und in der anderen einen Gehstock mit silbernem Knauf.

Die Sekretärin erhob sich beflissen. »Wünschen Sie einen neuen Termin, Cavaliere?«

»Danke, Signorina«, erwiderte er mit huldvollem Lächeln. »Aber ich muß erst einmal diese Akten studieren. Den nächsten Termin vereinbaren wir dann telefonisch.«

Es folgte eine zeremonielle Verabschiedung, und dann wandte die Sekretärin sich Brunetti zu, der höflich aufgestanden war. »Ich führe Sie jetzt hinein, Signore«, sagte sie und steuerte auf die Tür zu, die der alte Herr hinter sich geschlossen hatte. Sie klopfte einmal und trat ein, Brunetti zwei Schritte hinter ihr.

Der Schreibtisch am anderen Ende des Zimmers, zwischen den beiden Fenstern, war nicht besetzt, doch Brunettis Blick wurde automatisch von einer plötzlichen Bewegung am Boden angezogen. Ehe er sich's recht versah, schoß etwas unter dem Schreibtisch hervor und war im Nu wieder verschwunden: hellbraun und flauschig, eine Maus vielleicht oder gar eine Haselmaus, obwohl die bekanntlich auf dem Land lebten und in der Stadt eher selten anzutreffen waren. Er tat so, als habe er nichts gesehen, und wandte sich suchend nach der Frauenstimme um, die ihn beim Namen genannt hatte.

Roberta Marieschi war etwa Mitte dreißig, hochgewachsen, hielt sich sehr gerade und war ausnehmend hübsch; sie stand vor dem Bücherregal, das eine ganze Wand einnahm, und stellte einen dicken Wälzer an seinen Platz zurück. »Bitte entschuldigen Sie, Signor Brunetti«, sagte sie. »Es tut

mir leid, daß Sie warten mußten.« Sie kam mit ausgestreckter Hand auf ihn zu und umfaßte seine Rechte mit festem
Griff. »Nehmen Sie doch Platz«, fuhr sie, zum Schreibtisch
gewandt, fort. Die Sekretärin entfernte sich.

Brunetti musterte die Anwältin, während sie hinter ihren Schreibtisch ging und sich niederließ. Die paar Zenti-
meter, die sie kleiner war als er, glich ihre sportlich schlan-
ke Figur optisch mühelos aus. Sie trug ein dunkelgraues
Kostüm aus Rohseide in knieumspielender Länge. Dazu
schlichte schwarze Lederpumps mit niedrigem Absatz, die
sowohl fürs Büro als auch zum Laufen geeignet waren. Eine leichte Bräune verlieh ihrem Teint gerade soviel Frische,
daß keine unangenehmen Assoziationen an Folgeerschei-
nungen wie Lederhaut und Falten aufkamen. Ihre Ge-
sichtszüge waren im einzelnen nicht weiter auffallend, be-
stachen aber durch die reizvolle Kombination brauner,
dichtbewimperter Augen mit vollen, weichen Lippen.

»Meine Sekretärin sagte mir, Sie hätten ein paar Fragen
bezüglich einer Erbschaft, Signor Brunetti?« Doch bevor er
dies bestätigen konnte, überraschte ihn sein Gegenüber mit
dem halb nachsichtigen, halb verzweifelten Ausruf: »Willst
du das wohl sein lassen!«

Brunetti hatte nach den Papieren auf ihrem Schreibtisch
geschielt, und als er jetzt zu ihr aufsah, war sie – oder zumindest ihr Kopf – verschwunden. Dafür aber lugte das
hellbraune Etwas – ein Mittelding zwischen Palmwedel und
Fächer – wieder unter dem Tisch hervor und bewegte sich
langsam hin und her.

»Hörst du nicht, Poppi: Aus, hab ich gesagt!« ertönte
die Stimme der Anwältin von unten.

Unschlüssig, wie er sich verhalten sollte, blieb Brunetti, wo er war, und verfolgte den wedelnden Hundeschwanz mit den Augen.

Als Avvocatessa Marieschi nach geraumer Zeit mit völlig zerzaustem Haar wieder zum Vorschein kam, entschuldigte sie sich mit den Worten: »Tut mir leid. Normalerweise bringe ich sie nicht mit in die Kanzlei, aber ich komme gerade aus dem Urlaub, und sie ist mir noch böse, weil ich sie allein gelassen habe.« Sie stieß den Stuhl zurück und fuhr, an den Hund gewandt, fort: »Ist es nicht so, Poppi? Du schmollst und willst mich bestrafen, indem du meine Schuhe ruinierst?«

Der unsichtbare Hund rumorte noch eine ganze Weile, ehe er sich endlich mit einem vernehmlichen Plumps fallen ließ und seinen buschigen Schwanz unter dem Schreibtisch hervorstreckte. Die Anwältin sah Brunetti lächelnd an, errötete womöglich gar und sagte: »Ich hoffe, Sie haben nichts gegen Hunde.«

»Nein, durchaus nicht. Ich mag Hunde.«

Ein leises Knurren antwortete der unvertrauten Stimme, worauf die Anwältin sich bückte und befahl: »Komm raus da, du Schwindlerin. Komm und überzeuge dich, daß es keinen Grund gibt, eifersüchtig zu sein.« Sie langte unter den Tisch, beugte sich noch tiefer und lehnte sich dann wieder in ihrem Stuhl zurück. Langsam tauchte erst der Kopf und dann der Rumpf des wohl schönsten Hundes auf, den Brunetti je gesehen hatte. Poppi war ein Golden Retriever, und obwohl der Commissario wußte, daß dies die derzeit gängige Moderasse war, tat das seiner Bewunderung keinen Abbruch. Die Hündin, die mit hechelnder Zunge dastand, brauchte nur ihre weit auseinanderstehenden Augen auf ihn zu richten, und schon hatte sie sein Herz erobert. Ihr Rist reichte bis über den Stuhlsitz der Anwältin, und Brunetti sah zu, wie das Tier den Kopf in den Schoß seiner Herrin bettete und hingebungsvoll zu ihr aufsah.

»Ich hoffe, das war ernst gemeint, Signor Brunetti, andernfalls wäre mir die Situation nämlich sehr peinlich«, erklärte die Anwältin, während ihre Hand wie von selbst über Poppis Kopf strich und sie sachte am linken Ohr zupfte.

»Sie ist wunderschön«, sagte Brunetti.

»Ja, das ist sie«, bestätigte Avvocatessa Marieschi. »Und obendrein sanft wie ein Lamm.« Sie spielte weiter mit dem Ohr des Hundes, blickte jedoch zu Brunetti auf und meinte: »Aber Sie sind ja nicht hergekommen, damit ich Ihnen von meinem Hund vorschwärme. Wollen Sie mir nicht sagen, womit ich Ihnen helfen kann?«

»Also ehrlich gesagt bin ich mir nicht sicher, ob Ihre Sekretärin mich gestern richtig verstanden hat, Avvocatessa. Ich komme nämlich nicht als Mandant, obwohl es schon etwas gibt, wobei Sie mir behilflich sein könnten.«

Ihre Hand spielte noch immer mit Poppis Ohr, und sie lächelte verbindlich. »Tut mir leid, aber ich kann Ihnen nicht ganz folgen.«

»Nun, ich bin Polizeikommissar, Dottoressa, und ich bin hier, um Ihnen ein paar Fragen über eine Ihrer Mandantinnen zu stellen: Signora Maria Battestini.«

Poppi zog die Lefzen hoch, wandte sich Brunetti zu und gab ein tiefes Knurren von sich, aber ihre Herrin beschwichtigte sie gleich wieder, indem sie sich über den Kopf des Hundes beugte und murmelte: »Hab ich zu fest an deinem Ohr gezogen, mein Engel?« Dann schob sie das Tier energisch beiseite und sagte: »So, und nun mach Platz. Ich habe zu arbeiten.«

Ohne aufzumucken verschwand der Hund unter dem Schreibtisch, wo er sich ein paarmal um die eigene Achse drehte, bevor er sich niederließ und Brunetti abermals seine prächtige Rute präsentierte.

»Maria Battestini«, sagte die Anwältin. »Entsetzlich, einfach furchtbar. *Ich* habe ihr diese Frau besorgt, stellen Sie sich vor! Habe ein Vorstellungsgespräch mit ihr geführt und sie anschließend hingebracht zu Maria. Sie glauben ja nicht, was ich mir für Vorwürfe mache, seit ich von Marias tragischem Tod erfahren habe.« Sie preßte die Lippen aufeinander und sog sie ein, eine Gebärde, auf die nach Brunettis Erfahrung meistens Tränen folgten.

Um das zu verhindern, beteuerte er eilig: »Sie trifft wohl kaum eine Schuld, Avvocatessa. Die Polizei hat die Frau einreisen lassen, und das Ufficio Stranieri erteilte ihr eine *permesso di soggiorno*. Mir scheint, wenn man jemanden verantwortlich machen kann, dann die Behörden und nicht Sie.«

»Aber ich kannte Maria schon so lange, fast mein ganzes Leben.«

»Wie das, Dottoressa?«

»Mein Vater war ihr Anwalt, ihrer und der ihres Mannes, und so kannte ich sie schon als kleines Mädchen, und dann, als ich mit dem Studium fertig war und in die Kanzlei meines Vaters eintrat, bat sie mich, sie zu vertreten. Ich glaube, sie war meine erste Mandantin, das heißt, die erste, die bereit war, sich mir anzuvertrauen.«

»Und auf was bezog sich das, Dottoressa?« fragte Brunetti.

»Ich fürchte, ich verstehe Sie nicht«, antwortete sie, schon wieder ganz gefaßt. Die Tränengefahr schien gebannt.

»Nun, mit welchen Angelegenheiten hat sie Sie betraut?«

»Ach, damals eigentlich nichts von Bedeutung. Ein Cousin hatte ihrem Mann eine Wohnung auf dem Lido vermacht, und als sie die ein paar Jahre nach seinem Tod verkaufen wollte, herrschte Uneinigkeit darüber, wem der Garten gehörte.«

»Strittiges Eigentumsrecht«, sagte Brunetti und verdrehte die Augen, als könne er sich kein grausameres Schicksal vorstellen. »War das ihr einziges Problem?«

Signora Marieschi wollte schon antworten, bremste sich aber im letzten Moment. »Würden Sie mir, bevor ich weitere Fragen beantworte, sagen, was Sie damit bezwecken, Commissario?«

»Natürlich.« Brunetti setzte sein gewinnendstes Lächeln auf; schließlich hatte er eine Juristin vor sich, da war jede Taktik erlaubt. »Allem Anschein nach ist das Verbrechen aufgeklärt, und wir wollen den Fall endgültig abschließen, aber zuvor möchten wir vorsorglich noch jede weitere Möglichkeit ausschließen.«

»Was meinen Sie mit ›weitere Möglichkeit‹?«

»Daß jemand anders den Mord begangen haben könnte.«

»Aber ich dachte, die Rumänin…« begann sie und brach dann seufzend ab. »Ich weiß ehrlich nicht, ob ich mich jetzt freuen oder traurig sein soll«, gestand sie endlich. »Aber wenn sie es nicht war, dann bräuchte ich mich wenigstens nicht mehr so schuldig zu fühlen.« Sie probierte ein Lächeln, was indes mißlang, und fuhr fort: »Aber haben Sie oder vielmehr die Polizei denn Grund zu der Annahme, daß ein anderer den Mord begangen hat?«

»Nein«, behauptete er mit der Geschmeidigkeit des erprobten Lügners, »eigentlich nicht.« Und setzte unter Zuhilfenahme von Pattas Lieblingsargument hinzu: »Aber in diesem Klima des Mißtrauens, das seitens der Medien gegenüber der Polizei geschürt wird, müssen wir uns so gut wie irgend möglich absichern, bevor wir einen Fall zu den Akten legen. Und je eindeutiger die Beweislage, desto geringer das Risiko, daß unsere Entscheidungen von der Presse in Zweifel gezogen werden.«

Sie nickte verständnisvoll. »Ja, das leuchtet mir ein. Natürlich würde ich Ihnen gerne helfen, doch ich wüßte, ehrlich gestanden, nicht, wie.«

»Sie sagten vorhin, Sie hätten Signora Battestini auch noch anderweitig beraten. Könnten Sie mir sagen, worum es dabei ging?« Als er ihr Zögern bemerkte, setzte er hinzu: »Ich denke, ihr Tod und vor allem dessen Begleitumstände gestatten es Ihnen, Dottoressa, offen zu sprechen, ohne Rücksicht auf die anwaltliche Schweigepflicht.«

Das Argument schien sie zu überzeugen. »Da war einmal ihr Sohn, Paolo. Er starb vor fünf Jahren nach langer Krankheit. Maria war... sie wäre damals selber fast vor Gram gestorben, und noch lange danach war sie wie gelähmt. Also habe ich erst die Beerdigung für sie arrangiert und mich dann um Paolos Hinterlassenschaft gekümmert – eine ganz unkomplizierte Angelegenheit, denn Maria war die Alleinerbin.«

Die Floskel »nach langer Krankheit« übersetzte Brunetti sich unwillkürlich mit Krebs, diesem Tabuwort, das kaum jemand auszusprechen wagte. Immer nahmen die Leute Zuflucht zu Umschreibungen wie »eine lange Krankheit«, »ein Tumor«, »ein furchtbares Leiden« oder einfach »diese Krankheit«.

»Wie alt war er, als er starb?«

»Vierzig, glaube ich.«

Der Umstand, daß seine Mutter ihn beerbt hatte, sprach dafür, daß Paolo unverheiratet gewesen war, und so fragte Brunetti nur: »Lebte er mit seiner Mutter zusammen?«

»Ja, er hing sehr an ihr.«

Gepaart mit dieser Antwort erschien die Wendung »nach langer Krankheit« in einem ganz neuen Licht, doch Brunetti enthielt sich jeden Kommentars. Vielmehr wechselte er das Thema und fragte: »Dürfen Sie über Signora Battestinis Testament Auskunft geben?«

»Daran war nichts Besonderes«, antwortete sie. »Ihre einzige noch lebende Verwandte ist eine Nichte namens Graziella Simionato, und sie ist die Alleinerbin.«

»Ist es eine große Erbschaft?« fragte er.

»Eigentlich nicht. Das Haus in Cannaregio, eine weitere Immobilie am Lido und etwas Barvermögen, das Maria bei der Uni Credit angelegt hatte.«

»Haben Sie eine Ahnung, wieviel das war?«

»Die genaue Summe kann ich Ihnen nicht nennen, aber es sind so um die zehn Millionen«, sagte sie und berichtigte sich umgehend: »Also in Lire. Ich rechne immer noch in der alten Währung und muß mir das ständig in Euro übersetzen.«

»Das geht uns wohl allen so«, meinte Brunetti und fügte dann hinzu: »Eine letzte Frage hätte ich noch, was diese leidige Geschichte mit dem Fernseher betrifft. Können Sie mir darüber etwas sagen?«

Sie schüttelte lächelnd den Kopf. »Ich weiß, ich weiß. Ich habe laufend Post von Nachbarn bekommen, die sich über die Lautstärke beschwerten. Jedesmal, wenn so ein Brief eintraf, habe ich Maria besucht und ihr gut zugeredet, und sie versprach mir, den Ton leiser zu stellen. Aber sie war alt und vergeßlich, und manchmal schlief sie auch einfach ein, während der Fernseher noch lief.« Roberta Marieschi hob die Schultern. »Ich glaube«, schloß sie mit einem resignierten Seufzer, »da war einfach nichts zu machen.«

»Wie uns berichtet wurde, hat die Rumänin darauf geachtet, daß der Fernseher nicht zu laut war«, sagte er.

»Aber sie hat auch Maria ermordet!« gab die Anwältin zornig zurück.

Brunetti nickte ergeben. »Verzeihen Sie«, sagte er, »das war gedankenlos von mir.« Und dann: »Dürfte ich Sie noch um die Adresse der Nichte bitten?«

»Die bekommen Sie von meiner Sekretärin«, antwortete Signora Marieschi in merklich kühlerem Ton. »Ich bringe Sie ins Vorzimmer und lasse Ihnen die Anschrift heraussuchen.«

Nach einem so deutlichen Hinauswurf blieb Brunetti keine andere Wahl, als sich zu verabschieden. Er stand auf und sagte, über den Schreibtisch gebeugt: »Danke, daß Sie sich die Zeit genommen haben, Dottoressa. Hoffentlich habe ich Sie mit meinen Fragen nicht beunruhigt.«

Sie rang sich ein Lächeln ab und erwiderte obenhin: »Wenn das der Fall wäre, hätte Poppi es gemerkt und würde nicht so friedlich weiterschlafen.« Eine Behauptung, die der zuckende Schwanz unter dem Schreibtisch womöglich Lügen strafte. Das wäre wieder so ein Wortspiel für Chiara, dachte Brunetti: Lügen, die schlafende Hunde wecken.

Er hielt der Anwältin die Tür auf, wartete, bis die Sekretärin die Adresse von Signora Battestinis Nichte herausgesucht hatte, bedankte sich bei beiden, gab Signora Marieschi die Hand und ging.

11

Auf dem Rückweg zur Questura entlang der Riva degli Schiavoni wäre er um diese Stunde vor Hitze geschmolzen, und so lenkte Brunetti seine Schritte zurück nach Castello und Richtung Arsenale. Wie jedesmal, wenn er an der Werft vorbeikam, fragte er sich, ob den Bildhauern, die die Statuen vor dem Portal geschaffen hatten, wohl je ein echter Löwe untergekommen war. Zumindest einer der beiden hatte größere Ähnlichkeit mit Poppi als mit irgendeinem Löwen, den Brunetti je gesehen hatte.

Der Kanal vor der Kirche San Martino führte fast kein Wasser mehr. Brunetti blieb stehen und spähte in die brackigen Pfützen hinab. Der zähe Schlamm, der die Uferwände bedeckte, glänzte in der Sonne und roch verdächtig nach Korruption. Wer konnte sagen, wann der Kanal zuletzt ausgebaggert und gereinigt worden war?

In seinem Büro angekommen, riß Brunetti als erstes ein Fenster auf, und obwohl die feuchte Schwüle, die von draußen hereindrang, keine Abkühlung brachte, ließ er es trotzdem offen, in der Hoffnung, einen vorbeiziehenden Zephir anzulocken. Während er seine Jacke über die Stuhllehne hängte, überflog er gespannt den Posteingang, auch wenn Signorina Elettra nichts dort ablegen würde, was nicht völlig harmlos war und von jedermann gelesen werden durfte. Alles übrige verwahrte sie in ihrem Schreibtisch oder, noch sicherer, in ihrem Computer.

Auf der morgendlichen Bootsfahrt nach Castello hatte er

im *Gazzettino* gelesen, daß der Prozeß um die Diebstahl-serie am Flughafen tatsächlich so ausgegangen war, wie er befürchtet hatte. Laut Gerichtsbeschluß hatte die geheime Überwachung der Gepäckhalle durch versteckte Kameras die Privatsphäre der Angeklagten verletzt, weshalb die Videos nicht als Beweismittel zugelassen wurden. Als er das las, hatte Brunetti den törichten Wunsch verspürt, sämtliche Zeugenaussagen, die man während der letzten Monate so mühevoll zusammengetragen hatte, aus der Questura zu holen und zu der Altpapiersammelstelle an der Scuola Bar-barigo zu schaffen. Jetzt kam ihm ein noch dramatischeres Bild in den Sinn, und er stellte sich vor, wie jener kapriziöse Zephir, den er eben noch herbeigesehnt hatte, in einen Scheiterhaufen auf dem Pier vor der Questura fuhr und halb verkohlte, rußgeschwärzte Papierfetzen durch die Luft wir-belte.

Er wußte, was geschehen würde: Die Anklagebehörde würde gegen den richterlichen Entscheid Berufung einlegen, und dann würde die ganze Sache von vorne losgehen, würde sich endlos hinziehen mit immer neuen Urteilen und Revi-sionen, bis die Verjährungsfrist abgelaufen war und der Fall endgültig im Archiv verschwand. Es war die reinste Farce, ein gravitätischer Affentanz, den Brunetti im Laufe seiner Karriere immer wieder erlebt hatte: Sofern die Musik nur hübsch langsam spielte und genügend Pausen einlegte, um die Orchestermitglieder auszuwechseln, wurden die Leute früher oder später der ewig gleichen Melodie so überdrüssig, daß es schließlich niemandem mehr auffiel, wenn der Vor-hang sich senkte und die Instrumente verstummten.

Erfahrungen wie diese waren schuld daran, daß ihm Paolas Kritik an der Polizei bisweilen so zu schaffen machte. Das Justizsystem, unter dem er arbeitete, rechtfertigte die endlosen Berufungsverfahren mit dem Argument, man dürfe nichts unversucht lassen, um die Beklagten vor einem Fehlurteil zu bewahren. Aber als diese Gewähr mit den Jahren immer mehr in den Vordergrund geriet und systematisch ausgeweitet wurde, begann Brunetti sich zu fragen, wessen Sicherheit das Gesetz hier eigentlich garantierte.

Für diesmal schüttelte er seine Grübeleien ab und machte sich auf die Suche nach Vianello. Der Ispettore saß an seinem Schreibtisch und telefonierte. Als er Brunetti hereinkommen sah, hob er die Hand und spreizte die Finger zum Zeichen, daß er noch mindestens fünf Minuten brauche. Dann wies er mit dem Zeigefinger vage in die Richtung von Brunettis Büro, um anzudeuten, daß er ihm folgen werde, sobald er fertig sei.

Als Brunetti wieder in sein Zimmer kam, fand er die Temperatur etwas erträglicher als zuvor. Um sich die Zeit bis zu Vianellos Eintreffen zu vertreiben, blätterte er die Papiere durch, die sich im Eingangskorb angesammelt hatten.

Es dauerte nicht fünf Minuten, sondern eine Viertelstunde, bis Vianello heraufkam. Er setzte sich und sagte ohne Umschweife: »Sie war eine boshafte alte Hexe, und ich habe niemanden gefunden, der ihren Tod auch nur im geringsten bedauerte.« Er hielt inne, als horche er seinen eigenen Worten nach, und fuhr dann sinnend fort: »Was wohl auf ihrem Grabstein steht – ›innig geliebte Frau‹? ›Geliebte Mutter?«

»Ich glaube, die Inschriften sind in der Regel länger«, bemerkte Brunetti. »Schon weil die Steinmetze nach Buchstaben bezahlt werden.« Dann kehrte er zum eigentlichen Thema zurück und fragte: »Mit wem haben Sie denn gesprochen, und was haben Sie sonst noch erfahren?«

»Wir waren in zwei Bars und haben was getrunken. Nadia erzählte den Wirten, sie hätte früher in der Gegend gewohnt. Das war geflunkert, aber eine Cousine von ihr stammt tatsächlich von dort, und da Nadia sie als Kind öfter besucht hatte, kannte sie ein paar Namen und konnte sich über Geschäfte unterhalten, die inzwischen längst geschlossen wurden, und so glaubte man ihr.

Nach dem Mord brauchte sie gar nicht zu fragen: Die Leute drängten sich förmlich danach, über den Fall zu reden. Seit den Überschwemmungen von 1966 hatten die nichts Aufregenderes mehr erlebt.« Ein Blick auf Brunettis Miene genügte, und Vianello zügelte seine Weitschweifigkeit. »Allenthalben beschrieb man uns die Alte übereinstimmend als habgierig, unangenehm und dumm. Bis irgendwer die anderen daran erinnerte, daß sie Witwe war und ihren einzigen Sohn verloren hatte. Dann zogen die Leute den Kopf ein und meinten, gar so schlecht sei sie eigentlich doch nicht gewesen. Was mich allerdings nicht überzeugt hat. Wir haben uns in den Bars nach ihr erkundigt und anschließend im Restaurant bei einer Kellnerin, die gleich bei ihr um die Ecke wohnt, und nicht einer hatte etwas Gutes über sie zu berichten. Dafür ist offenbar inzwischen genügend Zeit vergangen, um ein bißchen Sympathie für die Rumänin aufkommen zu lassen: Eine Dame sagte sogar, sie wundere sich, daß es so lange gedauert habe, bis eine ihrer Zugehfrauen die Alte umgebracht hat.« Und nach kurzer Überlegung setzte Vianello hinzu: »Fast schien es, als wäre das Mitgefühl, das die Alte dem Tod ihres Sohnes verdankte, wenigstens zu einem kleinen Teil auf Signora Ghiorghiu übergegangen.«

»Und der Sohn? Was wurde über den gesprochen?« fragte Brunetti.

»Von dem war nicht viel die Rede. Ein ruhiger Mensch, lebte bei seiner Mutter, war sehr zurückhaltend, machte keinerlei Scherereien. Klang fast so, als hätte er kein eigenes Leben gehabt, sondern den Leuten nur als Vorwand dafür gedient, die Alte zu bedauern. Weil er doch so früh gestorben ist.«

»Und der Ehemann?«

»Das Übliche: ›una brava persona‹. Aber«, setzte Vianello warnend hinzu, »das ist vielleicht bloß nachträgliche Schönfärberei.«

»Haben Sie auch etwas über die Frauen erfahren, die zuvor für Signora Battestini gearbeitet haben?«

»Nur, daß die früheren Hilfen stundenweise zum Putzen, Kochen oder Einkaufen ins Haus kamen. Die Rumänin war die erste, die auch bei der Signora wohnte.« Und nach einer Pause fuhr Vianello fort: »Ich nehme an, ihre Vorgängerinnen hatten keine Papiere und wollten sich aus Angst vor den Behörden nicht mit der Nachbarschaft einlassen.«

»Hatte die alte Signora denn viel Kontakt mit ihrem Viertel?« fragte Brunetti.

»In den letzten Jahren, vor allem nach dem Tod des Sohnes, nicht mehr. Bis vor etwa drei Jahren konnte sie zwar noch Treppen steigen und sich frei bewegen, aber dann verletzte sie sich bei einem Sturz das Knie. Und danach ist sie offenbar nicht mehr ausgegangen. Inzwischen waren auch die wenigen Freunde, die sie in der Nachbarschaft noch hatte, entweder gestorben oder fortgezogen, und bei den Nachzüglern hatte sie sich so unbeliebt gemacht, daß bald niemand mehr etwas mit ihr zu tun haben wollte.«

»Was hat sie denn angestellt?«

»Ach, Bars verlassen, ohne zu zahlen, sich über Obst beschwert, das angeblich nicht frisch oder nicht schmackhaft genug war, Dinge gekauft und benutzt, die sie dann wieder zurückgeben wollte: lauter Sachen, mit denen man Geschäftsleute zur Weißglut treibt. Ich hörte auch, daß sie eine Zeitlang ihren Abfall einfach aus dem Fenster geworfen hat, bis jemand die Polizei rief, und nachdem die Kollegen ihr ins Gewissen geredet hatten, ließ sie das wieder bleiben. Aber die Hauptklage galt dem Fernseher.«

»Sind Sie auch auf jemanden gestoßen, der schon mal mit ihrer Anwältin zu tun hatte?«

Vianello überlegte einen Moment, dann schüttelte er den Kopf und sagte: »Nein, persönlich kennt die wohl keiner, aber ein paar Leute sagten, sie hätten ihr geschrieben, auch wieder wegen des Fernsehers.«

»Und?«

»Sie hat keinen der Briefe beantwortet.«

Das überraschte Brunetti nicht: Solange niemand die alte Frau verklagte, hatte ihre Anwältin keine Handhabe, um auf das Verhalten ihrer Mandantin einzuwirken. Trotzdem paßte ihre Mißachtung dieser Beschwerdeflut nicht zu Avvocatessa Marieschis Beteuerung, wie sehr sie um Signora Battestini besorgt gewesen sei. Andererseits: Welcher Anwalt setzte schon ein Schreiben auf ohne die Gewißheit, es auch in Rechnung stellen zu können?

»Und was erzählen die Leute über den Mordtag?«

»Nichts. Ein Mann glaubt sich zu erinnern, daß er die Rumänin aus dem Haus kommen sah, aber beschwören würde er das nicht.«

»Weil er nicht weiß, ob es tatsächlich die Rumänin war, oder weil er unsicher ist, ob sie aus Signora Battestinis Haus kam?«

»Ich weiß es nicht. Sobald ich Interesse an seiner Aussage zeigte, war kein Wort mehr aus ihm herauszubringen.« Vianello hob resigniert die Hände. »Viel ist das nicht, ich weiß, aber ich glaube kaum, daß man mit unauffälligen Fragen mehr in Erfahrung bringen kann.«

»Das ist nichts Neues, oder?« meinte Brunetti, der gleichwohl seine Enttäuschung nicht verhehlte.

Vianello zuckte die Achseln. »Sie wissen ja, wie das ist: An den Sohn scheint sich niemand so recht zu erinnern. Die Mutter war bei allen unbeliebt, und da ihr Mann schon seit zehn Jahren tot ist, erfährt man über ihn nur, was für eine *brava persona* er war, wie gern er mit seinen Freunden ein Glas geleert hat und daß man nicht begreifen könne, wie er es so lange mit dieser Frau ausgehalten hat.«

Brunetti nickte. Ob man nach seinem Tod auch einmal so über ihn reden würde?

»Und was haben Sie herausgefunden, Commissario?« fragte Vianello.

Brunetti berichtete von seinem Gespräch mit der Anwältin und vergaß auch nicht, den Hund zu erwähnen.

»Haben Sie sich nach den Bankkonten erkundigt?« wollte Vianello wissen.

»Nein. Sie erwähnte nur die fünftausend Euro, die Signora Battestini bei der Uni Credit hatte. Und bevor wir nichts Näheres über die anderen Konten wissen, wollte ich sie nicht zur Sprache bringen.«

Als könne sie Gedanken lesen, wählte Signorina Elettra just diesen Moment, um auf der Bildfläche zu erscheinen. Sie trug einen grünen Rock und eine weiße Bluse und um den Hals eine Kette aus großen tropfenförmigen Bernsteinen. Als sie auf die beiden Männer zuschritt, brach sich das Sonnenlicht in dem Geschmeide, so daß die Steine rot aufflammten und die Signorina sich in ein mit den Landesfarben umhülltes Sinnbild staatsbürgerlicher Tugenden verwandelte. Eine Vision, die freilich nur einen Augenblick lang währte, denn sobald sie im Näherkommen aus der Sonnenbahn heraustrat, war Elettra wieder sie selbst.

Sie legte einen Aktendeckel auf Brunettis Schreibtisch und sagte mit bewundernswerter Bescheidenheit: »Es ging leichter, als ich gedacht hätte, Commissario.«

»Auch bei der Deutschen Bank?« fragte Vianello.

Sie schüttelte verächtlich den Kopf. »Es war so simpel, daß selbst Sie es geschafft hätten, Ispettore«, erklärte sie und fuhr womöglich noch abfälliger fort: »Schuld ist vermutlich diese leidige Europäisierung: Früher waren deutsche Banken absolut zuverlässig. Aber heute hat man das Gefühl, sie vergessen bei Büroschluß die Tür hinter sich abzusperren. Mich schaudert bei dem Gedanken, was aus der Schweiz werden soll, falls die eines Tages der Europäischen Union beitritt.«

Ohne sich von ihrer Sorge um das Bankgeheimnis auf dem europäischen Kontinent beeindrucken zu lassen, fragte Brunetti lakonisch: »Und weiter?«

»Eröffnet wurden die Konten alle in dem Jahr, bevor Signor Battestini starb«, erwiderte sie, »und zwar in einem Zeitraum von nur drei Tagen und mit einem Startguthaben von je einer halben Million Lire. Seitdem wurden jeden Monat pro Konto hunderttausend Lire einbezahlt, ausgenommen eine kurze Phase unmittelbar nach dem Tod des Sohnes, in der keine Einzahlungen erfolgten.« Die verblüfften Mienen ihrer Zuhörer entlockten ihr ein triumphierendes Lächeln. »Aber der Ausfall wurde gründlich wettgemacht, als die Zahlungen zwei Monate später wieder einsetzten.« Sie ließ den beiden einen Augenblick Zeit zum Nachdenken, bevor sie weitersprach. »Die letzten, sagen wir mal durchschnittlichen Einzahlungen erfolgten Anfang Juli, und sie eingerechnet beläuft sich das Gesamtguthaben, inklusive Zinsen, auf fast dreißigtausend Euro. Diesen Monat ist allerdings nichts eingegangen.«

Alle drei erwogen, was das zu bedeuten habe, doch es war Brunetti, der das Ergebnis in Worte faßte: »Das heißt, mit ihrem Ableben erlosch der Grund oder das Motiv für die Zahlungen.«

»So scheint es«, bestätigte Signorina Elettra und fügte dann hinzu: »Aber das Merkwürdige daran ist, daß das Geld nie angerührt wurde: Es lag einfach auf der Bank und sammelte Zinsen.« Sie klappte den Ordner auf, hielt ihn so, daß beide Männer die Zahlen einsehen konnten, und erklärte: »Das sind die jeweiligen Gesamtbeträge der Konten, die übrigens alle auf den Namen der Signora liefen.«

»Und was geschah damit nach ihrem Tod?« fragte Brunetti.

»Sie starb an einem Freitag; am Montag wurden sämtliche Guthaben auf die Kanalinseln transferiert«, lautete die Antwort, der Signorina Elettra ein vielsagendes »und…« hinterhersandte, das prompt den gewünschten Erfolg zeitigte. Beide Männer hingen gespannt an ihren Lippen. »Und obwohl diese Transaktionen anonym erfolgten, konnte ich bei allen Banken jeweils zwei Bevollmächtigte ermitteln, die Zugriff auf die Konten hatten, nämlich Roberta Marieschi und Graziella Simionato.«

»Als ich die Anwältin heute morgen fragte, wieviel Geld Signora Battestini hinterlassen habe, sprach sie nur von den zehn Millionen Lire bei der Uni Credit.«

»Steuerhinterziehung?« lautete Vianellos naheliegende Vermutung. Wenn die Erblasser die Gelder umgehend außer Landes geschafft hatten, bestand, im Vertrauen auf den üblichen bürokratischen Schlendrian, die nicht unberechtigte Hoffnung, daß der Transfer vom Fiskus unentdeckt blieb, besonders da die Konten auf mehrere Banken verteilt gewesen waren.

»Und die Nichte?« fragte Brunetti.

»Bei der bin ich noch am Anfang« war alles, was Signorina Elettra darauf erwiderte.

»Das macht alles in allem über sechzig Millionen«, staunte Vianello, der wie die meisten seiner Landsleute noch immer in der alten Währung dachte.

»Für eine Witwe mit einer Drei-Zimmer-Wohnung ein ganz hübsches Sümmchen«, ergänzte Signorina Elettra.

»Erst recht, wenn man es an der Steuer vorbeilanciert«, fügte Vianello nicht ohne hörbare Bewunderung hinzu. »Aber«, forschte er mit einem fragenden Blick auf Signorina Elettra, »geht denn das überhaupt?«

Sie dachte so angestrengt nach, daß sie unwillkürlich das

Kinn vorschob. Brunetti, der das sah, geriet ins Wanken. War ihre Kenntnis illegaler Tricks und Schliche am Ende doch nicht unbegrenzt? Die Zeit bei der Nationalbank war gewiß eine exzellente Schulung gewesen; allein er hegte den Verdacht, daß ihre Künste sich erst im Dienste der Questura zur vollen Blüte entfaltet hatten.

Wie die heilige Katharina, die aus einer göttlichen Vision erwacht, ließ Signorina Elettra das Reich spekulativer Straftaten hinter sich und kehrte zu Brunetti und Vianello in die Realität zurück. »Ja«, erklärte sie, »wenn der Betreffende auf die Inkompetenz der *Finanza* setzt und auf die Chance, daß die Transfers unentdeckt bleiben, dann wäre es, denke ich, gar nicht mal so schwer.« Ehe Vianello und Brunetti die Erfolgsaussichten eines solchen Vabanquespiels abschätzen konnten, unterbrach Signorina Elettra sie mit der Frage: »Aber was hatte die Signora von dem vielen Geld, wenn es all die Jahre nur auf der Bank lag und sie nichts davon angerührt hat?«

Für Brunetti, dem in lebhafter Erinnerung war, wie verschlagen und raffgierig Balzac seine Bauern schilderte, lag die Antwort auf der Hand. »Ihr wird es genügt haben, zuzusehen, wie ihr Kapital sich vermehrte«, sagte er. Vianellos Erfahrungen mit französischen Romanen hielten sich in Grenzen, aber dafür hatte er geraume Zeit auf dem Land gelebt und konnte Brunetti gleichwohl folgen.

»Ich war auf ihrem Dachboden und habe gesehen, was die Signora so alles aufzuheben pflegte«, sagte Brunetti und dachte insbesondere an ein Paar Filzpantoffeln, die so abgetragen waren, daß nicht einmal die Caritas gewagt hätte, sie ihren bedürftigen Schützlingen anzubieten; oder an die Ge-

schirrtücher mit den ausgefransten Rändern und ein-
gezogenen Flecken. »Ich wette, sie hat sich ganz allein an
den steigenden Bilanzen ergötzt.«

»Aber wo sind die Originale dieser Kontoauszüge?« fragte Vianello.

»Wer hat den Haushalt aufgelöst?« konterte Brunetti.

»Die Nichte ist die Alleinerbin, also wäre das ihre Aufgabe gewesen«, meinte Signorina Elettra. »Natürlich hätte die
Anwältin sich leicht vorher Zutritt verschaffen und die Unterlagen wegnehmen können. Immer vorausgesetzt«, fügte
sie hinzu, »daß der Mörder sie nicht hat mitgehen lassen.«

»Zumindest wird er danach gesucht haben«, fiel Vianello ein. »Das erklärt die Unordnung am Tatort. Aber«, fuhr
er fort, und seine Miene erhellte sich, »falls wir Beweise
brauchen, haben wir ja die Computerbelege.«

Wie weiland die Parzen Lachesis und Atropos die blin-
den Augen auf ihre Schwester Klotho, die Spinnerin, richte-
ten, so wandten Brunetti und Signorina Elettra sich jetzt
starren Blicks an Vianello. »Damit kämen wir doch niemals
durch, Ispettore«, sagte Signorina Elettra so vorwurfsvoll,
als wäre er verantwortlich für den Erlaß, demzufolge Bankbelege nur noch im Original beweiskräftig und weder durch
Fotokopien noch Computerauszüge zu ersetzen waren.

Sah Brunetti den Inspektor wirklich erröten? »Das hatte ich nicht bedacht«, gestand Vianello, dem nun auch klar
war, daß ihre Erkenntnisse nur dann vor Gericht bestehen
würden, wenn und falls die zuständigen Bankbeamten die
Originalbelege jener Konten herausrückten, die über zehn
Jahre unangetastet vor sich hin geschlummert hatten – bis
zu ihrem mysteriösen Umzug in ein Steuerparadies, das

mit seiner sprichwörtlichen Diskretion gewiß auch einer Anwältin in einer so verschlafenen Provinzstadt wie Venedig ein Begriff war.

Brunetti wechselte das Thema und fragte: »Was ist mit dem Ehemann, Signorina? Haben Sie über den etwas herausgefunden?«

»Nichts, was für uns von Interesse wäre«, erwiderte sie bedauernd. »Er wurde 1925 hier in Venedig geboren und starb im Januar 1993 im Ospedale Civile. An Lungenkrebs. Über zweiunddreißig Jahre war er in verschiedenen städtischen Ämtern tätig, zuletzt bei der Schulbehörde – genauer gesagt in deren Personalbüro, so ungefähr das Eintönigste, was ich mir vorstellen kann. Sein Sohn war eine Zeitlang ebenfalls dort beschäftigt. Ein paar Jahre haben sie gemeinsam im selben Haus gearbeitet.«

»Sonst noch was?« fragte Brunetti. Wie traurig, daß von einem Mann, der drei Jahrzehnte und mehr in der städtischen Bürokratie zugebracht hatte, am Ende nur diese wenigen dürren Fakten übrigblieben.

»Mehr habe ich nicht gefunden, Commissario. An Daten, die über zehn Jahre zurückliegen, ist sehr schwer heranzukommen: Die sind noch nicht im Computer erfaßt.«

»Und wann wird es soweit sein?« fragte Vianello hoffnungsvoll.

Signorina Elettra zuckte so heftig mit den Schultern, daß die Glieder ihrer Bernsteinkette aneinanderklackten, als wollten auch sie seiner Blauäugigkeit hohnsprechen.

12

Brunetti wollte sich nicht so leicht geschlagen geben. »Ein paar ehemalige Kollegen der Battestinis sind sicher noch im Dienst«, sagte er zu Vianello. »Gehen Sie doch mal hin, reden Sie mit den Leuten und finden Sie raus, woran die sich erinnern.«

Vianellos Miene verriet, wie aussichtslos ihm dieser Auftrag erschien, aber er erhob keinen Einwand.

Signorina Elettra murmelte etwas von einer Menge Arbeit, die noch auf ihrem Schreibtisch warte, und verließ zusammen mit dem Inspektor das Büro.

Brunetti, der es unfair gefunden hätte, die beiden für seine Recherchen einzuspannen, während er hinter seinem Schreibtisch hocken blieb, griff nach dem Ordner und suchte Namen und Telefonnummer von Signora Battestinis Hausarzt heraus. Sein Anruf wurde auf den Mobilanschluß umgeleitet, wo Dr. Carlotti sich meldete und anbot, Brunetti könne ihn entweder vor oder im Anschluß an die Nachmittagssprechstunde in seinem *ambulatorio* aufsuchen. Überzeugt, daß es klüger sei, mit dem Dottore zu reden, bevor der sich zwei Stunden die Leidensgeschichte seiner Patienten angehört und sie verarztet hatte, sagte Brunetti, halb vier passe ihm gut, ließ sich noch den Weg zur Praxis beschreiben und legte auf. Bei Signora Battestinis Nichte, deren Nummer er gleich anschließend wählte, nahm niemand ab.

Die wöchentliche Mitarbeiterkonferenz entfiel an diesem Tag dank eines stabilen Hochs. Während der Sommermonate wurden diese Meetings, die Vice-Questore Patta vor einigen Jahren persönlich eingeführt hatte, oft von vornherein abgesagt oder erst verschoben und, je nach Wetterlage, später gestrichen. Bei Sonnenschein entfiel die Sitzung automatisch, damit der Vice-Questore schon vor dem Mittagessen eine Runde schwimmen konnte. Regnete es am Morgen, so wurde die Besprechung anberaumt, bis, was nicht selten geschah, eine unverhoffte Wetterbesserung doch zu ihrer Vertagung führte und eine Polizeibarkasse den Vice-Questore übers Bacino di San Marco zu seiner zweifellos wohlverdienten Erquickung brachte. Für die meisten in der Questura war dieses ständige Hin und Her ebenso rätselhaft wie die Schranktür, die nur aufbekommt, wer weiß, wo man dagegentreten muß. Brunetti und seine beiden Vertrauten aber taten es den Auguren gleich, die auch immer erst das Firmament befragt hatten, bevor sie eine Unternehmung planten oder in Angriff nahmen. Der Commissario fand, sie konnten stolz sein auf die Geschmeidigkeit, mit der es ihnen immer wieder gelang, ihre Terminplanung den Launen des Vice-Questore anzupassen.

Als er zum Mittagessen nach Hause kam, hatte die Familie sich gerade zu Tisch gesetzt, Paola mit jenem hungrig abgespannten Ausdruck, der Brunetti verriet, daß sie wieder einmal einen schlechten Tag an der Uni erwischt hatte. Die Kinder freilich waren viel zu sehr darauf bedacht, den eigenen Hunger zu stillen, als daß ihnen so etwas aufgefallen wäre.

Nach den Gedecken zu urteilen, war keine Vorspeise vorgesehen. Aber ehe Brunetti sich darüber beschweren konnte, erschien Paola mit einer riesigen Schüssel, der so köstliche Dämpfe entstiegen, daß er rasch wieder versöhnt war. Bevor es ihm gelang, das Gericht zu erraten, rief Chiara freudestrahlend: »Oh, *mamma*, du hast Lammragout gemacht!«

»Gibt's dazu Polenta?« fragte Raffi hoffnungsvoll.

Das Lächeln, das die kulinarische Begeisterung ihrer Kinder auf Paolas Gesicht zauberte, erinnerte Brunetti an eine Vogelmutter, bei der das Tschilpen ihrer schnäbelnden Brut ein genetisch bedingtes Atzungsbedürfnis auslöst. Paolas kühle Replik widersetzte sich dem nämlichen Instinkt nur zum Schein. »Genau wie die sechshundertmal zuvor, die wir Lammragout hatten, Raffi! Ja, es gibt Polenta dazu.« Doch Brunetti, der mehr dem Tonfall als dem ironischen Wortlaut folgte, hörte leicht heraus, wie ihr dabei ums Herz war.

»Wenn es Feigen zum Nachtisch gibt, *mamma*, dann mache ich den Abwasch«, erbot sich Chiara.

»Du hast eine richtige Krämerseele«, sagte ihre Mutter, stellte die Schüssel auf den Tisch und ging in die Küche, um die Polenta zu holen.

Es gab tatsächlich Feigen und dazu *esse*, die S-förmigen Plätzchen, die ihnen ein Freund von Paolas Vater immer aus Burano schickte. Nach diesem üppigen Mahl war Brunetti so schläfrig, daß er sich eine Stunde hinlegen mußte.

Als er mit trockenem Mund und verschwitzt von der drückenden Hitze erwachte, spürte er Paola neben sich. Da sie nie Mittagsschlaf zu halten pflegte, wußte er schon, bevor er die Augen aufschlug, daß sie den Kopf in die Kissen gebettet und mit einem Buch vor der Nase daliegen würde. Ein Blick zur Seite bestätigte seine Vermutung.

Er erkannte den Einband und fragte: »Liest du immer noch in Chiaras Katechismus?«

»Ja«, antwortete sie, ohne aufzusehen. »Jeden Tag ein Kapitel, aber heute sagt man nicht mehr Katechismus dazu.«

Statt sich nach dem korrekten Titel zu erkundigen, forschte Brunetti weiter: »Und wo bist du jetzt?«

»Bei den Sakramenten.«

Mechanisch sagte er diejenigen auf, die ihm noch aus dem Religionsunterricht im Gedächtnis waren: »Taufe, Firmung, Eucharistie, Buße, Eheschließung, Priesterweihe…« Hier stockte er. »Es sind doch sieben, oder?«

»Ja.«

»Und was ist das siebte? Ich hab's vergessen. Es ist einfach weg.« Wie jedesmal, wenn ihm etwas im Grunde Vertrautes partout nicht einfallen wollte, erschrak er vor Angst, dies könnten die gleichen verräterischen Symptome sein, die bei seiner Mutter keiner hatte wahrhaben wollen.

»Letzte Ölung«, sagte Paola mit einem Seitenblick auf ihn. »Vielleicht das subtilste von allen.«

Brunetti konnte ihr nicht ganz folgen. »Wieso ›subtil‹?«

»Überleg doch mal, Guido. Wenn es ans Sterben geht, wenn alle sich einig sind, daß kaum noch oder gar keine Hoffnung mehr besteht, genau zu dem Zeitpunkt erscheint der Priester.«

»Ja, stimmt. Aber ich verstehe immer noch nicht, was daran so subtil ist.«

»Denk mal nach. In früheren Zeiten waren die Geistlichen die einzigen, die lesen und schreiben konnten.«

Brunetti war durstig, erhitzt und wie immer reizbar,

wenn er untertags geschlafen hatte. »Übertreibst du jetzt nicht ein bißchen?« nörgelte er.

»Ja, zugegeben. Aber im Prinzip ist es doch so gewesen, daß die Kirchenmänner des Lesens und Schreibens kundig waren, die meisten Laien dagegen nicht. Das änderte sich erst mit dem neunzehnten Jahrhundert.«

»Ich weiß immer noch nicht, worauf du hinauswillst«, sagte er.

»Denk eschatologisch, Guido«, versetzte sie eindringlich und verwirrte ihn damit nur noch mehr.

»Danach trachte ich von früh bis spät.« In Wirklichkeit war ihm die Bedeutung des Wortes entfallen, aber es tat ihm sehr leid, daß er sie angefahren hatte.

»Tod, Jüngstes Gericht, Himmel und Hölle«, zählte sie auf. »Die vier letzten Dinge. An dem Punkt, wo der Mensch auf das erste trifft und weiß, daß er dem zweiten nicht entkommen kann, beginnt er über das dritte und vierte nachzudenken. Und dann erscheint der Priester und füttert ihn mit beredten Schilderungen vom Fegefeuer und den himmlischen Freuden, wobei ich immer den Eindruck hatte, daß die Leute viel mehr bestrebt sind, ersteres zu meiden, als von letzteren zu kosten.«

Brunetti, dem langsam dämmerte, wo das hinführte, schwieg still.

»Und der Priester – der übrigens nicht selten zugleich Notar war – malte dem armen Sterbenden dann gewiß auch wortreich aus, wie das Fegefeuer einen sündigen Menschen bei lebendigem Leibe verzehrte und daß seine unbeschreiblichen Qualen fortdauern würden bis in alle Ewigkeit.«

Sie hätte das Zeug zur Schauspielerin, dachte er, wenn sie

es darauf anlegt, gerät ihr jedes Wort zu einem Glaubensakt.

»Aber für den guten Christen gibt es«, fuhr sie, ins Präsens wechselnd, mit honigsüßer Stimme fort, »einen Weg, dem Fegefeuer zu entgehen und Vergebung zu erlangen. Ja doch, mein Sohn, du brauchst bloß dein Herz der Liebe Jesu zu öffnen und deine Börse für die Not der Armen. Setze nur deinen Namen oder, wenn du nicht schreiben kannst, dein Kreuzchen unter dieses Papier, und zum Dank für deine Großzügigkeit gegen die heilige Mutter Kirche werden die Himmelstore sich weit auftun, dir zum Empfang.«

Paola ließ das Buch auf die Brust sinken und wandte sich ihm zu. »So wurde denn in letzter Minute ein Testament unterzeichnet und dies oder das oder auch das gesamte Erbe der Kirche vermacht. Denn natürlich«, fuhr sie in plötzlich bitterem Ton fort, »wollten die Siechen und Sterbenden oder die armen geistig Verwirrten unbedingt in den Himmel kommen. Und gab es einen besseren Zeitpunkt, um sie zu schröpfen, als auf dem Totenbett?«

Sie nahm ihr Buch wieder zur Hand, blätterte eine Seite weiter und sagte in verbindlichem Plauderton: »Siehst du, und darum ist die Letzte Ölung das subtilste unter den sieben Sakramenten.«

»Erzählst du so was auch Chiara?« fragte Brunetti entsetzt.

Paola wandte sich ihm wieder zu und lächelte nachsichtig. »Natürlich nicht. Entweder sie kommt, wenn sie älter wird, von selber drauf, oder auch nicht. Du darfst nicht vergessen, daß wir uns darauf geeinigt haben, nie in die religiöse Erziehung der Kinder einzugreifen.«

»Und wenn Chiara nun nicht von selber draufkommt?« fragte er und betonte dabei die letzten drei Worte so bänglich, als sei es ausgemacht, daß Paola sich für den Fall von ihrer Tochter enttäuscht zeigen würde.

»Dann wird ihr Leben vermutlich um einiges friedlicher verlaufen«, sagte Paola gelassen und widmete sich wieder dem Katechismus.

Dottor Carlottis Praxis befand sich im Erdgeschoß eines Hauses in der Calle Stella, nicht weit von den Fondamente Nuove. Brunetti, der die Adresse in den *Calli, Canali e Campielli* nachgeschlagen hatte, erkannte das *ambulatorio* schon von weitem, als er zwei Frauen mit Kleinkindern auf dem Arm vor dem Eingang stehen sah. Er lächelte den Müttern zu und läutete an der Tür. Ein grauhaariger Mann mittleren Alters öffnete ihm. »Commissario Brunetti?« fragte dieser.

Als Brunetti nickte, streckte der Arzt den Arm aus und zog Brunetti mit einem kräftigen Händedruck über die Schwelle. Nach einer einladenden Geste zu seiner Praxis hin ging er noch einmal zurück, um die zwei Frauen einzulassen. Er bat, sich noch ein wenig zu gedulden, und vertröstete die beiden mit der Aussicht auf das kühle Wartezimmer. Dort schleuste er Brunetti so rasch hindurch, daß der nur die üblichen Hochglanzmagazine wahrnahm und eine Sitzgarnitur, die wie aus einem Familiensalon entlehnt wirkte.

Das Sprechzimmer war gleichsam eine Kopie all der Arztpraxen, die Brunetti von klein auf kannte: die Behandlungsliege mit dem papierenen Schonbezug, die Vitrine mit

Verbandsmull und Bandagen, der mit Papieren, Karteikarten und Arzneipackungen übersäte Schreibtisch. Das einzige, was es in den Ordinationen seiner Jugend nicht gegeben hatte, war der Computer rechts neben dem Tisch.

Er war mehr als unscheinbar, dieser Dottor Carlotti: Egal, ob man ihm ein- oder fünfmal begegnete, dem Gedächtnis würde sich nicht mehr einprägen als braune Augen hinter dunkelgerahmten Brillengläsern, sprödes, über der Stirn gelichtetes Haar von unbestimmter Farbe und ein mittelgroßer Mund.

Nachdem er Brunetti einen Stuhl angeboten hatte, blieb der Arzt mit verschränkten Armen vor dem Schreibtisch stehen. Was ihm wohl selber ungastlich erschien, denn gleich darauf ging er um den Tisch herum und nahm in seinem Sessel Platz. Er schob einige Papiere beiseite, rückte ein Reagenzglas undefinierbaren Inhalts nach links und faltete die Hände vor sich auf der freigeräumten Fläche.

»Was kann ich für Sie tun, Commissario?«

»Erzählen Sie mir etwas über Maria Battestini«, bat Brunetti ohne weitere Einleitung. »Sie haben sie doch gefunden, nicht wahr, Dottore?«

Carlotti schlug erst die Augen nieder, dann sah er zu Brunetti auf. »Ja. Ich machte einmal wöchentlich Hausbesuch bei ihr.«

Da der Arzt offenbar nichts hinzuzufügen hatte, hakte Brunetti nach: »Irgendein chronisches Leiden, Dottore?«

»Nein, nein, keineswegs. Ihr fehlte überhaupt nichts, sie war womöglich gesünder als ich. Bis auf die Knie.« Und dann überraschte er Brunetti mit der Bemerkung: »Aber das ist Ihnen wahrscheinlich schon bekannt, das heißt, falls

Rizzardi die Obduktion gemacht hat. Dann wissen Sie vermutlich besser über ihre körperliche Verfassung Bescheid als ich.«

»Sie kennen Rizzardi?«

»Nicht näher. Wir gehören demselben Medizinerverband an und haben auf Tagungen oder Empfängen hie und da ein paar Worte gewechselt. Aber ich weiß, welchen Ruf er hat. Daher meine Vermutung zur Diagnose über die Signora.« Sein Lächeln wirkte jungenhaft scheu für einen Mann, den Brunetti auf Mitte vierzig schätzte.

»Ja«, bestätigte der Commissario, »Rizzardi hat die Leiche obduziert, und sein Urteil deckt sich mit dem Ihren, nämlich daß die Signora für eine Frau ihres Alters kerngesund war.«

Der Arzt nickte, sichtlich erfreut, seine hohe Meinung von Rizzardi bestätigt zu finden. »Und was sagt er über die Todesursache?«

Brunetti sah ihn verwundert an. Wie konnte jemand, der den Leichnam gesehen hatte, eine solche Frage stellen? »Seiner Meinung nach war es ein Trauma, ausgelöst durch die Schläge auf den Hinterkopf.«

Abermaliges Nicken, wieder eine Diagnose bestätigt.

Brunetti zückte seinen Notizblock und blätterte zurück zu den Seiten mit Signora Gismondis Aussage.

»Wie lange war Signora Battestini bei Ihnen in Behandlung, Dottore?«

Carlotti antwortete ohne Zögern. »Fünf Jahre, genau gesagt seit dem Tode ihres Sohnes, für den sie ihren damaligen Hausarzt verantwortlich machte. Sie weigerte sich, seine Praxis noch einmal zu betreten. Und auf der Suche nach

einem neuen Arzt geriet sie dann durch irgendeine Emp-
fehlung an mich.« In seiner Stimme schwang ein leises Bedauern mit.

»Und ihre Vorwürfe gegen diesen anderen Arzt, waren
die in irgendeiner Weise berechtigt?«

»Aber nein, alles Unfug. Der Sohn starb an Aids.«

Brunetti, der sich sein Erstaunen nicht anmerken ließ,
fragte sachlich: »Wußte sie das?«

»Fragen Sie lieber, ob sie es geglaubt hat, Commissario.
Die Antwort heißt: nein. Aber gewußt haben muß sie es.«
Eine Unlogik, die beiden nicht fremd war.

»War ihr Sohn homosexuell?«

»Dazu bekannt hat er sich nicht, und mein Kollege wußte auch nichts davon, aber das ist natürlich noch kein Beweis. Er war auf jeden Fall weder Bluter noch drogenab-
hängig, noch hatte er je eine Transfusion, wenigstens nicht
nach Kenntnis seines Hausarztes, und in der Klinik gab es
auch keine entsprechenden Belege.«

»Danach haben Sie sich also erkundigt?«

»Mein Kollege. Signora Battestini hatte allen Ernstes
vor, ihn wegen fahrlässiger Tötung anzuzeigen. Da wollte
er zu seiner Entlastung die Ursache der Infektion ermitteln.
Außerdem wäre es natürlich wichtig gewesen zu wissen, ob
Paolo vielleicht seinerseits jemanden angesteckt hatte, aber
sie verweigerte jede Auskunft über ihn, sogar gegenüber
dem Gesundheitsamt. Auch mir versuchte sie anfangs ein-
zureden, die Ärzte hätten ihren Jungen auf dem Gewissen,
aber ich habe mich entschieden gegen solch haltlose Anschuldigungen verwahrt. Und als sie trotzdem nicht davon
abließ, legte ich ihr nahe, sich einen anderen Hausarzt zu

suchen. Da gab sie dann endlich Ruhe, jedenfalls soweit es mich betraf.«

»Und Sie haben nie irgendwelche Andeutungen gehört, aus denen man schließen könnte, daß der Sohn homosexuell war?«

Carlotti zuckte die Achseln. »Die Leute reden. Immerzu. Ich habe gelernt, nicht mehr viel darauf zu geben. Manche schienen ihn für schwul zu halten, andere nicht. Und als die Leute merkten, daß ihr Klatsch mich nicht interessierte, hörten sie auf, mir die Gerüchte über Paolo zuzutragen.« Er sah Brunetti an. »Ich weiß es also nicht. Mein Kollege glaubt, er war homosexuell, aber auch nur, weil es scheinbar keine andere Erklärung für seine Aids-Erkrankung gibt. Doch was mich betrifft, so habe ich den Mann, wie gesagt, nicht persönlich gekannt, darf mir also diesbezüglich kein Urteil erlauben.«

Brunetti ließ es dabei bewenden und fragte statt dessen: »Aber was ist mit Signora Battestini, Dottore? Wüßten Sie irgendeinen Grund, warum jemand ihr das angetan hat?«

Der Arzt schob seinen Stuhl zurück und streckte die Beine aus, ungewöhnlich lange Beine für einen Mann, der so viel kleiner war als Brunetti. Er schlug die Füße übereinander und kratzte sich mit der Hand am Hinterkopf. »Nein, da muß ich Sie enttäuschen. Seit Ihrem Anruf – genaugenommen schon seit ich sie gefunden habe –, stelle ich mir unablässig diese Frage, aber ich kann mich auf nichts besinnen. Gewiß, sie war kein einfacher Mensch ...« Doch bevor der Arzt sich weiter in solche Platitüden flüchten konnte, fiel Brunetti ihm ins Wort.

»Bitte, Dottore! Ich habe mir ein halbes Leben lang anhören müssen, wie die Toten schöngeredet werden oder wie man zumindest der Wahrheit über sie aus dem Weg geht. Ich weiß also, was sich hinter Floskeln wie ›kein einfacher‹, ›ein schwieriger‹ oder ›eigenwilliger‹ Mensch verbirgt. Und ich darf Sie daran erinnern, daß es hier um Mord geht. Außerdem können Sie der Toten mit Worten nun wirklich nicht mehr schaden. Also vergessen Sie bitte das Gebot der Höflichkeit und erzählen Sie mir frei heraus, was Sie von ihr wissen und warum man sie umgebracht haben könnte.«

Carlotti hatte schmunzelnd zugehört. Sein Blick streifte die Tür zum Warteraum, hinter der man gedämpft die beiden Frauen aufeinander einreden hörte. »Ich denke, diese instinktive Scheu vor einer unliebsamen Wahrheit ist uns allen nicht fremd. Aber unter Ärzten ist es fast so etwas wie eine Berufskrankheit: Wir müssen ständig auf der Hut sein, damit uns nichts über einen Patienten entschlüpft, was wir eigentlich nicht preisgeben dürften.«

Als Brunetti zustimmend nickte, gab er sich einen Ruck und sagte unumwunden: »Sie war ein bösartiges altes Weib, und ich habe von niemandem ein gutes Wort über sie gehört.«

»Was genau verstehen Sie unter bösartig, Dottore?« fragte Brunetti.

Der Arzt zögerte mit der Antwort und stutzte, als hätte er noch nie darüber nachgedacht, warum diese Frau so gehässig war und was sie dazu gemacht hatte. Wieder führte er die Hand an den Kopf und kratzte sich an genau derselben Stelle. Endlich sah er Brunetti an und sagte: »Vielleicht erkläre ich es Ihnen am besten anhand eines Beispiels. Nehmen Sie nur die armen Dinger, die bei ihr arbeiteten. An denen fand sie dauernd etwas auszusetzen. Was sie auch anfaßten, sie konnten ihr nichts recht machen. Entweder nahmen sie zuviel Kaffeepulver oder ließen das Licht brennen, oder es gab Ärger, weil sie das Geschirr in kaltem Wasser spülen sollten, statt in warmem. Wenn eine sich rechtfertigen wollte, keifte die Alte, sie könne sich dorthin zurückscheren, wo sie hergekommen sei.«

Eins der Kinder draußen im Wartezimmer heulte los, verstummte aber bald wieder. Carlotti fuhr fort. »Es hört sich nicht dramatisch an, was ich Ihnen da erzähle, jetzt im nachhinein merke ich das, aber für die Frauen war es furchtbar. Vermutlich waren es lauter Illegale, die sich nirgendwo beschweren konnten und nichts mehr fürchteten als die Abschiebung. Was die Battestini natürlich genau gewußt hat.«

»Haben Sie gelegentlich eine der Frauen kennengelernt, Dottore?«

»Wie meinen Sie das?« fragte er.

»Nun, haben Sie sich mit ihnen unterhalten – über ihre Heimat, Ausbildung, einen früheren Beruf?«

»Nein. Das hätte die Signora nicht geduldet. Sie hat überhaupt niemanden an sie rangelassen. Auch wenn während meiner Visite das Telefon läutete, wollte sie immer wissen, wer dran war, und ließ sich den Hörer geben. Sogar wenn eins der Mädchen einen Anruf auf dem eigenen *telefonino* bekam, mischte sie sich ein und schalt, sie bezahle sie nicht dafür, während der Arbeitszeit Privatgespräche zu führen.«

»Und die letzte?«

»Flori?« vergewisserte sich der Arzt.

»Ja.«

»Halten Sie sie für die Mörderin?« fragte Carlotti.

»Und Sie, Dottore?«

»Ich weiß nicht. Als ich die Leiche fand, hatte ich Angst, daß auch Flori... ich meine, daß sie womöglich das zweite Opfer sein könnte. Aber sie für die Mörderin der Signora zu halten, auf den Gedanken wäre ich nie gekommen.«

»Und jetzt, Dottore?«

Der Arzt wirkte ehrlich bekümmert. »Inzwischen habe ich die Zeitungen gelesen, mit Ihrem Kollegen gesprochen, und alle scheinen sicher zu sein, daß sie es war.« Brunetti wartete. »Aber ich kann's immer noch nicht glauben.«

»Und warum nicht?«

Wieder zögerte Carlotti lange und musterte Brunetti prüfend, wie um zu ergründen, ob er bei seinem Gegenüber, der ja von Berufs wegen ebenso mit den Schwächen der menschlichen Natur konfrontiert war wie er, wohl auf Verständnis stoßen würde. »Ich praktiziere nun schon seit über zwanzig Jahren, Commissario«, begann er endlich, »und es gehört zu meinem Beruf, in die Patienten hineinzuschauen. Die Leute mögen denken, ein Mediziner befasse sich allein mit physischen Defekten, aber mich hat die Praxis gelehrt, daß häufig erst eine kranke Seele auch den Körper krank macht. Und ich würde sagen, Floris Seele war heil und gesund.« Er senkte die Lider, blickte dann wieder auf und sagte abschließend: »Genauer kann ich das leider nicht begründen, Commissario, von einer professionellen Diagnose ganz zu schweigen.«

»Und Signora Battestini? Gab es etwas, woran ihre Seele krankte?«

»Nur die Begierde, Commissario«, antwortete Carlotti prompt. »Daß sie borniert war und ignorant, steht auf einem anderen Blatt. Aber ihre Habgier, die kam aus tiefster Seele.«

Um auf Nummer Sicher zu gehen, spielte Brunetti den Advocatus Diaboli: »Viele alte Menschen müssen mit ihrem Geld haushalten, Dottore.«

»Bei ihr hatte das nichts mehr mit haushalten zu tun, Commissario. Die Frau war schlichtweg besessen.« Und unversehens ins Lateinische wechselnd, zitierte er: »*Radix malorum est cupiditas*. Nicht das Geld an sich ist die Wurzel allen Übels, Commissario. Sondern die Gier danach: *cupiditas*.«

»Hatte sie denn genug Geld, um diese Gier zu befriedigen?« fragte Brunetti.

»Keine Ahnung«, gestand der Arzt freimütig. Wieder fing eins der Kinder im Wartezimmer an zu weinen, aber diesmal ernsthaft, in jenem unverwechselbar hohen, quengelnden Ton, der sich nicht simulieren läßt. Carlotti sah auf die Uhr. »Wenn Sie keine weiteren Fragen haben, Commissario, dann würde ich jetzt gern mit der Sprechstunde beginnen.«

»Ja, natürlich.« Brunetti erhob sich und schob seinen Block in die Tasche. »Ich habe Ihre kostbare Zeit ohnehin schon über Gebühr in Anspruch genommen.«

Auf dem Weg zur Tür stellte Brunetti dann doch noch eine Frage. »Hat Signora Battestini in Ihrer Gegenwart einmal Besuch empfangen?«

»Nein, nicht daß ich wüßte.« Carlotti blieb nachdenklich stehen. »Telefonate kamen, wie ich schon sagte, hin und wieder, aber sie hat die Leute immer abgewimmelt: Sie hätte jetzt keine Zeit, und man solle später anrufen.«

»Erinnern Sie sich, ob sie am Telefon Veneziano sprach, Dottore?«

»Das kann ich nicht mit Bestimmtheit sagen«, antwortete Carlotti. »Aber wahrscheinlich schon. Ihr Hochitalienisch hatte sie nämlich fast verlernt. Ich zumindest«, setzte er einschränkend hinzu, »habe es sie nie sprechen hören. Übrigens keine Seltenheit in dem Alter.« Abermals führte er die Hand an den Kopf. »Einmal, das dürfte jetzt etwa drei Jahre her sein, telefonierte sie, als ich hereinkam. Ich hatte damals schon einen Schlüssel, wissen Sie, für den Fall, daß sie die Klingel nicht hörte. An dem Tag dröhnte der Fernseher bis auf die Straße heraus, es wäre sinnlos gewesen zu läuten. Doch als ich nach oben kam und die Wohnungstür aufschloß, war der Ton leiser gestellt, und statt dessen hörte ich sie telefonieren. Der Anruf muß gekommen sein, während ich im Treppenhaus war.« Er hielt kurz inne und fuhr dann fort: »Ich nahm an, daß jemand bei ihr angerufen hatte und nicht umgekehrt, weil sie sich dauernd über die viel zu hohen Gebühren beschwerte. Aber wie dem auch sei, sie hatte jedenfalls den Fernseher leiser gestellt und telefonierte.«

Brunetti wartete schweigend, ließ den Arzt ungestört von Zeit und Raum in die Erinnerung eintauchen.

»Sie sagte so etwas wie: ›Ich habe darauf gehofft, von Ihnen zu hören‹, aber ihre Stimme klang… ach, ich weiß nicht… grausam oder sarkastisch oder wie eine Mischung aus beidem. Und als sie das Gespräch beendete, gebrauchte sie zum Abschied einen Titel. Ich weiß nicht mehr genau, welchen – *Dottore* vielleicht oder *Professore*, auf jeden Fall etwas Akademisches, wo man erwartet hätte, daß sie dem Angesprochenen Respekt bezeugte, doch bei ihr klang es im Gegenteil richtig abfällig.« Brunetti beobachtete den Arzt und sah, wie seine Erinnerung immer deutlicher wiederkehrte. »Ja, sie nannte ihn *Dottore*, aber sie sprach Veneziano. Da bin ich mir sicher.«

Als Carlotti geendet hatte, fragte Brunetti: »Und haben Sie die Signora auf dieses Telefonat angesprochen?«

»Nein, nein. Wissen Sie, das war ein ganz eigenartiger Moment. Ich weiß selbst nicht, woran es lag, vielleicht an ihrer höhnischen Stimme, vielleicht war es auch bloß so ein Gefühl, jedenfalls traute ich mich zunächst gar nicht hinein. Die Situation war mir so wenig geheuer, daß ich die Tür wieder zuzog und dann absichtlich geräuschvoll mit dem Schlüssel hantierte, als ich ein zweites Mal aufschloß. Diesmal rief ich ihren Namen und fragte, ob sie da sei, bevor ich hineinging.«

»Haben Sie denn aus der Rückschau eine Erklärung für Ihr Verhalten?« fragte Brunetti, den diese heftige Reaktion bei einem allem Anschein nach so praktisch denkenden Menschen doch einigermaßen verwunderte.

Der Arzt schüttelte den Kopf. »Nein. Nur die Art, wie sie sprach, war mir irgendwie unheimlich. Als wäre ich mit etwas… Bösem in Berührung gekommen.«

Das Kindergebrüll nebenan war unterdessen immer lauter geworden. Dottor Carlotti öffnete die Tür zum Wartezimmer, steckte den Kopf durch den Spalt und sagte: »Signora Ciapparelli, Sie können Piero jetzt hereinbringen.«

Dann trat er beiseite, um Brunetti vorbeizulassen, und schüttelte ihm die Hand. Als der Commissario zum Ausgang gelangte, war die Tür zum Sprechzimmer schon wieder geschlossen, und das Kind hatte aufgehört zu weinen.

13

Wieder in der Questura, wählte Brunetti erneut die Nummer von Signorina Simionato, doch auch diesmal meldete sich niemand. Was ihm Kopfzerbrechen machte, war das Geld auf den vier Konten. Nicht etwa die hohe Summe, die dabei zusammenkam: Viele Leute in scheinbar bescheidenen Verhältnissen schafften es, durch immerwährende Knauserei im Laufe eines langen Lebens ein heimliches Vermögen anzuhäufen: Lira um Lira sparten sie sich durch ständigen Verzicht und Entbehrung ein stattliches Erbe für ihre Angehörigen oder die heilige Mutter Kirche zusammen. Vermutlich rechneten sie mit jedem Centesimo und versagten sich alles, was nicht unbedingt lebensnotwendig war. Sie gönnten sich kein Vergnügen, unterdrückten alle Wünsche, indes das Leben an ihnen vorbeiging. Es sei denn, sie fanden ihr Vergnügen im Verzicht und stillten ihre Sehnsüchte mit dem Gedanken an die steigenden Zinssätze.

Absonderlichkeiten wie diese hatte Brunetti schon so oft erlebt, daß er sich nicht mehr darüber wunderte. Was ihn an diesem Fall verblüffte, war die Raffinesse, mit der man das Geld von den Banken abgezogen und außer Landes geschafft hatte. Die Raffinesse und das Tempo. Die Überweisungen waren gleich am ersten Montag nach dem Mord getätigt worden, also lange vor der Testamentseröffnung. Die Anwältin oder die Nichte – oder auch beide gemeinsam – mußten demnach blitzschnell gehandelt haben, als sie vom Tod der alten Battestini erfuhren, die zu Lebzeiten vermutlich mit Argusaugen über ihre Konten gewacht hatte und es sofort gemerkt hätte, wenn von den monatlichen Eingängen etwas abgezweigt worden wäre.

Brunetti nahm sich vor, den Postboten der Alten ausfindig zu machen und ihn zu fragen, ob er Signora Battestini die Kontoauszüge persönlich überbracht hatte. Auf dem Dachboden hatte er keine gefunden, aber der regelmäßige Schriftverkehr von vier verschiedenen Banken – fünf, wenn er das reguläre Konto bei der Uni Credit mitzählte – wäre gewiß nicht einmal dem nachlässigsten Briefträger entgangen.

In seiner Jugend hatte Brunetti sich für einen ausnehmend politischen Menschen gehalten. Er war einer Partei beigetreten, für die er sich engagierte und deren Siege er bejubelte, weil er überzeugt war, daß sie, einmal an der Regierung, für mehr Gerechtigkeit im Land sorgen würde. Die Ernüchterung kam nicht schlagartig, wurde aber erheblich beschleunigt durch die Verbindung mit Paola, die sich, lange bevor er ihrem Beispiel zu folgen wagte, aus Verzweiflung über die politischen Verhältnisse in blanken Zynismus geflüchtet hatte. Er dagegen hatte die ersten Korruptionsvorwürfe und die Zweifel an der Redlichkeit jener Männer, denen er so fest vertraut hatte und die versprochen hatten, das Land in eine bessere und gerechtere Zukunft zu führen, zunächst ganz blauäugig bestritten. Als er dann später, nicht als gläubiger Anhänger, sondern als Polizist, den Anschuldigungen gegen die betroffenen Politiker nachgegangen war, hatte er einsehen müssen, daß an ihrer Schuld nicht zu rütteln war.

Seither hatte er sich gänzlich aus der Politik herausgehalten; selbst zur Wahl ging er nur noch, um seinen Kindern ein Vorbild zu sein, und nicht etwa, weil er glaubte, damit irgend etwas bewirken zu können. Und in dem Maße, wie sein Zynismus wuchs, waren seine Freundschaften mit Politikern im Lauf der Jahre abgekühlt und war der vormals herzliche Umgang einem eher distanzierten Verhältnis gewichen.

Als er jetzt überlegte, wem in der gegenwärtigen Regierung er vertrauen könnte, wollte ihm niemand einfallen. Sobald er seine Suche eingrenzte und sich auf die Justiz konzentrierte, tauchte immerhin ein Name auf, nämlich der des vorsitzenden Richters im Prozeß gegen die Umweltsünder unter den petrochemischen Industriebetreibern in Marghera. Dieser nicht mehr ganz junge Magistrato Galvani hatte sich gegenwärtig selbst einer gut inszenierten Kampagne von Gegnern zu erwehren, die seine vorzeitige Pensionierung betrieben.

Brunetti fand Galvanis Nummer in der Liste der städtischen Bediensteten, die er vor einigen Jahren erhalten hatte, und rief in seinem Büro an. Der Sekretär, der den Anruf entgegennahm und behauptete, der Richter sei nicht erreichbar, wurde etwas zugänglicher, als Brunetti ihm erklärte, es handele sich um eine polizeiliche Ermittlung. Nun brauchte der Commissario sich nur noch auf den Vice-Questore zu berufen, und schon wurde er durchgestellt.

»Galvani«, sagte eine tiefe Stimme.

»*Buon giorno*, Dottore, hier Commissario Guido Brunetti. Ich hätte Sie gern gesprochen und wollte fragen, ob Sie wohl kurz Zeit für mich hätten.«

»Brunetti?«

»Ganz recht, Dottore.«

»Ich kenne Ihren Vorgesetzten«, lautete die überraschende Antwort.

»Vice-Questore Patta, Dottore?«

»Ja. Er hat offenbar keine gute Meinung von Ihnen, Commissario.«

»Das ist sehr bedauerlich, Dottore, doch ich fürchte, dagegen bin ich machtlos.«

»Das scheint mir auch so«, erwiderte der Richter trokken. »Worüber wollten Sie denn mit mir sprechen?«

»Das möchte ich Ihnen am Telefon lieber nicht sagen, Dottore.«

Bisher kannte Brunetti die Wendung »eine bedeutungsschwangere Pause« nur aus Romanen, aber jetzt erlebte er offenbar tatsächlich eine. Endlich fragte Galvani: »Wann wünschen Sie diese Unterredung?«

»Sobald wie möglich.«

»Es ist fast sechs«, überlegte der Richter laut. »Ich habe hier noch etwa eine halbe Stunde zu tun. Wollen wir uns in der Bar an der Ponte delle Becarie treffen?« Gemeint war eine *Enoteca* nicht weit vom Fischmarkt. »Um halb sieben?«

»Das ist sehr freundlich von Ihnen, Dottore«, sagte Brunetti. »Sie erkennen mich an...«

Aber Galvani fiel ihm ins Wort.

»Ich weiß, wer Sie sind«, sagte der Richter und legte auf.

Als Brunetti die Bar betrat, fiel Galvani ihm sofort ins Auge. Der Richter stand an der Theke und hatte ein Glas Weißwein vor sich. Er war um einiges älter als Brunetti; ein kleiner, untersetzter Mann mit geschwollener Trinkernase in einem an Kragen und Manschetten speckigen Anzug, dem man sein würdiges Amt gewiß nicht ansah: Eher schon hätte man ihn für einen Metzger gehalten oder für einen Hafenarbeiter. Doch Brunetti wußte, daß er nur den Mund aufzumachen und seine wohltönende Stimme zu erheben brauchte, die den melodischen Vokal- und Konsonantenreigen des Italienischen auf eine Weise erblühen ließ, von der die meisten Schauspieler nur träumen konnten, damit seine wahre Statur hinter dem schäbigen Äußeren erkennbar wurde. Brunetti ging mit ausgestreckter Hand auf ihn zu und sagte: »Guten Abend, Dottore.«

Galvanis Händedruck war fest und herzlich. »Wollen wir uns ein ruhigeres Plätzchen suchen?« fragte er und deutete auf die Tische im Hintergrund, die um diese Stunde freilich fast alle besetzt waren. Doch gerade als der Richter sich umwandte, erhoben sich drei Männer aus einer Nische, und Galvani steuerte eilig darauf zu, während Brunetti sich erst noch ein Glas Chardonnay bestellte.

Der Richter, der bereits Platz genommen hatte, erhob sich andeutungsweise noch einmal sehr höflich von seinem Sitz, als Brunetti sich dazugesellte. Der hätte sich eigentlich gern nach dem Prozeß gegen die petrochemischen Fabriken in Marghera erkundigt; schließlich waren zwei seiner Onkel, die dort gearbeitet hatten, an Krebs gestorben. Allein er wußte, daß der Richter sich zu einem schwebenden Verfahren nicht äußern durfte.

Galvani prostete Brunetti zu und trank einen Schluck. Dann stellte er sein Glas ab und fragte: »Also?«

»Was ich von Ihnen wissen möchte, hat mit der Frau zu tun, die letzten Monat ermordet wurde, eine gewisse Maria

Battestini. Zum Zeitpunkt ihres Todes verfügte sie über ein Barguthaben von über dreißigtausend Euro, verteilt auf mehrere Bankkonten. Diese Konten wurden vor gut zehn Jahren eingerichtet, als ihr Mann und ihr Sohn beide für die Schulbehörde arbeiteten. Und bis zum Tod der Signora erfolgten regelmäßige Einzahlungen.« Brunetti hielt inne, griff nach seinem Glas und setzte es unberührt wieder ab. Sichtlich nervös ließ er schließlich den Stiel zwischen Daumen und Zeigefinger kreisen. Galvani sah ihm zu und schwieg.

»Ich halte die Rumänin, der man den Mord an Signora Battestini zur Last legt, für unschuldig«, fuhr Brunetti fort. »Leider fehlen mir jegliche Beweise. Doch wenn meine Vermutung zutrifft und diese so tragisch zu Tode gekommene Frau die alte Battestini nicht umgebracht hat, dann läuft der Mörder noch frei herum. Ich habe versucht, etwas über das Opfer und sein Umfeld in Erfahrung zu bringen, doch das einzig Auffällige, was dabei zum Vorschein kam, sind diese Bankkonten.« Wieder stockte Brunetti, rührte seinen Wein aber noch immer nicht an.

»Und wie kommen Sie da auf mich, wenn ich fragen darf?« erkundigte sich Galvani.

Brunetti sah dem Richter fest in die Augen. »Als erstes müssen wir einmal die Quelle dieser Zahlungen ermitteln. Da beide Männer bei der Schulbehörde arbeiteten, möchte ich dort ansetzen.«

Galvani nickte, und Brunetti fuhr fort. »Sie sind schon seit vielen Jahren im Amt, Dottore, und ich weiß, daß Sie in Ihrer Eigenschaft als Richter mehrfach aufgerufen waren, über die Arbeitsweise in gewissen städtischen Dienststellen zu urteilen.« Der Commissario war nicht wenig stolz auf seine behutsame Umschreibung dessen, was die konservative Presse oft als Galvanis »blindwütigen Kreuzzug« gegen Organe der Stadtverwaltung geißelte. »Deshalb hoffte ich, Sie hätten vielleicht auch Einblick in die Schulbehörde und wüßten, wie es dort zugeht.«

Galvani maß ihn mit abschätzend kühlem Blick, und Brunetti ergänzte: »Ich meine, hinter den Kulissen.« Der Richter nickte kaum merklich, doch Brunetti reichte das als Ermunterung fortzufahren. »Wenn Sie mir beispielsweise einen Grund oder auch eine Person nennen könnten, der beziehungsweise die jene Überweisungen erklärlich macht. Oder mich auf eine Unregelmäßigkeit hinweisen könnten, die man in zuständigen Kreisen lieber unter dem Deckel hielte.«

»Unregelmäßigkeit?« wiederholte Galvani und quittierte Brunettis zustimmendes Nicken mit einem Lächeln. »Wie elegant Sie das formulieren.«

»Nur in Ermangelung eines treffenderen Ausdrucks«, wehrte Brunetti bescheiden ab.

»Natürlich«, sagte Galvani und lehnte sich schmunzelnd in seinem Stuhl zurück. Sein Lächeln zauberte einen seltsamen Liebreiz auf das ansonsten eher häßliche Gesicht des Richters. »Leider weiß ich sehr wenig über die Schulbehörde, Commissario. Oder besser gesagt, ich bin im Bilde und auch wieder nicht, so wie anscheinend die meisten von uns durchs Leben gehen: Man glaubt das, was andere Leute einem zutragen oder andeuten, und sei es nur, weil deren Interpretation die einzige ist, die sich mit unseren sonstigen Erfahrungen in Einklang bringen läßt.« Wieder trank er einen kleinen Schluck und stellte sein Glas ab.

»Die Schulbehörde, Commissario, ist das Auffangbekken für Staatsbedienstete ohne eigenes Ressort oder, wenn Ihnen der Vergleich lieber ist, ein sprichwörtlicher Elefantenfriedhof: ein Abstellposten, auf den hoffnungslose Nieten verbannt oder wo Aufsteiger geparkt werden können, bis man eine lukrativere Stelle für sie gefunden hat. So war es zumindest bis vor vier, fünf Jahren, als selbst unsere Stadtregierung einsehen mußte, daß bestimmte Positionen in der Schulbehörde mit Fachkräften besetzt werden sollten, die etwas von Pädagogik verstehen. Bis dahin wurden die Stellen dort als Politprämien gehandelt. Relativ bescheidene Prämien, wenn man bedenkt, wie gering… also wie kann ich das einigermaßen unverfänglich formulieren?… wie gering die Chancen waren, sich in dieser Behörde etwas dazuzuverdienen.« Brunetti fand, daß Galvanis Formulierungskünste den seinen an Eleganz in nichts nachstanden.

Der Richter erhob sein Glas, setzte es jedoch unberührt wieder ab. »Falls Sie also darauf spekulieren, daß die Konten dieser Signora Battestini für Bestechungsgelder eingerichtet wurden, die ihr Mann oder der Sohn auf ihrer Dienststelle einstrichen, dann rate ich Ihnen, Ihre Hypothese noch einmal zu überdenken.« Jetzt nahm Galvani doch einen Schluck, bevor er weitersprach. »Solch kleine Beträge über einen derart langen Zeitraum, nein, das paßt überhaupt nicht zu meinen Erfahrungen mit dem Schmiergeldsumpf in dieser Stadt.« Ohne daß er Brunetti Zeit gelassen hätte, sich über die Tragweite dieser Bemerkung klarzuwerden, fuhr der Richter fort: »Aber, wie gesagt, ich persönlich hatte nie mit der Schulbehörde zu tun. Es ist also nicht auszuschließen, daß man dort auf kleinerer Flamme kocht.« Wieder dieses Lächeln. »Und man darf nie vergessen, daß Korruption sich, ähnlich wie Wasser, immer irgendwie Bahn bricht.«

Spätestens jetzt drängte sich Brunetti die Frage auf, ob sein eigener Basiliskenblick in Sachen Lokalbehörden jemanden, dem deren Mauscheleien weniger vertraut waren, wohl auch so düster anmuten würde. Eine Frage, die er ebenso hintanstellte wie den Wunsch, die Ausführungen des Richters zu kommentieren; statt dessen erkundigte er sich nur ganz sachlich: »Wissen Sie, wer in den fraglichen Jahren die Behörde geleitet hat?«

Galvani schloß die Augen, stützte die Ellbogen auf den Tisch und legte die Stirn in seine Hände. Mindestens eine Minute lang verharrte er so, bevor er wieder den Kopf hob, Brunetti ansah und sagte: »Piero De Pra ist tot; Renato Fedi leitet inzwischen eine Baufirma – ich glaube, in Mestre. Und Luca Sardelli macht irgendwas beim Assessorato dello Sport. Sofern mich mein Gedächtnis nicht im Stich läßt, waren diese drei bis zu dem Zeitpunkt, als gelernte Pädagogen zum Zuge kamen, Chefs der Schulbehörde.« Brunetti dachte schon, es käme nichts mehr, als Galvani hinzusetzte: »Länger als ein paar Jahre scheint es keiner auf dem Posten auszuhalten, der, wie gesagt, entweder Abstellgleis oder Sprungbrett ist, wenn auch keins zu einer nennenswerten Karriere, wie Sardellis Beispiel zeigt. Und intern kann man dort erst recht keine großen Sprünge machen.«

Brunetti notierte sich die Namen. Zwei davon kamen ihm bekannt vor: De Pra, weil er einen Neffen hatte, der mit Brunettis Bruder zur Schule gegangen war, und Fedi, weil man ihn kürzlich als Abgeordneten ins Europäische Parlament gewählt hatte.

Der Commissario widerstand der Versuchung, den Richter noch mit anderen Ämtern und Namen zu quälen, und sagte nur: »Danke, daß Sie mir so viel Zeit gewidmet haben, Dottore. Das war überaus großzügig von Ihnen.«

Wieder erhellte das fast kindliche Lächeln die Züge des Richters. »Es war mir ein Vergnügen, Commissario. Ich hatte schon seit längerem den Wunsch, Sie kennenzulernen. Denn ich war überzeugt, daß die Bekanntschaft mit einem Mann, der den Vice-Questore dermaßen in Harnisch bringt, in jedem Falle ein Gewinn sein müsse.« Im übrigen, so fügte er hinzu, sei der Wein bereits bezahlt. Nun aber müsse er sich leider entschuldigen, für ihn sei es an der Zeit, zum Abendessen heimzugehen. Damit stand er auf und verließ das Lokal.

14

Am nächsten Morgen um halb acht erschien Brunetti im *ufficio postale*, wo er sich zu der Abteilungsleiterin für den Zustelldienst durchfragte. Er zeigte seinen Dienstausweis vor, erkundigte sich nach dem *postino*, der die Gegend um den Palazzo del Cammello in Cannaregio betreute, und wurde in den ersten Stock verwiesen. Dort fände er im zweiten Saal rechts die *postini* des Sestiere Cannaregio. In dem hohen Raum waren zehn oder zwölf Leute an langen Tischen damit beschäftigt, Briefe auf numerierte Fächer zu verteilen oder von dort einzusammeln und in lederne Zustelltaschen zu sortieren.

Brunetti wandte sich aufs Geratewohl an eine langmähnige Frau mit auffällig gerötetem Teint und fragte sie nach dem Zusteller für die Region um den Canale della Misericordia. Sie musterte ihn mit unverhohlener Neugier, deutete dann auf einen Mann ein Stück weiter hinten am Tisch und rief: »Mario, für dich!«

Der Angesprochene schaute kurz hoch und widmete sich dann wieder dem Bündel Briefe, das er in Händen hielt. Nach einem flüchtigen Blick auf Namen und Anschrift schob er jede Sendung flink und routiniert in eins der Fächer hinter seinem Platz und kam erst, als der ganze Packen verteilt war, zu Brunetti nach vorn. Der Commissario schätzte ihn auf Ende dreißig; er hatte seine Größe, war jedoch schlanker, und das dichte, hellbraune Haar fiel ihm in einer dichten Tolle in die Stirn.

Brunetti stellte sich vor und wollte erneut seinen Dienstausweis zücken, aber der *postino* winkte ab und schlug vor, sich bei einem Kaffee zu unterhalten. Also gingen sie hinunter in die Bar, wo Mario zwei Espressi bestellte und den Commissario fragte, was er für ihn tun könne.

»Waren Sie der Zusteller von Maria Battestini in Cannaregio, die ...«

Doch da fiel Mario ihm schon ins Wort, nannte die Hausnummer und hob theatralisch die Hände, als wolle er sich Handschellen anlegen lassen. »Ich war nahe dran, aber ich hab's nicht getan. Glauben Sie mir.«

Der Kaffee kam, und beide Männer löffelten Zucker hinein. Während er umrührte, fragte Brunetti: »War sie denn so schlimm?«

Mario trank einen Schluck, setzte die Tasse ab und nahm noch einen halben Löffel Zucker nach. »Ja«, brummte er unter emsigem Rühren. Erst, als er ausgetrunken und die Tasse auf dem Tresen abgesetzt hatte, sprach er weiter. »Drei Jahre lang habe ich ihr die Post gebracht. Darunter bestimmt allein dreißig bis vierzig *raccomandate*, die ich ihr jedesmal rauftragen mußte, damit sie den Empfang quittierte.«

Brunetti war darauf gefaßt, daß der Mann sich über das ausgebliebene Trinkgeld beschweren würde, doch Mario sagte nur: »Ich erwarte kein Trinkgeld, besonders nicht von alten Leuten, aber die Battestini hat niemals auch nur danke gesagt.«

»Ist es nicht ungewöhnlich, daß jemand so viele Einschreiben bekommt?« fragte Brunetti. »In welchem Abstand kamen denn diese Briefe?«

»Einmal im Monat«, antwortete der Zusteller. »Zuverlässig wie ein Schweizer Uhrwerk. Und es waren keine Standardbriefe, sondern diese wattierten Umschläge, Sie wissen schon, die, in denen man Fotos oder CDs verschickt.«

Oder Geld, dachte Brunetti. Laut fragte er: »Erinnern Sie sich auch an den Absender?«

»Ich glaube, das waren mehrere«, antwortete Mario. »Sie lasen sich wie Wohltätigkeitsorganisationen, also so was wie Welthungerhilfe oder Unicef.«

»Besinnen Sie sich vielleicht noch auf den einen oder anderen Namen?«

»Mein Zustellgebiet umfaßt vierhundert Haushalte«, lautete die ausweichende Antwort.

»Oder können Sie mir sagen, seit wann die Signora diese Einschreiben erhielt?«

»Oh, die kriegte sie schon, als ich die Route übernahm.«

»Und wer war Ihr Vorgänger?« fragte Brunetti.

»Nicolò Mattucci, aber der hat sich pensionieren lassen und ist zurück nach Sizilien.«

Brunetti ließ es dabei bewenden und wechselte das Thema: »Ach, haben Sie der Signora vielleicht auch Bankbelege und dergleichen zugestellt?«

»Ja, jeden Monat«, sagte Mario und zählte die Namen der Banken auf. »Kontoauszüge und Rechnungen waren so ziemlich die einzige Post, die sie bekam, abgesehen von etlichen anderen *raccomandate*.«

»Und erinnern Sie sich noch, von wem die kamen?«

»Meistens aus der Nachbarschaft, von Leuten, die sich über ihren Fernseher beschwerten.« Bevor Brunetti fragen konnte, woher er das wisse, fuhr Mario fort: »Das haben die mir selber erzählt und mich bekniet, ich solle die Briefe persönlich überbringen. Alle litten unter dem Krach, aber da war nichts zu machen. Die Signora ist alt. Das heißt, sie war es, und die Polizei rührte keinen Finger. Die kann man vergessen.« Das war ihm offenbar nur so rausgerutscht, denn er entschuldigte sich hastig bei Brunetti.

Doch der Commissario blieb gelassen und ging lächelnd darüber hinweg. »Nein, nein, Sie haben ganz recht«, sagte er. »Uns sind da wirklich die Hände gebunden. Wenn jemand so eine Beschwerde durchfechten will, dann muß die zuständige Abteilung eine schalltechnische Messung vornehmen und prüfen, ob die erlaubte Dezibel-Zahl tatsächlich überschritten wird. Leider rücken die Kollegen nachts nicht aus, und wenn eine Streife, die in der Nacht alarmiert wird, erst am nächsten Morgen kommt, ist der Krach in aller Regel längst abgestellt.« Wie fast jeder venezianische Polizist war auch Brunetti mit der mißlichen Situation vertraut, für die es offenbar keine befriedigende Lösung gab.

»Und sonst? Ich meine, fällt Ihnen noch irgend etwas ein, was Sie der Signora gebracht haben?« erkundigte sich Brunetti.

»Zu Weihnachten ein paar Karten; gelegentlich – aber höchstens ein-, zweimal im Jahr – einen Brief außer den schon genannten Beschwerden. Sonst nur Rechnungen und die Bankbelege.« Bevor Brunetti etwas dazu sagen konnte, meinte Mario: »Bei den Alten ist das fast immer so. Auswärtige Freunde und Bekannte sind ihnen weggestorben, und den Hiesigen, mit denen sie von klein auf zusammenleben, haben sie nichts mitzuteilen. Außerdem möchte ich wetten, daß einige von meinen Kunden sowieso nicht lesen und schreiben können und sich die Rechnungen von ihren

Kindern überweisen lassen. Nein, die Signora unterschied sich gar nicht so sehr von den anderen alten Leuten.«

»Sie haben vorhin so getan, als hätten Sie Angst, ich könnte Sie für den Mörder halten«, sagte Brunetti, während beide dem Ausgang der Bar zustrebten.

»War nicht ernst gemeint«, beantwortete der *postino* Brunettis unausgesprochene Frage. »Es gab allerdings eine Menge Leute, die sie nicht ausstehen konnten.«

»Aber nur, weil jemand vergißt, danke zu sagen, möchte man ihn doch nicht gleich umbringen«, wandte Brunetti ein.

»Ich fand es einen Skandal, wie sie die Frauen behandelte, die ihr den Haushalt machten, besonders die eine, die sie dann ja auch getötet hat«, sagte Mario. »Wie Sklaven hat sie die armen Dinger herumkommandiert, und wenn sie eine zum Weinen bringen konnte, was ihr allein in meiner Gegenwart mehr als einmal gelungen ist, dann war sie erst recht obenauf.«

Unterdessen waren sie vor dem Sortierraum angelangt. Mario blieb stehen und reichte Brunetti die Hand. Der Commissario dankte ihm für seine Auskünfte und wandte sich zur Treppe, die hinunter zum Rialto führte. Er war schon fast am Ausgang, als er von oben seinen Namen rufen hörte. Brunetti drehte sich um und sah Mario die Treppe herabeilen, die linke Schulter von einem prallen Lederranzen beschwert, im Schlepptau die junge Frau mit dem roten Gesicht.

»Commissario«, keuchte er atemlos und schob die junge Frau, die er buchstäblich am Arm nach vorn zerrte, vor Brunetti hin. »Das ist Cinzia Foresti. Sie hatte bis vor etwa fünf Jahren meine Route, also noch vor Nicolò. Und ich dachte mir, Sie möchten vielleicht auch mit ihr reden.«

Die junge Frau brachte ein scheues kleines Lächeln zustande, und ihr Gesicht wurde womöglich noch röter.

»Sie haben also früher die Post für Signora Battestini ausgetragen?« fragte Brunetti.

»Und für ihren Sohn«, antwortete Mario. Er tätschelte der jungen Frau aufmunternd die Schulter, sagte noch: »Na dann, ich muß los«, und wandte sich dem Ausgang zu.

»Wie Sie sicher schon von Ihrem Kollegen gehört haben, Signorina«, begann Brunetti, »interessiere ich mich für die Post, die Signora Battestini bekam.« Und da es den Anschein hatte, als ob sie nicht reden wolle, sei es, weil sie zu ängstlich oder zu schüchtern war, half er noch ein wenig nach. »Vor allem für die Bankbelege, die jeden Monat kamen.«

»Ach so, die«, stieß sie erleichtert hervor.

Brunetti lächelte. »Ja, und die *raccomandate* von ihren Nachbarn.«

»Aber«, fragte Cinzia unvermittelt, »darf ich Ihnen denn darüber Auskunft geben? Ich meine, verstößt das nicht gegen das Postgeheimnis?«

Brunetti hielt ihr seinen Ausweis hin. »Im Prinzip haben Sie schon recht, Signorina, aber wenn es, wie hier, um Mord geht, dürfen Sie getrost eine Ausnahme machen.« Er wollte den Bogen nicht überspannen, indem er behauptete, daß sie zu einer Aussage verpflichtet sei. Zumal er nicht sicher war, ob er sie ohne Gerichtsbeschluß dazu hätte zwingen können.

Sie glaubte ihm auch so. »Ja, ich habe ihr in den drei Jahren, während ich die Route hatte, jeden Monat die Bankbelege gebracht.«

»Und sonst?«

»Der Signora? Eigentlich nichts weiter. Hin und wieder einmal einen Brief oder eine Karte. Und Rechnungen.«

»Und für den Sohn?« hakte er nach.

Sie warf ihm einen ängstlichen Blick zu, antwortete aber nicht. Brunetti wartete. Endlich sagte sie: »In der Hauptsache Rechnungen. Manchmal auch Briefe.« Nach einer langen Pause setzte sie hinzu: »Und Zeitschriften.«

Brunetti, der ihr wachsendes Unbehagen spürte, fragte behutsam: »War irgend etwas ungewöhnlich an diesen Zeitschriften, Signorina? Oder an den Briefen?«

Sie sah sich verstohlen in der weiträumigen offenen Halle um, machte ein paar Schritte nach links, um den Abstand zu einem Mann zu vergrößern, der an dem Münzfernsprecher beim Eingang telefonierte, und erklärte endlich im Flüsterton: »Ich glaube, es waren so Hefte mit Knabenfotos.«

Diesmal war ihre nervöse Scheu unverkennbar: Cinzias Gesicht glühte vor Verlegenheit.

»Knaben? Meinen Sie Kinder?«

Sie setzte zum Sprechen an, doch dann senkte sie nur stumm den Blick. Brunetti, der sie um Haupteslänge überragte, sah auf ihren Scheitel, während sie langsam den Kopf schüttelte. Er spürte, daß ihr das Sprechen leichter fallen würde, wenn sie ihn nicht anzusehen brauchte.

»Junge Burschen, Signorina?«

Diesmal nickte sie bestätigend.

Allein er wollte ganz sicher gehen. »Halbwüchsige?«

»Ja.«

»Darf ich fragen, woher Sie das wissen, Signorina?«

Erst sah es so aus, als wolle sie die Antwort verweigern, aber dann begann sie doch zu erzählen. »Eines Tages regnete es, und weil meine Tasche nicht ganz unter das Regencape paßte, war die Post naß geworden, jedenfalls die Sachen, die zuoberst lagen. Als ich die Zeitschrift für Signor Battestini herauszog, löste sich die Banderole, und das Heft fiel auf den Boden. Ich wollte es aufheben, aber dabei klappte es auseinander, und ich sah ein Foto von… von so einem Jungen.« Sie hielt den Blick starr auf den Boden zwischen ihren Füßen gerichtet und sprach weiter, ohne Brunetti auch nur einmal anzusehen. »Ich habe einen kleinen Bruder, der war damals vierzehn und sah fast genauso aus.« Sie brach ab, und Brunetti wußte, daß es sinnlos gewesen wäre, sie um eine nähere Beschreibung des Fotos zu bitten.

»Und was haben Sie dann gemacht, Signorina?«

»Das Heft in den Müll geworfen. Er hat sich nie danach erkundigt.«

»Und im Monat darauf, als die nächste Nummer kam?«

»Die habe ich auch weggeworfen und die übernächste ebenso. Und danach kamen keine mehr. Offenbar hatte er gemerkt, was los war.«

»Hatte er nur diese eine Zeitschrift abonniert, Signorina?«

»Ja, aber es kamen auch Umschläge mit dem Vermerk: ›Achtung, Fotos! Bitte nicht knicken‹.«

»Und was haben Sie mit denen gemacht?«

»Nachdem ich die Zeitschrift gesehen hatte, habe ich so einen Umschlag immer geknickt, bevor ich ihn in den Briefkasten steckte«, sagte sie, und ihre zornbebende Stimme verriet auch ein wenig Stolz.

Er hatte keine weiteren Fragen, aber sie sagte noch: »Dann ist er gestorben, und nach einer Weile kamen keine Fotosendungen mehr.«

Brunetti gab ihr die Hand und sagte in seiner Eigenschaft als Polizist: »Ich danke Ihnen für Ihre Offenheit, Signorina.« Doch als Mensch konnte er sich nicht enthalten hinzuzufügen: »Ich kann Sie verstehen.«

Ein scheues Lächeln huschte über ihr Gesicht, und sie errötete heftig.

In der Questura hinterlegte er eine Nachricht auf Vianellos Schreibtisch mit der Bitte, sich so rasch wie möglich oben in seinem Büro einzufinden. Es war Mittwoch, der Tag, an dem Signorina Elettra in den Sommermonaten fast nie vor der Mittagspause erschien; ein Umstand, den man in der Questura hinnahm, ohne daß ein Tadel oder neugierige Fragen laut geworden wären. Ihre Bräune wurde im Sommer nicht stärker, also ging sie nicht an den Strand; sie schickte keine Ansichtskarten, also fuhr sie nicht aufs Festland. Auch war sie an einem Mittwochvormittag noch von niemandem in der Stadt gesehen worden, was sich andernfalls mit Windeseile in der Questura herumgesprochen hätte. Vielleicht, dachte Brunetti, blieb sie einfach zu Hause und bügelte ihre Leinenblusen.

Seine Gedanken kreisten immer noch um Signora Battestinis Sohn. Für sich nannte der Commissario ihn weiter so, obwohl er inzwischen seinen Vornamen kannte. Und damit stand er keineswegs allein. Paolo war vierzig gewesen, als er starb, hatte über zehn Jahre in einer städtischen Behörde gearbeitet, und doch sprach jeder, den Brunetti befragte, von ihm nur als dem Sohn seiner Mutter, als ob er nur durch sie oder dank ihrer existiert hätte. Eigentlich hatte Brunetti nichts übrig für jenes Psychoblabla, das selbst komplexe zwischenmenschliche Probleme mit Patentlösungen zukleisterte, aber in diesem Fall schienen die Rollen so eindeutig verteilt, daß sich voreilige Schlußfolgerungen förmlich aufdrängten: Man nehme eine dominante Mutter, versetze sie in eine engherzig konservative Gesellschaft, denke sich einen Vater dazu, der sich am liebsten bei den Kumpels in der Bar verkriecht, und schon scheint es nicht mehr allzu verwunderlich, wenn der einzige Sohn aus einer solchen Verbindung in die Homosexualität abdriftet. Umgehend fielen Brunetti etliche schwule Freunde ein, deren Mütter beinahe unsichtbar gewesen waren vor lauter Nachsicht und Sanftmut und deren Vätern man zugetraut hätte, daß sie einen Löwen verfrühstückten, und er errötete fast so heftig wie die Frau vom Postamt.

Um aber nun herauszufinden, ob Paolo Battestini überhaupt schwul gewesen war, wählte Brunetti die Nummer des Büros von Domenico Lalli, dem Eigentümer eines der chemischen Betriebe, die gerade von Richter Galvani unter die Lupe genommen wurden. Er nannte seinen Namen, und als Lallis Sekretärin ihn erst nicht durchstellen wollte, sagte er, es handle sich um eine polizeiliche Ermittlung, und sie möge doch Lalli selbst fragen, ob er mit ihm sprechen wolle.

Eine Minute später wurde er verbunden. »Was ist denn nun schon wieder, Guido?« Lalli, der Brunetti früher schon mit Informationen über die Schwulenszene von Mestre und Venedig versorgt hatte, klang nicht verärgert; seine Stimme verriet nur die Ungeduld eines Mannes, der eine große Firma zu leiten hatte und dauernd unter Zeitdruck stand.

»Paolo Battestini, war bei der Schulbehörde angestellt, starb vor fünf Jahren an Aids.«

»Na schön«, sagte Lalli. »Was genau willst du über ihn wissen?«

»Ob er schwul war, ob er eine Vorliebe für halbwüchsige Knaben hatte, und ob es vielleicht jemanden gab, der seiner Neigung entgegenkam.«

Lalli fluchte leise vor sich hin, dann fragte er: »Ist das der Typ, dessen Mutter vor ein paar Wochen ermordet wurde?«

»Ja.«

»Und besteht da ein Zusammenhang?«

»Kann sein. Darum habe ich mich ja an dich gewandt. Sieh zu, was du über ihn in Erfahrung bringen kannst.«

»Er ist seit fünf Jahren tot?«

»Ja. Offenbar hatte er eine einschlägige Zeitschrift mit entsprechenden Fotos abonniert.«

»Fatal«, lautete Lallis ungebetener Kommentar. »Und dumm obendrein. Wo die Typen heutzutage alles, was sie wollen, im Internet finden können. Trotzdem sollte man sie wegsperren.«

Brunetti wußte, daß Lalli in jungen Jahren verheiratet gewesen war und inzwischen drei Enkelkinder hatte, die sein ganzer Stolz waren. Um sich nun nicht deren letzte Großtaten anhören zu müssen, sagte Brunetti abschließend: »Ich bin dankbar für alles, was du herausfinden kannst.«

»Hmmm. Ich höre mich mal um. Bei der Schulbehörde, wie?«

»Ja. Da hast du doch Beziehungen.«

»Ich habe überall Beziehungen, Guido«, beschied ihn Lalli ebenso knapp wie uneitel. »Wenn ich was erfahre, rufe ich dich an.« Er hängte ein, ohne sich zu verabschieden.

Brunetti überlegte, an wen er sich noch wenden könnte, aber die beiden Männer, deren Kontakte zur Szene vielleicht nützlich gewesen wären, machten gerade Urlaub. Und so beschloß er abzuwarten, was Lallis Nachforschungen ergaben, bevor er weitere Gewährsleute einschaltete. Als diese Entscheidung gefallen war, ging er nach unten, um nachzusehen, wo Vianello blieb.

15

Vianello war noch gar nicht im Haus. Dafür stieß Brunetti, als er aus dem Bereitschaftsraum kam, unversehens mit Scarpa zusammen. Nachdem der Tenente sich zunächst unter beredtem Schweigen auf der Schwelle aufgebaut und Brunetti den Weg versperrt hatte, trat er schließlich mit den Worten beiseite: »Das trifft sich gut, Commissario. Ich hätte Sie nämlich gern gesprochen.«

»Bitte«, gab Brunetti kurz angebunden zurück.

»Vielleicht in meinem Büro?« schlug Scarpa vor.

»Tut mir leid, aber ich muß wieder nach oben«, sagte Brunetti, der nicht gewillt war, seinem Widersacher diesen Terrainvorteil zu gönnen.

»Ich denke aber, es ist wichtig, Commissario. Es geht nämlich um den Battestini-Mord.«

Brunetti setzte eine unverbindliche Miene auf und fragte gelassen: »Ach ja? Und was weiter?«

»Diese Signora Gismondi«, raunte der Tenente düster, offenbar entschlossen, nicht mehr preiszugeben.

Obwohl der Name Brunettis Neugier weckte, sagte er nichts. Nach einer langen Weile machte sein hartnäckiges Schweigen sich bezahlt, und Scarpa fuhr fort: »Ich habe die Bänder aus unserer Telefonzentrale abgehört und bin dabei auf zwei Anrufe gestoßen, in denen sie ihr unmißverständlich droht.«

»Wer wird von wem bedroht, Tenente?« fragte Brunetti barsch.

»Na, Signora Battestini von der Gismondi.«

»Per Telefonanruf bei der Polizei, Tenente? Erscheint Ihnen das nicht auch ein wenig unbesonnen?«

Er sah, wie Scarpa um Selbstbeherrschung rang, sah es an den verkniffenen Mundwinkeln und der Art, wie er sich auf den Ballen wiegte und die Fersen um einige Millimeter vom Boden hob. Wie mochte es einem wohl ergehen, wenn man in einer Konfrontation mit Scarpa unterlag, dachte Brunetti, und die Vorstellung behagte ihm ganz und gar nicht.

»Wenn Sie sich die Zeit nehmen und in die Bänder reinhören würden, Commissario, dann verstünden Sie wohl eher, was ich meine«, versetzte Scarpa gereizt.

»Kann das nicht warten?« fragte Brunetti, seinerseits merklich gereizt.

Offenbar empfand Scarpa es schon als Genugtuung, Brunettis Gleichmut erschüttert zu haben, denn er antwortete hörbar entspannter: »Wenn Sie sich lieber nicht davon überzeugen wollen, wie die Person, die das Opfer nach eigener Aussage als vermutlich letzte lebend gesehen hat, dieses mit dem Tode bedroht, dann ist das Ihre Sache, Commissario. Ich meine allerdings, daß ein solcher Fund mehr Aufmerksamkeit verdient hätte.«

»Wo sind sie?« fragte Brunetti schroff.

Scarpa stellte sich absichtlich dumm. »Wo ist was, Commissario?«

Brunetti juckte es in den Fingern, aber er bezwang sich. Wobei ihm allerdings bewußt wurde, wie oft er in letzter Zeit den Wunsch verspürt hatte, Scarpa zu ohrfeigen. Er hielt Patta für einen selbstgefälligen Opportunisten, dem fast jedes Mittel recht war, um seine Stellung zu verteidigen.

Aber es war eben dieses »fast« oder vielmehr die sich darin offenbarende menschliche Schwäche, die Brunetti davor bewahrte, eine tiefer gehende Abneigung gegen den Vice-Questore zu entwickeln. Scarpa dagegen war ihm verhaßt, ja er schreckte so vor ihm zurück, wie er sich gescheut hätte, einen finsteren Raum zu betreten, dem ein übler Geruch entströmte. Während man jedoch in dunklen Räumen meist Licht machen konnte, hielt der Commissario es für unmöglich, Scarpas Innenleben zu beleuchten; und wenn man doch in ihn hineinschauen könnte, dann würde einem vermutlich grausen vor dem, was man zu Gesicht bekäme.

Brunetti schwieg so eisern, daß Scarpa abermals klein beigeben mußte. »Im Labor«, nuschelte er, wandte sich um und steuerte auf die Hintertreppe zu.

In den Laborräumen im Keller war von Bocchese keine Spur, aber der durchdringende Nikotingeruch ließ vermuten, daß er noch nicht lange fort war. Scarpa blieb vor einer Holztheke stehen, auf der neben einem Kassettenrekorder zwei Neunzig-Minuten-Bänder lagen, beide mit Datum und Signatur.

Der Tenente griff nach einer Kassette, warf einen Blick auf das Archivkürzel und schob sie in den Rekorder. Dann stülpte er sich Kopfhörer über die Ohren, betätigte die Wiedergabetaste, lauschte ein paar Sekunden, drückte auf STOP, ließ das Band vorlaufen und hörte abermals hinein. Nach drei weiteren Versuchen hatte er offenbar die gewünschte Stelle gefunden, denn er spulte ein kleines Stück zurück und hielt Brunetti die Kopfhörer hin.

Doch dem war die Vorstellung, dieses Teil zu berühren,

das noch warm war von Scarpas Ohren, so zuwider, daß er fragte: »Können Sie nicht einfach auf Lauthören stellen?«

Woraufhin Scarpa das Kabel für die Kopfhörer aus der Fassung riß und auf PLAY drückte.

»Hier spricht Signora Gismondi, aus Cannaregio. Ich habe schon mal angerufen.« Brunetti erkannte die Stimme, aber der zorngepreßte Ton war ihm fremd.

»Ja, Signora. Um was geht's denn?«

»Das habe ich Ihnen schon vor anderthalb Stunden gesagt. Um meine Nachbarin, Signora Battestini. Ihr Fernseher ist so laut, daß ich von hier mithören kann. Überzeugen Sie sich selbst!« Und wirklich erklangen auf einmal die Stimmen eines Mannes und einer Frau, die offenbar im Streit miteinander waren. Erst hörte man sie ganz nahe, dann entfernten sie sich wieder. »Na, was sagen Sie? Ihr Fenster ist zehn Meter weit weg, aber ich höre den Fernseher, als stünde er hier bei mir in der Wohnung.«

»Da kann ich leider nichts machen, Signora. Die Streife ist gerade woanders im Einsatz.«

»Und dieser Einsatz dauert anderthalb Stunden, ja?« fragte sie wütend.

»Darüber darf ich Ihnen keine Auskunft geben, Signora.«

»Es ist vier Uhr früh«, jammerte sie, dem Weinen nahe und fast hysterisch. »Und der Kasten läuft seit eins. Ich möchte endlich schlafen.«

»Ich hab's Ihnen doch schon bei Ihrem letzten Anruf gesagt, Signora. Die Streife hat Ihre Adresse, und die Kollegen kommen zu Ihnen, sobald sie frei sind.«

»Drei Nächte hintereinander geht das nun schon so, und

es hat sich noch kein Polizist blicken lassen!« Ihre Stimme wurde merklich schriller.

»Davon weiß ich nichts, Signora.«

»Was soll ich denn Ihrer Meinung nach tun? Rübergehen und sie umbringen?« schrie Signora Gismondi in den Hörer.

»Ich habe es Ihnen doch gesagt, Signora«, antwortete die Stimme des Beamten von der Polizeizentrale ungerührt, »die Streife kommt zu Ihnen, so schnell es geht.« Dann hatte offenbar einer der beiden Teilnehmer aufgelegt, und man hörte nur noch das leise Schnurren, mit dem das leere Band weiterlief.

So ungerührt, wie der Beamte auf der Kassette geklungen hatte, wandte Scarpa sich an Brunetti und sagte: »Beim nächsten Anruf droht sie explizit mit Selbstjustiz.«

»So? Was sagt sie denn?«

»›Wenn Sie nichts unternehmen, dann gehe ich rüber und bring sie um.‹«

»Das will ich selber hören«, entschied Brunetti.

Scarpa legte die zweite Kassette ein, spulte im Schnelldurchlauf bis etwa zur Mitte des Bandes vor, probierte ein Weilchen hin und her, bis er die richtige Stelle gefunden hatte, und spielte Brunetti schließlich den gesuchten Anruf vor. Er hatte Signora Gismondi wortwörtlich zitiert, und Brunetti überlief es eiskalt, als er ihre vor Wut fast überschnappende Stimme sagen hörte: »Wenn Sie nichts unternehmen, dann gehe ich rüber und bring sie um!«

Der Umstand, daß die Beschwerde um halb vier Uhr morgens eingegangen und bereits die vierte in ein und derselben Nacht war, bewies in Brunettis Augen zweifelsfrei, daß Signora Gismondi die Nerven durchgegangen waren, weshalb man ihre unbedachte Äußerung keinesfalls ernstnehmen durfte. Aber ein Richter würde das vielleicht nicht ganz so sehen.

»Hinzu kommt noch ihre gewalttätige Vorgeschichte«, erklärte Scarpa beiläufig. »Wenn man die mit dieser Drohung aufrechnet, dann reicht das, denke ich, für eine nochmalige Überprüfung ihres Alibis vom Mordtag.«

»Was für eine gewalttätige Vorgeschichte?« fragte Brunetti.

»Vor acht Jahren, als sie noch verheiratet war, hat sie ihren Mann angegriffen und gedroht, ihn umzubringen.«

»Wie hat sie ihn denn angegriffen?«

»Laut Polizeibericht ging sie mit kochendem Wasser auf ihn los.«

»Und was steht noch in dem Bericht?« fragte Brunetti.

»Wenn Sie ihn lesen möchten – er liegt in meinem Büro, Commissario.«

»Was steht sonst noch drin, Scarpa?«

Überrascht starrte Scarpa ihn an und wich instinktiv einen Schritt zurück. »Sie waren in der Küche, gerieten in Streit, und da hat sie den Wasserkessel nach ihm geworfen.«

»Wurde er verletzt?«

»Nicht schlimm. Das Wasser schwappte über Schuhe und Hosenbeine.«

»Und, ist Anzeige erstattet worden?«

»Nein, Commissario, aber es existiert ein Protokoll.«

Plötzlich mißtrauisch geworden, forschte Brunetti: »Wer hat auf die Anzeige verzichtet?«

»Das tut doch nichts zur Sache, Commissario.«

»Wer?« bellte Brunetti ihn an.

»Sie war's«, gestand Scarpa, nachdem er die Antwort so lange wie möglich hinausgezögert hatte.

»Und was hat sie nicht angezeigt?«

Brunetti merkte Scarpa an, daß der sich am liebsten wieder auf den Bericht berufen hätte. Aber dann sah er wohl ein, daß damit nichts gewonnen wäre, und sagte widerstrebend: »Körperverletzung.«

»Geht das auch etwas genauer?«

»Er hatte ihr das Handgelenk gebrochen, behauptete sie jedenfalls.«

Brunetti wartete auf Einzelheiten, doch als nichts weiter kam, fragte er spöttisch: »Sie hat es fertiggebracht, mit einem gebrochenen Handgelenk einen Kessel kochenden Wassers nach ihm zu werfen?«

Es war, als redete er gegen eine Wand. »Was immer der Anlaß gewesen sein mag«, versetzte Scarpa trotzig, »sie hat eine gewalttätige Vorgeschichte.«

Brunetti machte auf dem Absatz kehrt und verließ das Labor.

Sein Herz hämmerte vor unterdrückter Wut, als er in sein Büro hinaufstürmte. Er glaubte zu wissen, was Scarpa im Schilde führte: Auch wenn er sich noch so tolpatschig dabei anstellte, der Tenente war mit aller Gewalt darauf aus, Signora Gismondi den Mord in die Schuhe zu schieben. Was Brunetti nicht verstand, war das Warum. Scarpa hatte doch nichts davon, wenn er fälschlicherweise Signora Gismondi als Tatverdächtige ausgab.

Brunetti strauchelte vor Schreck, als ihm plötzlich ein

Licht aufging, und er taumelte haltsuchend gegen die Wand. Es kam Scarpa gar nicht so sehr darauf an, den Verdacht auf Signora Gismondi zu lenken, als vielmehr ihn von jemand anderem fernzuhalten. Doch kaum, daß Brunetti sich wieder gefangen hatte und seinen Weg fortsetzte, lieferte ihm die Vernunft ein nicht gar so ungeheuerliches Motiv: Scarpa, der keine Gelegenheit ausließ, Brunetti in seinen Ermittlungen zu behindern, benutzte Signora Gismondi als Köder, um den Commissario auf eine falsche Fährte zu locken.

Allein auch dieser Gedanke war so verstörend, daß es Brunetti nicht in seinem Büro hielt. Er wartete ein paar Minuten, um sicher zu sein, daß er Scarpa nicht mehr im Treppenhaus antreffen würde, und ging dann hinunter in Signorina Elettras Büro. Aber sie war immer noch nicht da. Wäre sie in dem Moment hereingekommen, hätte er sie mit erhobener Stimme zur Rede gestellt und gefragt, wo sie gewesen sei und mit welchem Recht sie sich den halben Mittwoch freinähme, obwohl es doch in der Questura wahrhaftig genug zu tun gäbe. Auf dem Weg zurück nach oben setzte er seine stumme Strafpredigt fort, ja kramte längst vergangene Schnitzer, Irrtümer und Extravaganzen aus dem Gedächtnis, die er ihr hätte vorhalten können.

Wieder in seinem Büro, riß er sich das Jackett vom Leib und schleuderte es mit solcher Wucht auf den Schreibtisch, daß es wie ein Geschoß über die Platte flog und einen Stoß Akten, den er einen ganzen Nachmittag lang chronologisch geordnet hatte, mit sich zu Boden riß. Brunetti machte seinem Zorn Luft, indem er lauthals die Tugendhaftigkeit der Madonna in Zweifel zog.

Genau in dem Moment erschien Vianello auf der Bildfläche. Als Brunetti die Tür gehen hörte, fuhr er herum und empfing den Ispettore mit einem knurrigen »Herein«.

Vianello warf einen Blick auf das Jackett und die Papiere, ging stumm an Brunetti vorbei und nahm, mit dem Rücken zu ihm, vor dem Schreibtisch Platz.

Der Commissario betrachtete Vianellos Hinterkopf, die Schultern, die auffallend steife Haltung, und seine Laune besserte sich unversehens. »Es ist wegen Scarpa«, sagte er, während er sich nach dem Jackett bückte, es über die Stuhllehne hängte, die Papiere zusammenraffte und auf den Schreibtisch zurücklegte. »Er versucht doch tatsächlich, Signora Gismondi den Mord an der Alten anzuhängen.«

»Wie das?«

»Er hat die Aufzeichnung zweier Anrufe, mit denen sie sich bei uns über den zu lauten Fernseher beschwert hat. Beide Male droht sie, die Alte umzubringen, wenn wir nichts unternehmen.«

»Eine ernsthafte Drohung?« fragte Vianello. »Oder sind ihr einfach die Nerven durchgegangen?«

»Meinen Sie, den Unterschied könnte man hören?«

»Passiert es Ihnen schon mal, daß Sie Ihre Kinder anbrüllen, Commissario?« fragte Vianello. »Das sind die Nerven. Ernst wird es, wenn Sie zuschlagen.«

»Das habe ich nie getan«, verwahrte sich Brunetti.

»Ich schon«, gestand Vianello. »Einmal. Ist jetzt ungefähr fünf Jahre her.« Brunetti wartete auf eine nähere Erklärung, doch die blieb aus. Statt dessen sagte der Ispettore: »Solange man damit droht, ist es nur Gerede.« Und von der Theorie zur Praxis wechselnd, setzte er hinzu: »Außerdem, wie hätte sie denn in die Wohnung kommen sollen?« Brunetti sah förmlich, wie Vianello alle denkbaren Möglichkeiten abhakte. Endlich schüttelte er den Kopf und meinte: »Nein, es ergibt keinen Sinn.«

»Aber warum beschuldigt Scarpa sie dann?« fragte Brunetti, gespannt, ob Vianello zu der gleichen Schlußfolgerung gelangen würde wie er.

»Darf ich ganz offen sprechen, Commissario?«

»Aber sicher.«

Der Ispettore senkte den Blick auf seine Knie, wischte sich einen unsichtbaren Krümel von der Hose und sagte: »Er tut es, weil er Sie haßt. Ich bin ihm zu unbedeutend, andernfalls würde er mich auch hassen. Und Signorina Elettra macht ihm angst.«

Im ersten Moment wollte Brunetti widersprechen, aber dann zwang er sich doch, Vianellos Sichtweise zu berücksichtigen. Und mußte erkennen, daß er sich deshalb dagegen sperrte, weil sie nicht zu der Schurkenrolle paßte, die er Scarpa zugedacht hatte. Folgte man Vianellos Interpretation, dann war der Tenente ein boshafter Zwerg, aber kein dämonischer Verschwörer. Brunetti zog sich die Akten heran und begann aufs neue, sie zu ordnen.

»Soll ich lieber gehen, Commissario?« fragte Vianello.

»Nein. Ich denke nur nach über das, was Sie gerade gesagt haben.«

Die nächstliegende Erklärung war vermutlich die richtige: Wie oft hatte er sich nicht schon auf diese Regel berufen? Also bloß kleingeistige Gehässigkeit, kein großangelegtes Komplott. Zweifellos eine plausiblere Deutung, auch wenn sie ihn nicht für die Genugtuung entschädigte, den Tenente gemeinsam mit Vianello eines weitaus schlimmeren, ja abgefeimt kriminellen Motivs überführen zu können.

Er blickte zu Vianello auf. »Also gut, Sie mögen recht haben.« Brunetti hielt kurz inne und erwog die Konsequenzen: Scarpa würde Patta einreden, Signora Gismondi sei die Schuldige; er, Brunetti, wäre gezwungen, das Spiel mitzuspielen, damit Patta nicht kopfscheu wurde und ihm den Fall entzog; man würde so lange und gewiß derart plump in Signora Gismondis Privatleben herumstochern, bis die Zeugin aufbegehrte; und sobald man sie dazu gebracht hätte, ihre Aussage über Flori Ghiorghiu zu ändern oder gar zu widerrufen, würde Patta zu seiner ursprünglichen Überzeugung zurückkehren, wonach die Rumänin den Mord begangen hatte; und der Fall konnte abermals für gelöst erklärt und zu den Akten gelegt werden.

»Ich vertat mein Leben kaffeelöffelweis«, ließ Brunetti sich vernehmen. Worauf Vianello ihn so komisch ansah, daß er hastig hinzusetzte: »Ein Zitat, habe ich von meiner Frau.«

»Meine sagt, wir sollten den Sohn unter die Lupe nehmen«, entgegnete Vianello.

Brunetti beschloß, sich erst anzuhören, was Vianello über Paolo Battestini zu sagen hatte, bevor er ihm von seinem Besuch im Postamt erzählte, und begnügte sich daher mit einem schlichten: »Und warum?«

»Nadia sagt, er ist ihr nicht geheuer. Sie findet es merkwürdig, wie die Leute über ihn reden oder vielmehr schweigen. Meine Frau meint, wenn all die Menschen, die ihn so lange gekannt haben, in seiner Nähe wohnten und ihn aufwachsen sahen, trotzdem nichts über ihn zu erzählen wissen, dann geht das nicht mit rechten Dingen zu.«

Brunetti, der so ziemlich der gleichen Meinung war, fragte: »Hat Ihre Frau auch eine Vermutung, was dahinterstecken könnte?«

Vianello schüttelte den Kopf. »Nein, sie sagt nur, es sei nicht normal, daß keiner über ihn reden will.«

Das zufriedene Lächeln auf Vianellos Gesicht verriet Brunetti, daß der Ispettore auf eigene Faust ermittelt und eine Bestätigung für die Theorie seiner Frau gefunden hatte. Damit er mit seinem Triumph nicht länger hinterm Berg halten mußte, lieferte Brunetti ihm ein Stichwort: »Wie war's eigentlich bei der Schulbehörde?«

»Die altbekannte Leier.«

»Wie bitte?« fragte Brunetti.

»Der gleiche alte Schlendrian wie bei allen städtischen Ämtern. Also ich habe angerufen und erklärt, daß ich im Zuge einer kriminalistischen Ermittlung den Direktor sprechen wolle. Ich hielt es für besser, vorab keine Namen zu nennen. Aber der Direktor war auf einer Tagung in Treviso, genau wie sein Assistent, und der Stellvertreter, mit dem ich schließlich verbunden wurde, sagte, er könne mir leider auch nicht weiterhelfen, denn er sei erst seit drei Wochen da.« Grinsend setzte Vianello hinzu: »Wahrscheinlich ist der in drei Jahren noch genauso ahnungslos.«

Brunetti, der an Vianellos Erzählstil gewöhnt war, wartete schweigend. Der Inspektor schnippte abermals ein unsichtbares Stäubchen von seiner Hose und fuhr fort: »Also mußte ich notgedrungen mit der Leiterin des Personalbüros vorliebnehmen und habe mit ihr einen Termin vereinbart. Die haben ihre ganze Geschäftsstelle modernisiert, für alle Büros neue Schreibtische und Computer angeschafft.

Die Frau, mit der ich sprach, leitet eine Abteilung, die sich jetzt nicht mehr Nachwuchsförderung nennt, sondern ›Entwicklung von Human Resources‹.« Für Brunettis Geschmack klang das reichlich kannibalisch, aber er sagte nichts. »Ich habe mich erkundigt, ob ich die Personalakte von Paolo Battestini einsehen könne, und sie wollte wissen, von wann bis wann er dort gearbeitet habe. Als ich ihr die Daten nannte, meinte sie, in bestimmten Phasen gäbe es Engpässe, weil sie gerade dabei seien, einen Teil ihrer Kartei zu digitalisieren.« Als er Brunettis Gesichtsausdruck sah, schüttelte Vianello den Kopf. »Nein, ich habe gar nicht erst gefragt, wie lange das dauern wird, sondern mich nur nach dem betreffenden Zeitraum erkundigt.« Erwartungsvoll blickte der Inspektor auf, und als Brunetti ihm anerkennend zunickte, fuhr er fort. »Sie hat im Computer nachgesehen, und tatsächlich waren die letzten fünf Jahre von Battestinis Dienstzeit bereits erfaßt. Ich habe dann auch gleich einen Ausdruck bekommen.«

»Und was stand drin?«

»Bewertungsgutachten seiner Vorgesetzten, Urlaubsdaten, Krankmeldungen, das Übliche.«

»Haben Sie die Unterlagen mitgebracht?«

»Ja, ich habe sie gleich, als ich kam, an Elettra weitergegeben.« Brunetti schloß daraus, daß die Signorina wohl endlich eingetroffen sein mußte. »Gegen Ende«, fuhr Vianello fort, »war Battestini immer wieder wochenlang krank gemeldet. Elettra überprüft gerade anhand der ärztlichen Gutachten, wo er behandelt wurde und was er für eine Krankheit hatte.«

»Die Mühe kann ich ihr ersparen«, sagte Brunetti. »Er starb an Aids.« Und als Vianello ihn entgeistert anstarrte, wiederholte er in groben Zügen sein Gespräch mit Dottor Carlotti vom Vortag und entschuldigte sich indirekt dafür, daß er Vianello nicht vor dessen Gang zur Schulbehörde eingeweiht hatte. Doch was er von dem *postino* erfahren hatte, behielt er vorerst noch für sich.

»Doppelt genäht hält besser«, sagte Vianello lapidar.

Brunetti, der das so auffaßte, als bedürften seine Recherchen der Bestätigung, war im ersten Moment irritiert, aber er beherrschte sich und fragte: »Haben Sie auch mit ehemaligen Kollegen von Battestini sprechen können?«

»Ja. Sobald ich mir den Computerausdruck besorgt hatte, habe ich noch eine Weile auf dem Gang herumgelungert. Gegen zehn kamen dann endlich zwei Männer aus ihren Büros, und ich hörte, wie sie sich auf einen Kaffee in der Bar gegenüber verabredeten. Da habe ich meine Unterlagen so gefaltet, daß der Briefkopf deutlich zu sehen war, und bin ihnen gefolgt.«

Brunetti rätselte nicht zum erstenmal darüber, wie dieser Mann, obwohl größer und stämmiger als er, es nur anstellte, sich unsichtbar zu machen, sobald er jemanden beschatten wollte. »Und?« hakte er nach.

»Ich habe mich unauffällig dazugestellt und gesagt, ich käme von der Zweigstelle in Mestre. Die beiden hatten keinen Grund, mir nicht zu glauben. Sie waren mir auf dem Flur begegnet, sie sahen den Computerausdruck in meiner Hand, also nahmen sie an, ich wäre dienstlich da.

Ich hatte der Frau oben ein wenig über die Schulter gesehen, als sie die Personaldateien aufrief, und mir die Namen einiger Mitarbeiter eingeprägt, die zur Zeit dort beschäftigt sind. Also bestellte ich einen Kaffee und erkundigte mich bei den beiden nach einem Kollegen, den ich schon lange nicht mehr gesehen hätte. Und dann brachte ich das Gespräch langsam auf Battestini: Ob das seine Mutter gewesen sei, die kürzlich ermordet wurde, und wie er damit fertig werde, wo er doch immer so an ihr gehangen habe.«

Kein Wunder, daß der Inspektor stolz war auf seine Leistung. »Listig wie eine Schlange, Vianello«, lobte Brunetti.

»Ja, aber da wendete sich das Blatt, Commissario. Es war ganz merkwürdig, als ob man besagte listige Schlange gepackt und ihnen vor die Füße geschleudert hätte. Einer der beiden fuhr regelrecht zurück, warf ein paar Münzen auf die Theke und verschwand. Der andere sagte lange nichts, dann erklärte er endlich, ja, es sei wohl Battestinis Mutter gewesen, aber der arbeite nicht mehr bei ihnen. Kein Wort davon, daß er tot ist. Und dann hat der Mann sich auch aus dem Staub gemacht. Das heißt, ich hatte mich erboten, seinen Kaffee zu übernehmen, und als ich mich wieder umdrehte, war er nicht mehr da – weder neben mir an der Theke noch sonstwo in der Bar.« Vianello schüttelte verwundert den Kopf.

»Haben Sie irgendeine Vermutung, warum die beiden so reagiert haben?«

»Vor zwanzig Jahren hätte es wohl daran gelegen, daß Battestini schwul war, aber das juckt heute keinen mehr«, antwortete Vianello. »Und wenn einer gar an Aids stirbt, dann haben die meisten Leute Mitleid. Darum tippe ich auf eine andere Ursache, wahrscheinlich irgendwas im Zusammenhang mit dem Amt. Auf jeden Fall hat es diesen beiden gar nicht gefallen, daß ein Fremder sich nach Battestini erkundigte.« Lächelnd setzte er hinzu: »Das war jedenfalls mein Eindruck.«

»Er hatte ein Magazin mit einschlägigen Knabenfotos abonniert«, sagte Brunetti und sah zu, wie diese Information Vianellos Miene verdüsterte. Dann erst ergänzte er zur Klarstellung: »Halbwüchsige, keine Kinder.«

Nach kurzer Pause sagte der Inspektor: »Ich kann mir nicht vorstellen, daß seine Kollegen im Amt darüber Bescheid wußten.«

Brunetti war geneigt, ihm zuzustimmen. »Dann hängt es vermutlich mit seiner Arbeit bei der Schulbehörde zusammen.«

»Sieht ganz so aus«, sagte Vianello.

16

Brunetti und Vianello waren auf dem Weg zu Signorina Elettra, um ihr die Mühe zu ersparen – Brunetti wußte nicht, ob er sagen sollte, Einblick in die Patientendateien zu nehmen oder den Sicherheitscode der Klinik zu knacken –, als dem Commissario klar wurde, daß es ihn nicht mehr kümmerte, wie sie sich die Informationen beschaffte, die er von ihr bekam. Und prompt schämte er sich dafür, daß ihr langes Ausbleiben ihn vorhin derart in Rage gebracht hatte. Wie Othello stand auch ihm ein Adjutant zur Seite, der seine edelsten Regungen zu vereiteln wußte.

Als hätte sie geahnt, daß ihr heute die Rolle der Desdemona zufallen würde, hatte Signorina Elettra ein langes weißes Kleid aus feinstem Leinen angelegt und trug das schulterlange Haar offen. Sie begrüßte die Eintretenden mit einem Lächeln, doch bevor sie etwas sagen konnte, fragte Vianello: »Schon fündig geworden?«

»Nein«, antwortete sie und fügte entschuldigend hinzu: »Der Vice-Questore ist mir dazwischengekommen.« Und als genüge das noch nicht zur Rechtfertigung, erklärte sie: »Er hat mir einen Brief diktiert und war furchtbar pingelig mit den Formulierungen.« Sie hielt inne, gespannt, wer von beiden sie zuerst fragen würde.

Vianello machte das Rennen. »Dürfen Sie verraten, um was für einen Brief es sich handelt?«

»Um Gottes willen, nein! Wenn ich das täte, wüßte bald die halbe Questura, daß er sich bei Interpol bewirbt.«

Brunetti faßte sich als erster. »Ach ja, natürlich, das war zu erwarten«, sagte er. Vianello dagegen hatte es buchstäblich die Sprache verschlagen. »Aber dürfen Sie uns vielleicht verraten, an wen der Brief adressiert ist?« forschte Brunetti weiter.

»Das verbietet mir meine Loyalität gegenüber dem Vice-Questore, Commissario«, erwiderte sie, und ihre Stimme triefte vor jener frommen Ergebenheit, die nach Brunettis Erfahrung zum Repertoire von Politikern und Geistlichen gehörte. Dann tippte sie mit dem Zeigefinger auf ein Blatt Papier, das vor ihr auf dem Schreibtisch lag, und fragte arglos: »Was meinen Sie, sollte ein Gesuch an den Bürgermeister um ein Empfehlungsschreiben durch die Hauspost gehen?«

»Per E-Mail ginge es sicher schneller, Signorina«, schlug Brunetti vor.

Doch Vianello widersprach. »Der Vice-Questore ist ein Mann der alten Schule, Commissario. Sicher würde er den Brief lieber persönlich unterzeichnen.«

Signorina Elettra nickte zustimmend und kam, nun da das Thema erschöpft war, auf Vianellos ursprüngliche Frage zurück. »Ich dachte, ich sehe mir mal seine Krankenakte an.«

»Nicht nötig, Signorina«, erklärte Brunetti. »Wir wissen bereits, daß Battestini an Aids gestorben ist.«

»Ach, der Ärmste«, seufzte Signorina Elettra.

»Und zu Lebzeiten hatte er Pornohefte mit Knabenfotos abonniert«, fiel Vianello grimmig ein.

»Er ist trotzdem an Aids gestorben, Ispettore«, sagte sie, »und so ein Schicksal hat niemand verdient.«

Nach einer langen Pause ließ Vianello sich ein grollendes »Mag sein« abringen, was die beiden anderen daran erinnerte, daß er zwei Kinder hatte, die gerade erst ins Teenageralter kamen.

Ein unbehagliches Schweigen senkte sich über das Trio. Doch bevor es allzu drückend werden konnte, sagte Brunetti: »Vianello hat sich bei den Nachbarn umgehört und bei den Arbeitskollegen, überall mit dem gleichen Resultat: Sobald Paolos Name fiel, herrschte Funkstille. Die Mutter war einhellig als böser Drachen verschrien, der Vater galt als netter Kerl, der gern in der Bar hockte und seinen Wein trank, aber sobald man den Sohn erwähnte, blocken alle ab.« Er ließ ihr einen Augenblick Zeit zum Nachdenken und fragte dann: »Wie würden Sie sich das erklären, Signorina?«

Sie drückte eine Taste an ihrem Computer, und der Bildschirm wurde dunkel. Dann stützte sie den Ellbogen auf die Tischplatte und das Kinn in die Hand. Während sie so dasaß, reglos wie eine Statue, hätte man fast glauben mögen, ihr Geist sei unbemerkt entschwebt und habe nur die weißgewandete Hülle zurückgelassen.

Endlich klärte sich ihr verschleierter Blick, sie sah Vianello an und sagte: »Die Nachbarn schweigen vielleicht aus Respekt. Seine Mutter ist gerade einem schrecklichen Verbrechen zum Opfer gefallen, und er hat einen qualvollen Tod erlitten, da will ihm niemand etwas Schlechtes nachsagen.« Sie hob die freie Hand und kratzte sich gedankenverloren die Stirn. »Und was die Arbeitskollegen angeht – wenn er seit fünf Jahren tot ist, haben die ihn womöglich schon vergessen.«

»Nein«, widersprach Vianello. »Da steckt mehr dahinter. Denen war es regelrecht unangenehm, auf ihn angesprochen zu werden.«

»Wollten sie nur nicht über ihn reden, oder hatten sie vielleicht Angst vor Ihren Fragen?« hakte Brunetti nach.

»Ich habe ihnen keine Pistole an die Schläfe gehalten«, gab Vianello gekränkt zurück. »Nein, die wollten einfach nicht über ihn sprechen.«

»Wie viele Mitarbeiter hat das Amt?« fragte Brunetti.

»Sie meinen die ganze Schulbehörde?«

»Ja.«

»Keine Ahnung«, sagte Vianello. »Das Personalbüro erstreckt sich über zwei Stockwerke, das macht vielleicht dreißig Leute. In seiner ehemaligen Abteilung sind es meiner Schätzung nach höchstens fünf oder sechs.«

»Ich könnte das leicht überprüfen, Commissario«, erbot sich Signorina Elettra. Aber Brunetti, den diese Mauer des Schweigens um Signora Battestinis Sohn neugierig gemacht hatte, war schon entschlossen, sich am Nachmittag selber einmal in der Schulbehörde umzusehen.

Er erwähnte noch sein Telefonat mit Lalli und versprach, den beiden Bescheid zu sagen, sobald er wieder von ihm hörte. »In der Zwischenzeit würde ich Sie bitten, sich einmal die Herren Luca Sardelli und Renato Fedi vorzunehmen, Signorina. Das sind die einzigen noch lebenden unter den ehemaligen Direktoren der Schulbehörde.«

Daß diese Recherche nur eine Verlegenheitslösung mangels anderer Perspektiven war, behielt er tunlichst für sich.

»Wollen Sie die beiden verhören, Commissario?« fragte Vianello.

An Signorina Elettra gewandt, bat Brunetti: »Würden

Sie sich erst mal kundig machen?« Und als sie nickte, fuhr er fort: »Ich bin ziemlich sicher, daß Sardelli beim Assessorato dello Sport arbeitet, und Fedi leitet eine Baufirma in Mestre. Außerdem ist er *Eurodeputato*, allerdings weiß ich nicht, für welche Partei.« Signorina Elettra, der beide Männer unbekannt waren, machte sich Notizen, versprach, sofort an die Arbeit zu gehen, und stellte ihnen für den Nachmittag erste Ergebnisse in Aussicht.

Da es ihm zu zeitaufwendig schien, zum Essen nach Hause zu fahren, wenn er gleich nach der Mittagspause bei der Schulbehörde sein wollte, erkundigte sich Brunetti, ob Vianello schon etwas vorhabe. Der Ispettore zögerte nur kurz, dann schüttelte er den Kopf und willigte ein, den Commissario zehn Minuten später vor dem Haupteingang zu treffen. Zuvor rief Brunetti noch Paola an, um sich fürs Mittagessen abzumelden.

»Schade«, sagte sie. »Die Kinder sind da, und es gibt…« Hier stockte sie.

»Nur zu«, drängte er, »ich bin ein Mann. Ich kann's verkraften.«

»Gegrilltes Gemüse als Antipasto und als Hauptgericht Kalbsbraten mit Zitrone und Rosmarin.«

Brunetti stieß einen theatralischen Seufzer aus.

»Und selbstgemachtes Zitronensorbet mit Feigensauce zum Nachtisch«, ergänzte sie.

»Ist das wahr?« forschte er, plötzlich mißtrauisch geworden. »Oder willst du mich nur bestrafen, weil ich nicht nach Hause komme?«

Paola schwieg lange. »Wäre es dir lieber, wenn ich sagte,

ich würde mit den Kindern auf einen Big Mac zu McDonald's gehen?« fragte sie endlich.

»Das wäre Kindesmißbrauch«, konterte er.

»Unsere beiden sind schon Teenager, Guido.«

»Es bleibt trotzdem Mißbrauch«, brummte er und legte auf.

Eigentlich wollten Vianello und Brunetti ja ins Da Remigio, doch das war, wie sich herausstellte, bis zehnten September geschlossen. Zwei weitere Restaurants, bei denen sie ihr Glück versuchten, machten ebenfalls Betriebsferien, und so blieb nur die Wahl zwischen einem Chinesen und dem langen Fußweg zur Via Garibaldi mit ihren ganzjährig geöffneten Touristenlokalen.

Statt dessen machten sie in schweigender Übereinkunft kehrt und gingen zurück zu der Bar am Ponte dei Greci, wo immerhin die *tramezzini* und der Wein genießbar waren. Brunetti verbot sich, an Paolas Kalbsbraten zu denken, und bestellte ein *prosciutto e funghi*, ein *prosciutto e pomodoro* und ein einfaches *panino con salami*. Vianello, dem, wenn er schon auf ein richtiges Mittagessen verzichten mußte, wohl egal war, was er aß, nahm das gleiche.

Der Ispettore brachte eine Flasche Mineralwasser und einen halben Liter Weißwein an den Tisch und setzte sich Brunetti gegenüber. Er schaute auf den Teller mit den Sandwiches, der zwischen ihnen stand, sagte: »Nadia hat frische Pasta gemacht«, und griff nach einem *tramezzino*.

Vianello verzehrte sein erstes Sandwich und trank zwei Gläser Mineralwasser, bevor er sich wieder zu Wort meldete. Erst als er das Glas abgestellt und für beide Wein eingegossen hatte, fragte er: »Was machen wir nun mit Scarpa?«

Offenbar sollte das ein inoffizielles Gespräch werden, andernfalls hätte er den Dienstgrad des Tenente nicht einfach unterschlagen.

Der Commissario nahm erst einmal einen Schluck Wein. »Ich denke, es bleibt uns nichts anderes übrig, als ihn gewähren zu lassen und abzuwarten, was bei seinen sogenannten Ermittlungen gegen Signora Gismondi herauskommt.«

»Aber das ist doch Unfug!« rief Vianello ärgerlich. Er kannte Assunta Gismondi nicht persönlich, hatte nur die Akte zum Fall Battestini gelesen und sich von Brunetti über dessen Gespräch mit ihr unterrichten lassen. Was indes genügte, um ihn zu überzeugen, daß sie nichts mit dem Verbrechen zu tun hatte und nur bestrebt gewesen war, der Rumänin zur Ausreise zu verhelfen. Bloß, einer wie Scarpa konnte ihr vermutlich auch daraus einen Strick drehen. »Glauben Sie, er bringt es fertig, sie als Komplizin hinzustellen, weil sie der armen Flori das Geld gegeben und ihr die Fahrkarte gekauft hat?«

Wozu Scarpa imstande war und wie weit er gehen würde, darüber wagte Brunetti schon längst keine Voraussagen mehr. Er bedauerte zutiefst, daß ein so grundanständiger Mensch wie Signora Gismondi als Geisel in Scarpas Guerillakrieg gegen ihn mißbraucht wurde, aber er wußte auch, daß jeder Rettungsversuch Scarpas Rachegelüste nur verschärft hätte.

»Trotzdem, ich glaube, uns sind die Hände gebunden. Wenn wir ihm in den Arm fallen, um die Signora zu beschützen, wird er uns irgendein finsteres Motiv unterstellen. Nicht auszudenken, wohin das führen würde.« Wie hätte er Scarpas Manöver voraussehen können, wenn ihm dessen Beweggründe so gänzlich fremd waren? Das heißt, verstandesmäßig erfaßte er sie schon; was ihm fehlte, war ein instinktives Leitsystem, das es ihm ermöglicht hätte, sich Schritt für Schritt in seinen Widersacher hineinzuversetzen. Auf so etwas verstand Patta sich weit besser als er und Signorina Elettra natürlich erst recht. Brunetti fiel ein, daß weiblichen Katzen nachgesagt wurde, sie seien die besseren Jäger und fänden auch mehr Vergnügen daran, ihre Beute zu Tode zu quälen.

Vianellos Stimme weckte ihn aus seinen Gedanken. »Ergibt das für Sie irgendeinen Sinn, Commissario?«

»Meinen Sie jetzt den Mord? Oder Scarpa?«

»Den Mord. Scarpa ist doch leicht zu durchschauen.«

Brunetti wünschte, es wäre so. »Der Mörder hat die alte Battestini gehaßt oder wollte zumindest den Anschein erwecken. Was auf eins hinausläuft.« Und auf Vianellos fragenden Blick hin ergänzte er: »Ich will damit sagen, der Täter verfügt über ein ungewöhnliches Gewaltpotential, unabhängig davon, ob er im Affekt getötet hat oder vorsätzlich. Ich habe zwar den Leichnam nicht gesehen, dafür aber die Fotos.« Die Vorwürfe, die er sich machte, weil er seinen Urlaub nicht abgebrochen hatte, sobald der Mord in der Zeitung stand, erwähnte er nicht. Für Reue war es jetzt zu spät. Aber die Berichterstattung hätte ihn mißtrauisch machen müssen und mehr noch die Antworten, die man ihm gab, als er in der Questura anrief, um sich nach dem Fall zu erkundigen, und erfuhr, daß der bereits gelöst sei. Sie waren zu viert an der irischen Küste gewesen, wo Raffi und Chiara eine Hälfte der Zeit mit Segeln und dem Erkunden der Gezeitenpools verbracht und die andere dem Essen gewidmet hatten, während er und Paola zum wiederholten Male in das Werk von Gibbon beziehungsweise Charles Palliser eintauchten. Und in dieser Idylle hatte er einfach nicht den Mut aufgebracht, eine vorzeitige Rückkehr nach Venedig vorzuschlagen.

Während er wartete, daß der Commissario seinen Faden wieder aufnahm, verzehrte Vianello sein zweites Sandwich, trank aus und hielt dem Barmann hinter der Theke die leere Flasche hin.

»Unsere Frauen«, begann Brunetti, »würden das beide als sexistisches Vorurteil abtun, aber ich bin trotzdem überzeugt, daß diesen Mord keine Frau begangen hat.« Vianello nickte zum Zeichen, daß er so ein schlichtes sexistisches Vorurteil mittrage, und Brunetti fuhr fort: »Also suchen wir nach einem Mann, der Grund hatte, die Battestini zu töten. Und der sich entweder Zugang zu ihrer Wohnung verschaffen konnte oder dem sie so vertraute, daß sie ihn selbst hereinließ.« Der Barmann brachte eine neue Flasche Wasser, und Brunetti füllte beide Gläser, ehe er weitersprach: »Bisher haben wir nur ein Indiz, das nicht ins Bild paßt, nämlich diese vier ominösen Konten. Die Zahlungen wurden mit dem Tod der Alten eingestellt, und ihre Anwältin hat sie mir gegenüber verschwiegen. Ob die Nichte etwas darüber wußte und wenn ja, wieviel, müssen wir erst noch herausfinden.« Er goß sich etwas Wein ein, rührte das Glas jedoch nicht an. »Allerdings mache ich mir wenig Hoffnung, daß die Marieschi uns helfen wird, schon gar nicht, wenn sie selber mit drinsteckt«, schloß er resigniert.

»Könnte sie das Geld kassiert haben?« fragte Vianello.

»Ja, sicher.«

Brunetti hatte ihm von Poppi erzählt, und so kam es nicht von ungefähr, daß Vianello sagte: »Ich weiß, es klingt komisch, aber jemanden, der so rührend an seinem Hund hängt, kann ich mir kaum als Betrüger vorstellen.« Er nippte an seinem Wein, hob dem Barmann den leeren Sandwichteller entgegen und sagte, als er ihn wieder abgestellt hatte: »Obwohl, von den Leuten, die wir verhaften, haben die meisten Kinder, und wir kämen trotzdem nicht auf die Idee, ihnen deshalb kein Verbrechen zuzutrauen.«

Als Brunetti nichts darauf erwiderte, kehrte Vianello zum eigentlichen Thema zurück und sagte: »Genausogut wie die Anwältin könnte auch die Nichte das Geld außer Landes geschafft haben.«

Eingedenk seiner Erfahrungen mit den gehobenen Ständen ergänzte Brunetti: »Oder einer von den Bankern hat es sich, sobald er vom Tod der Alten erfuhr, unter den Nagel gerissen.«

»Gut möglich.«

Die zweite Runde Sandwiches kam, aber Brunetti schaffte nur noch ein halbes und legte den Rest auf den Teller zurück.

Ohne Signorina Elettra beim Namen zu nennen, denn Vianello wußte auch so, wer gemeint war, fragte Brunetti: »Glauben Sie, sie kann herausbekommen, wer das Geld ins Ausland transferiert hat?«

Vianello trank seinen Wein aus, machte jedoch keine Anstalten, sich nachzuschenken. Nach reiflicher Überlegung antwortete er: »Falls es im Datenspeicher der Banken irgendwo einen Vermerk gibt, dann findet sie ihn.«

»Eigentlich erschreckend, oder?« fragte Brunetti.

»Für einen Banker schon, ja«, pflichtete Vianello ihm bei.

Auf dem Rückweg zur Questura litten sie gleichermaßen unter den stetig steigenden Temperaturen und dem Verdruß über den unzulänglichen Ersatz für ein gutes Mittagessen. Signorina Elettra dagegen sah aus, als hätte sie die Mittagspause in angenehm klimatisierten Räumen verbracht und sich nebenbei ihr Kleid aufbügeln lassen. Um so verwunderlicher war die ungewohnt finstere Miene, mit der sie die beiden Männer begrüßte.

Vianello, der ein feines Gespür für ihre Stimmungsschwankungen hatte, fragte besorgt: »Die Transfers?«

»Ich komme einfach nicht weiter«, bestätigte sie unwirsch.

Vor Brunettis innerem Auge tauchte plötzlich, er wußte selbst nicht wie, die Anwältin auf: eine hochgewachsene Gestalt, sportlich, fester Händedruck. Doch als er sich vorzustellen versuchte, wie sie mit weit ausholender Bewegung über die alte Frau herfiel, blendete seine Phantasie unversehens die Rebusrätsel dazwischen, bei denen er Chiara früher oft geholfen hatte: »Was gehört nicht auf dieses Bild?« Er hatte gesehen, wie Avvocatessa Marieschis Hände Poppis Ohren liebkosten. Der Commissario schalt sich einen sentimentalen Narren und lenkte seine Gedanken zurück in die Gegenwart, wo Signorina Elettra gerade dabei war, ihre Ausführungen abzuschließen.

»… kommen also beide in Frage«, erklärte sie und wies auf den Bildschirm ihres Computers.

»Wie war das?« stotterte Brunetti.

»Die Auslandstransfers, Commissario«, wiederholte sie. »Beide wären dazu in der Lage gewesen.«

»Die Anwältin und die Nichte?«

Sie nickte. »Alles, was man dazu braucht, sind Kontonummer, Vollmacht und Codeziffer: Der Transfer wird dann automatisch abgewickelt. Man muß lediglich das entsprechende Formular ausfüllen und am Schalter abgeben.« Er wollte eben fragen, ob es möglich sei, die Unterschrift auf einem solchen Formular zu überprüfen, doch sie kam ihm zuvor: »Aber ohne Gerichtsbeschluß würde die Bank uns die Unterlagen niemals überlassen.«

Brunetti ahnte bereits, wo diese Spur zwangsläufig enden würde. »Und die Banken auf Jersey und Guernsey?« fragte er.

Sie schüttelte den Kopf. »Ich habe es schon über alle möglichen Kanäle versucht, aber deren System ist absolut wasserdicht«, sagte sie grollend, doch mit unverkennbarem Respekt.

Brunetti war fast versucht, sich zu erkundigen, ob sie ihr Geld auch auf den Kanalinseln in Sicherheit gebracht habe, aber er bezwang sich und fragte statt dessen: »Wüßten Sie denn eine andere Möglichkeit, den Transfer zurückzuverfolgen?«

»Nicht ohne richterlichen Beschluß«, wiederholte sie. Alle drei wußten, wie die Chancen dafür standen.

»Und haben Sie etwas über die Nichte herausgefunden?« wollte Brunetti wissen.

»Ja, aber leider nur sehr wenig. Geburtsurkunde, Schulzeugnisse, Krankenakte, Steuerbescheide. Das Übliche eben.« Sie sagte das ganz ohne Ironie: Derlei persönliche

Informationen über einen Menschen zu beschaffen war für sie so leicht wie für andere die Benutzung eines Telefonbuchs.

»Und?« hakte Brunetti nach.

»Und sie ist offenbar genauso ein unbeschriebenes Blatt wie ihre Tante«, antwortete Signorina Elettra seufzend.

»Wissen Sie, wo sie arbeitet?«

»Bei Romolo in der Bäckerei«, sagte Signorina Elettra.

Brunetti nickte. Er kannte die *pasticceria* am anderen Ende der Stadt, die so konkurrenzlos frisches Gebäck anbot, daß er selber manchmal am Sonntagmorgen dort einkaufte.

Ehe er sich in angenehmen Erinnerungen an knusprige Backwaren verlieren konnte, wurde die Tür aufgerissen, und Alvise stürzte herein. Um ein Haar hätte er Vianello umgerannt, doch es gelang ihm gerade noch abzubremsen, indem er sich schwer atmend mit einer Hand am Türrahmen festkrallte. »Commissario«, keuchte er, an Brunetti gewandt. »Eben kam ein Anruf für Sie. Von einer Frau!«

»Ja, und weiter?« fragte Brunetti erschrocken. Noch nie hatte er den stoischen Polizisten so aufgelöst gesehen.

»Sie hat gesagt, Sie müssen sofort kommen.«

»Wer? Und wohin, Alvise?« fragte Brunetti.

Alvise mußte erst Luft holen, bevor er antworten konnte. »Wohin hat sie nicht gesagt, Commissario. Aber Sie sollen gleich kommen.«

»Warum?«

»Weil … also die Frau sagt, sie haben Poppi umgebracht.«

17

Der Name elektrisierte Brunetti. Mit mühsam erzwungener Ruhe erkundigte er sich: »Hat sie gesagt, von wo sie anruft?«

»Ich weiß nicht mehr«, stammelte Alvise verwirrt. Wie konnte der Commissario sich für solche Kleinigkeiten interessieren, wenn es doch hier um Mord ging?

»Was genau hat sie gesagt, Alvise?« forschte Brunetti eindringlich.

Der Polizist reagierte instinktiv auf den scharfen Ton seines Vorgesetzten, ließ den Türrahmen fahren und nahm Haltung an. Man konnte ihm die Anstrengung vom Gesicht ablesen, mit der er sich das Telefonat ins Gedächtnis rief. »Als Sie sich nicht meldeten, wurde der Anruf an die Zentrale weitergeleitet, Commissario, und weil Russo dachte, Sie wären vielleicht bei Vianello, hat er zu uns durchgestellt, und ich habe das Gespräch entgegengenommen.«

Wieder einmal juckte es Brunetti in den Fingern, aber er sagte nur: »Ja, und weiter?«

»Eine Frau war dran, und ich glaube, sie hat geweint, Commissario. Sie fragte immer wieder nach Ihnen, und als sie endlich begriffen hatte, daß Sie nicht da waren, sagte sie, ich solle Ihnen ausrichten, Sie möchten sofort kommen, weil *die* Poppi getötet hätten.«

»Hat sie sonst noch was gesagt, Alvise?« fragte Brunetti mit eiserner Ruhe.

Als müsse er sich auf eine Unterredung besinnen, die

Wochen zurücklag, schloß Alvise einen Moment die Augen und heftete dann den Blick starr auf den Fußboden. »Nur, daß sie gerade reingekommen sei und sie gefunden habe. Poppi, nehme ich an.«

»Hat sie Ihnen eine Adresse genannt, Alvise?« wiederholte Brunetti streng.

»Nein, Commissario«, beteuerte der Sergente. »Sie hat nur gesagt, daß sie auswärts essen war, aber jetzt dableibt und auf Sie wartet.«

Brunetti lockerte die zu Fäusten geballten Hände und sagte: »Gut, Sie können dann gehen, Sergente.« Noch in Alvises geräuschvollen Abgang hinein wies er Vianello und Signorina Elettra an: »Suchen Sie mir die Privatadresse von Avvocatessa Marieschi heraus. Vianello, Sie sehen dort nach. Ich übernehme die Kanzlei.«

»Und wenn ich sie zu Hause antreffe, Commissario?«

»Finden Sie heraus, wer ›die‹ sind, und warum die Marieschi glaubt, daß sie ihren Hund getötet haben.«

Damit machte Brunetti kehrt und hatte das Büro verlassen, noch bevor Signorina Elettra nach dem Telefonbuch greifen konnte. Er vergewisserte sich rasch, daß er sein *telefonino* dabeihatte, und hastete im Laufschritt die Treppe hinunter und aus der Questura. Am Pier lag eine freie Barkasse, doch da er zu ungeduldig war, um noch einmal hineinzugehen und nach dem Bootsführer zu suchen, machte er sich kurzerhand zu Fuß auf den Weg nach Castello.

Er war kaum bis ans Ende der Salizada San Lorenzo gekommen, da klebten ihm schon Hemd und Jackett am Rükken, und sein Kragen war schweißgetränkt. Als er dann noch aus dem Schatten der *calli* heraustreten mußte auf die

Riva degli Schiavoni, brannte die sengende Nachmittagssonne so unbarmherzig auf ihn nieder, daß auch die leichte
Brise von der Lagune her nicht die erhoffte Linderung
brachte, sondern ihm nur einen jähen Schauder über den
verschwitzten Körper jagte.

Eilig überquerte er die Brücke und bog in die Via Garibaldi ein. Die Anwohner hatten sich vor der Hitze in ihre
Häuser geflüchtet; sogar die Plätze unter den Sonnenschir-
men der Bars am Straßenrand waren verwaist, da die Leute
offenbar lieber abwarteten, bis die Sonne so weit nach Westen gewandert war, daß wenigstens eine Straßenseite im
Schatten lag.

Die Haustür stand offen, und er gelangte ungehindert
die Treppe zur Kanzlei hinauf. Vor dem Eingang traf er auf
eine schleimig gelbe Lache, die aussah wie Erbrochenes.
Von banger Vorahnung getrieben, stieg er darüber hinweg
und rief, während er mit der Faust gegen die Tür hämmerte:
»Signora, ich bin's, Brunetti.« Als sich nichts rührte, drückte er probeweise auf die Klinke. Die Tür gab nach, und er
trat ein. »Signora?« rief er wieder. »Ich bin da. Commissario Brunetti.« Ein leicht säuerlicher Geruch stieg ihm in die
Nase, und er entdeckte auch hier Spuren der gelben Flüs-
sigkeit: etliche Spritzer an der Wand links vom Schreibtisch
der Sekretärin sowie eine größere Pfütze am Boden.

Ihm war, als höre er ein schwaches Geräusch hinter der
Tür zu Avvocatessa Marieschis Büro. Ohne einen Gedanken an seine Pistole zu verschwenden, die sowieso in seinem Schreibtisch eingeschlossen war, durchmaß Brunetti
das Sekretariat und riß die Tür auf.

Die Anwältin hinter ihrem Schreibtisch zuckte zusammen und hielt sich die Hand vor den Mund, wie um einen Schreckensschrei zu ersticken. Dann aber schien sie den Eindringling zu erkennen, jedenfalls schwand die Furcht aus ihrem Blick. Trotzdem preßte sie sich weiter die Hand an die Lippen.

Brunetti blickte sich schweigend um. Und sah den Hund, der links vom Schreibtisch am Boden lag, umgeben von dem gleichen stinkenden gelben Geifer. Die Zunge hing ihm unvorstellbar weit aus dem Maul, ein dicker weißlicher Schaum bedeckte Lefzen und Zunge, und ein gebrochenes Auge starrte wie anklagend oder auch flehentlich zu Poppis Herrin empor.

Das jähe Frösteln, das den Commissario überlief, kam nicht nur von der Klimaanlage; viel mehr graute ihm vor dem, was er jetzt zu tun hatte. Als man ihm damals in der Ausbildung beigebracht hatte, einen Zeugen immer im Moment größter Schwäche zu packen, war das eine einleuchtende Regel gewesen; hart wurde es erst, wenn man sie anwenden mußte.

Er trat näher und zögerte kurz, bevor er der Frau, die wie versteinert dasaß, die Hand entgegenstreckte. »Sie kommen jetzt besser mit mir, Signora«, sagte er mit beschwichtigender Stimme, aber ohne sie weiter zu bedrängen.

Die Hand immer noch vor den Mund gepreßt, wehrte sie kopfschüttelnd ab.

»Sie können nichts mehr für Ihre Poppi tun«, sagte er, und die Trauer über das qualvolle Ende eines so schönen Geschöpfes schwang in seiner Stimme mit. »Kommen Sie, lassen Sie uns ins Vorzimmer gehen. Ich bin sicher, das wäre besser für Sie.«

Sie schluchzte mit abgewandtem Blick: »Ich will sie nicht allein lassen.«

»Schon gut, Signora«, beschwichtigte er. Und obwohl er nicht die leiseste Ahnung hatte, was er damit sagen wollte, wiederholte er noch einmal: »Kommen Sie, es wird schon alles gut.«

Da nahm sie die Hand vom Mund, ließ sie flach auf die Tischplatte sinken, legte die andere daneben und stemmte sich daran hoch wie eine alte Frau. Ohne das tote Tier anzusehen, kam sie um den Schreibtisch herum auf Brunetti zu. Als sie vor ihm stand, faßte er ihren Arm und führte sie hinaus, nicht ohne sorgsam die Tür hinter sich zu schließen.

Im Vorzimmer zog er den Stuhl der Sekretärin hinter ihrem Schreibtisch hervor, stellte ihn so hin, daß die gelbe Lache am Boden verdeckt war, und ließ die Anwältin Platz nehmen. Er selbst setzte sich ihr mit gut einem Meter Abstand gegenüber.

»Können Sie mir jetzt sagen, was passiert ist, Signora?« fragte er. Und als sie stumm blieb: »Kommen Sie, versuchen Sie's.«

Leise, fast geräuschlos begann Signora Marieschi zu weinen; eigentlich erkannte man es nur an ihren verzerrten Lippen und an den Tränen, die ihr aus den Augen quollen. Als sie endlich sprach, klang ihre Stimme erstaunlich gefaßt, so als schildere sie ein Unglück, das sich anderswo zugetragen habe und von dem sie nicht betroffen sei. »Sie war erst zwei Jahre alt. Fast noch ein Baby. Und sie hatte jeden gern.«

Brunetti nickte. »Ich glaube, das liegt an der Rasse«, sagte er, »diese große Zutraulichkeit.«

»Ja, genau, sie hat allen Menschen vertraut. Jeder hätte es ihr geben können.«

»Sie sprechen von Gift?« fragte Brunetti.

Sie nickte. Und bevor er weiter in sie dringen konnte, fuhr sie fort: »Hinterm Haus ist ein Garten, dort ist sie den ganzen Tag, auch während ich zum Essen gehe. Jeder weiß das.«

»Jeder in der Nachbarschaft oder auch Ihre Klienten?«

Sie überhörte die Frage und erzählte weiter: »Als ich von der Mittagspause zurückkam, wollte ich sie reinholen. Aber ich sah gleich, was passiert war. Sie hatte… Überall auf dem Rasen waren Spuren von Erbrochenem, und sie konnte nicht mehr laufen. Ich mußte sie ins Haus tragen.« Sie blickte sich um, sah den Fleck an der Wand, aber weder den auf ihrem Rock noch die Spritzer auf ihrem linken Schuh. »Ich habe ihr hier notdürftig ein Lager zurechtgemacht, doch dann mußte sie sich wieder übergeben, und ich habe sie mit reingenommen in mein Büro und zwischendurch immer wieder vergeblich versucht, den Tierarzt zu erreichen. Sie hat immerzu gewürgt und gespuckt. Und auf einmal war sie tot.« Eine Weile herrschte Schweigen, bis Signora Marieschi sagte: »Dann habe ich Sie angerufen. Aber Sie waren auch nicht da.« Es klang, als wolle sie ihn mit dem gleichen sinnlosen Vorwurf belegen wie den Tierarzt.

Brunetti ging nicht darauf ein. Statt dessen beugte er sich ein wenig zu ihr hinüber und sagte: »Der Beamte, der mir Ihre Nachricht überbrachte, sagte, Sie hätten von Mord gesprochen. Können Sie mir sagen, wen Sie in Verdacht haben, Signora?«

Sie schob die gefalteten Hände zwischen die Knie und

sackte so weit in sich zusammen, daß er nur noch ihren Scheitel und die Schultern sah.

Beide verharrten lange in der gleichen Stellung.

Als sie endlich das Wort ergriff, war ihre Stimme so leise, daß er sich noch weiter vorbeugen mußte, um zu verstehen, was sie sagte. »Ihre Nichte«, flüsterte sie. »Graziella.«

Brunetti verlieh seiner mitfühlenden Stimme etwas mehr Sachlichkeit und fragte: »Warum sollte sie so etwas tun?«

Sie zuckte so heftig mit den Schultern, daß Brunetti unwillkürlich zurückfuhr. Nachdem er vergeblich auf eine Erklärung gewartet hatte, fragte er: »Hängt es vielleicht mit der Erbschaft zusammen, Signora?« Daß er über die Sonderkonten Bescheid wußte, behielt er vorerst für sich.

»Mag sein«, antwortete die Anwältin, und sein geschultes Ohr hörte heraus, daß sie schon wieder auf Ausflüchte sann. Offenbar ließ der Schock allmählich nach.

»Was wirft sie Ihnen denn vor, Dottoressa?« fragte er.

Er war darauf gefaßt, daß sie sich abermals hinter einem Achselzucken verschanzen könnte, aber daß sie ihm dreist ins Gesicht lügen würde, damit hatte er nicht gerechnet. »Ich weiß es nicht«, behauptete sie.

Brunetti wußte, daß dies der alles entscheidende Moment war. Wenn er ihr diese Lüge durchgehen ließ, würde sie ihm nie die Wahrheit sagen, ganz gleich, wie lange oder wie oft er sie ins Kreuzverhör nehmen mochte. Scheinbar beiläufig, wie ein guter alter Freund, den man zu einem vertraulichen Kamingespräch gebeten hat, begann er im Plauderton: »Es wäre uns ein leichtes zu beweisen, daß Sie das Geld der Signora Battestini außer Landes geschafft haben, Avvocatessa. Und selbst wenn es dank Ihrer Vollmacht zu keiner Verurteilung käme – Ihr Ruf als Anwältin wäre ruiniert.« Und wie eine freundschaftliche Warnung vor weiteren Konsequenzen setzte er hinzu: »Wahrscheinlich würde sich auch die Finanza bei Ihnen melden und Auskunft über den Verbleib des Geldes fordern.«

Er hatte sie völlig überrumpelt. All ihre juristischen Finessen waren wie weggeblasen, und sie stammelte entgeistert: »Wie haben Sie das rausgekriegt?«

»Es genügt, daß wir Bescheid wissen«, sagte er in so verändertem Ton, daß sie sich unwillkürlich aufrichtete, ja sogar ein wenig von ihm abrückte. Brunetti sah, wie sie, seinem Beispiel folgend, ihre Gefühle zurückdrängte und sich verhärtete.

»Ich finde, es ist an der Zeit, die Karten aufzudecken.« Sie wollte etwas einwenden, doch er kam ihr zuvor. »Mich interessiert weder das Geld, noch was Sie damit gemacht haben. Ich will nur wissen, woher es stammt.« Wieder machte sie Anstalten, etwas zu sagen, doch er wußte, daß sie ihn weiter belügen würde, solange er ihr nicht gebührend angst machte. »Falls mich Ihre Antwort nicht zufriedenstellt, werde ich den ganzen Vorgang an die Staatsanwaltschaft weiterleiten: Konten, Vollmacht sowie Daten und Zielort der Auslandstransfers.«

»Wie haben Sie das alles herausgefunden?« fragte sie mit einer Stimme, die ihm gänzlich fremd war.

»Ich sagte bereits, das tut nichts zur Sache. Mein Interesse gilt einzig und allein der Herkunft des Geldes.«

»Sie hat meinen Hund umgebracht!« fauchte die Marieschi wutentbrannt.

Jetzt verlor Brunetti die Geduld. »Dann sollten Sie lieber beten, daß sie nicht auch ihre Tante ermordet hat, denn andernfalls wären Sie vermutlich die nächste auf ihrer Liste.«

Ihre Augen weiteten sich, als sie begriff, was er damit sagen wollte. Aber dann schüttelte sie mehrmals den Kopf, wie um seine Worte auszulöschen. »Nein, das kann sie nicht getan haben«, sagte sie. »Niemals.«

»Und warum nicht?«

»Ich kenne sie. Dazu wäre sie nicht fähig.« Die Bestimmtheit, mit der sie das sagte, duldete keinen Widerspruch.

»Und Poppi? Hat sie die etwa nicht getötet?« Brunetti hatte keine Ahnung, ob es wirklich so war, doch sie glaubte es, und darauf kam es an.

»Ja, aber sie haßt Hunde, Tiere überhaupt.«

»Wie gut kennen Sie die Frau?«

»Gut genug, um das zu wissen.«

»Das ist aber keine Garantie dafür, daß sie ihre Tante nicht umbringen würde.«

Seine Taktik hatte Erfolg; sie ließ sich von seiner hartnäckigen Skepsis provozieren. »Wenn Graziella es gewesen wäre, dann hätte sie das Geld schon vorher genommen. Spätestens am Tag danach.«

In der Annahme, daß Signora Marieschi von der Vollmacht der Nichte wußte, ja sie vielleicht sogar selbst aufgesetzt hatte, fragte er: »Aber Sie sind ihr zuvorgekommen?«

Die Beleidigung prallte scheinbar wirkungslos an ihr ab, und sie antwortete nur mit einem gleichmütigen »Ja«.

»Damit kämen auch Sie als Mörderin in Frage«, stellte

Brunetti fest, der das zwar für unwahrscheinlich hielt, aber auf ihre Reaktion gespannt war.

»Für das bißchen Geld würde ich niemanden umbringen«, sagte sie so kühl, daß es Brunetti die Sprache verschlug.

Als er sich wieder gefaßt hatte, kam er noch einmal auf seine ursprüngliche Frage zurück. »Woher stammte das Geld?« Und als sie auch diesmal die Antwort verweigerte, fuhr er fort: »Sie waren ihre Anwältin, der sie vertraute, die ihre Vollmacht hatte. Sie müssen also etwas gewußt haben.« Als sie beharrlich weiter schwieg, sagte er: »Wer immer Signora Battestini getötet hat, genoß ihr Vertrauen und hatte Zutritt zu ihrer Wohnung. Es ist anzunehmen, daß der Mörder von dem Geld wußte, ja vielleicht stammte es sogar von ihm.« Er konnte sehen, wie es hinter ihrer Stirn arbeitete und wie sie, angeregt durch seine Worte, verschiedene Möglichkeiten durchspielte. Ohne die schlimmste davon direkt anzusprechen, sagte er: »Es wäre auch und vor allem in Ihrem Interesse, daß wir den Täter finden, Avvocatessa.«

Mit gepreßter Stimme fragte sie: »Könnte derjenige auch sie getötet haben?« Und als er nicht antwortete, setzte sie hinzu: »Ich meine, Poppi.«

Er nickte, obwohl er in Wahrheit überzeugt war, daß der Mann, der den brutalen Mord an Signora Battestini begangen hatte, sich nicht damit aufhalten würde, zur Warnung seines nächsten Opfers erst einmal einen Hund zu töten.

Als ihr bewußt wurde, in welcher Gefahr sie schwebte, brach Roberta Marieschis Widerstand jäh in sich zusammen. »Ich weiß nicht, von wem das Geld kam«, beteuerte sie. »Ehrlich nicht. Sie hat es mir nie gesagt.«

Brunetti wartete fast eine volle Minute, aber als sie stumm blieb, fragte er: »Was hat sie Ihnen denn erzählt?«

»Gar nichts. Nur, daß die Einzahlungen monatlich erfolgten.«

»Wissen Sie wenigstens, wozu sie das Geld brauchte oder wie sie es anlegen wollte?«

Die Anwältin schüttelte den Kopf. »Nein, ich wußte bloß, daß es regelmäßig auf die betreffenden Konten eingezahlt wurde.« Sie überlegte einen Moment, und als sie weitersprach, verriet ihr Tonfall, daß auch sie sich oft über das Verhalten der Alten gewundert hatte: »Ich glaube, ihr lag gar nichts daran, das Geld auszugeben oder sich etwas dafür zu gönnen. Sie wollte es einfach horten und wissen, daß es da war.« Ihr Blick schweifte unstet durch den Raum, wie auf der Suche nach einem Anhaltspunkt, einer Erklärung. »Mir hat sie erst vor drei Jahren davon erzählt, als sie anfing, sich Gedanken über ein Testament zu machen.«

»Und was hat sie da gesagt?« fragte er noch einmal.

»Nur, daß es diese Konten gab.«

»Hat sie Ihnen mitgeteilt, wem sie das Geld vermachen wollte?«

Die Anwältin stellte sich ahnungslos, und Brunetti wiederholte: »Hat sie Ihnen gesagt, wer als Erbe vorgesehen war? Wenn Sie ihr Testament aufgesetzt haben, dann werden Sie doch auch wissen, was mit diesen Konten geschehen sollte.«

»Nein«, behauptete die Marieschi – und das war ganz klar eine Lüge.

»Warum hat sie Ihnen Vollmacht erteilt?« fragte er.

Sie nahm sich lange Zeit mit der Antwort, wohl um ihm einen glaubhaften Grund zu präsentieren. »Sie wollte, daß ich bestimmte Dinge für sie regle.« Eine vage Auskunft, doch sie schien nicht gewillt, mehr preiszugeben.

»Zum Beispiel?« hakte er nach.

»Ich habe die Frauen engagiert, die ihr den Haushalt besorgten, und sie entlohnt. Wir dachten, es wäre eine Erleichterung, wenn ich sie nicht ständig bitten müßte, irgendwelche Schecks zu unterschreiben. Zu der Zeit war sie schon stark gehbehindert und konnte nicht mehr selber auf die Bank.« Signora Marieschi hielt inne, um seine Reaktion abzuschätzen, und als er schwieg, ergänzte sie noch einmal: »Die Vollmacht vereinfachte und erleichterte vieles.«

Sie mußte ihn für sehr dumm halten, wenn sie dachte, sie könne ihm weismachen, eine Frau wie Signora Battestini würde einer Anwältin so ohne weiteres ihr ganzes Geld anvertrauen. Brunetti hätte zu gern gewußt, wie die Marieschi der Signora die Vollmacht abgeluchst hatte oder was die Alte statt dessen zu unterzeichnen glaubte. Wer mochte die Unterschrift bezeugt haben? Allein, ihn interessierte tatsächlich nicht, wohin das Geld geflossen war, sondern nur, woher es stammte. »Dann haben Sie also von diesen Konten die Haushaltshilfen der Signora bezahlt?«

»Ja. Strom- und Wasserrechnungen sowie alle anderen laufenden Kosten wurden bei ihrer Hausbank abgebucht.«

»Es waren lauter Illegale, stimmt's?« fragte er unvermittelt.

Wieder stellte sie sich ahnungslos: »Ich weiß nicht, was Sie meinen, Commissario.«

»Aber ich bitte Sie, Avvocatessa: eine Anwältin, die in diesem Land praktiziert und noch nie etwas von Schwarzarbeit gehört haben will?«

Da vergaß sie sich vollends und rief aufgebracht: »Sie können nicht beweisen, daß ich davon gewußt habe.«

Die Gelassenheit, mit der er darüber hinwegging, war perfekt einstudiert. »Ich glaube, es ist an der Zeit, daß ich Ihnen ein paar Dinge erkläre. Solange ich in einem Mordfall ermittle, interessiert es mich zunächst einmal überhaupt nicht, ob Sie mit Schwarzarbeitern oder gefälschten Pässen Geschäfte machen. Aber wenn Sie mich weiter belügen oder ständig mit Halbwahrheiten abspeisen, dann sorge ich dafür, daß schon morgen ein vollständiger Bericht über Ihre illegalen Machenschaften an die Einwanderungspolizei geht – einschließlich der Adressen der beiden Frauen in Triest und Mailand, die Florinda Ghiorghius Papiere mitbenutzen. Und die Guardia di Finanza werde ich darüber informieren, was Sie mit Signora Battestinis Konten gemacht haben.«

Sie wollte protestieren, doch er gebot ihr mit erhobener Hand Einhalt. »Des weiteren werde ich, sollten Sie mich noch einmal hintergehen, gleich heute ein Protokoll über das Ableben Ihres Hundes anfertigen, mit dem Vermerk, daß Sie Signora Battestinis Nichte des Mordes an Poppi beschuldigt haben. Und sobald ich das weiterleite, wird die Staatsanwaltschaft Signorina Simionato nach möglichen Motiven für ihre Tat befragen.«

Sie schaute ihn nicht an, doch er spürte, daß sie jedes Wort aufnahm. »Ist das klar?«

»Ja.«

»Gut, dann wiederholen Sie mir jetzt genau, was die Signora jemals über diese Konten verlauten ließ. Ferner alles, was Ihnen in den Jahren, da Sie darüber Bescheid wußten, zur möglichen Herkunft des Geldes eingefallen ist, gleichgültig ob es Ihnen aus heutiger Warte glaubhaft scheint oder nicht.« Er hielt kurz inne und fragte dann: »Haben Sie mich verstanden?«

Ihr »Ja« kam ohne Zögern, und sie bekräftigte es mit einem tiefen Seufzer. Doch Brunetti sagte sich, daß er bei einer so gewandten Lügnerin trotzdem auf der Hut sein mußte. Sie ließ ein paar Minuten verstreichen, ehe sie begann: »Ja, die Signora hat mir von den Konten erzählt, als sie ihr Testament machte, aber woher das Geld stammt, habe ich nie erfahren. Das ist die Wahrheit. Nur einmal, vor etwa einem Jahr, ist indirekt etwas angeklungen, als sie von ihrem Sohn sprach und ihn lobte, weil er ein so guter Junge gewesen sei und für ihr Alter vorgesorgt habe. Er und die Madonna würden auf sie aufpassen und sie beschützen.« Brunetti, der sie beim Sprechen beobachtete, fragte sich, ob sie die Wahrheit sagte und ob er es merken würde, wenn sie ihn belog.

»Damals fing sie an, sich ständig zu wiederholen«, fuhr die Anwältin fort, »wie das so ist im Alter, und ich hörte ihr meist nur noch mit halbem Ohr zu.«

»Was war der Anlaß für diesen Besuch vor einem Jahr?« fragte Brunetti. »Sie sagten doch, das Testament sei schon vor drei Jahren entstanden.«

»Diesmal ging es um den Fernseher. Ich habe ihr zugeredet, ihn leiser zu stellen oder besser noch ganz auszumachen, bevor sie ins Bett ging. Das einzige Druckmittel, das mir einfiel, war die Polizei. Ich hatte ihr schon früher eingeredet, daß man den Apparat konfiszieren würde, wenn die Nachbarn sich weiter beschwerten. Aber sie war furchtbar vergeßlich geworden, oder aber sie behielt nur die Dinge, an die sie sich erinnern wollte.«

»Verstehe«, sagte er.

»Ja, und bei der Gelegenheit schwärmte sie mir wieder einmal vor, was ihr Sohn für ein guter Junge war. Sein Leben lang sei er bei ihr geblieben und habe sie noch über den Tod hinaus gut versorgt, unter dem Schutz der Madonna zurückgelassen. Damals dachte ich mir nichts dabei – ich habe immer abgeschaltet, wenn sie in die Vergangenheit abschweifte –, aber später kam mir der Gedanke, daß es vielleicht ihr Sohn war, der das Geld beschafft und auf welche Weise auch immer dafür gesorgt hatte, daß die Konten regelmäßig bestückt wurden.«

»Haben Sie mit der Signora darüber gesprochen?«

»Nein, ich sagte Ihnen doch, es ist mir erst im nachhinein eingefallen. Außerdem hatte ich da schon gelernt, daß es nicht ratsam war, sie direkt auf diese Konten anzusprechen.«

Es waren noch immer Fragen offen: Wann hatte sie den Plan gefaßt, das Geld zu stehlen; wieso fürchtete sie nicht, daß die Nichte sie anzeigen könnte? Aber für den Augenblick wollte er sich mit den wichtigsten Informationen begnügen. Er war sicher, daß seine Einschüchterungsmethode, auf die er nicht stolz war, für die er sich aber auch nicht schämte, gewirkt und sie ihm die Wahrheit gesagt hatte.

Brunetti erhob sich. »Falls ich weitere Auskünfte brauche, werde ich mich bei Ihnen melden«, sagte er. »Und wenn

Ihnen noch etwas einfällt, rufen Sie mich an.« Er kramte eine Visitenkarte hervor, schrieb seine Privatnummer auf die Rückseite und gab sie ihr.

Er war schon fast am Ausgang, als sie ihn zurückrief: »Was mache ich, wenn es nicht Graziella war?«

Brunetti war ziemlich sicher, daß die Nichte Poppi auf dem Gewissen hatte und Signora Marieschi für sich nichts zu fürchten brauchte. Doch eingedenk ihrer hochfahrenden Bemerkung, sie würde für eine so bescheidene Beute niemanden umbringen, sah er keinen Grund, sie von ihren Ängsten zu erlösen. »Versuchen Sie nach Möglichkeit, sich nie allein im Büro oder in Ihrer Wohnung aufzuhalten. Sobald Ihnen etwas verdächtig erscheint, rufen Sie mich an«, sagte er gewichtig und verließ die Kanzlei.

18

Kaum daß er auf der Straße stand, rief der Commissario Vianello auf seinem *telefonino* an. Da er in Signora Marieschis Privatwohnung niemanden angetroffen hatte, war der Inspektor bereits wieder in der Questura. Brunetti informierte ihn in kurzen Zügen über das, was in der Kanzlei vorgefallen war, und sie verabredeten sich bei Romolo, wo endlich eine erste Aussprache mit Signora Battestinis Nichte stattfinden sollte.

»Sie trauen es ihr also zu?« fragte Vianello, und als Brunetti nicht gleich antwortete, ergänzte er: »Ich meine, daß sie den Hund vergiftet hat.«

»Ich denke, schon.«

»Gut, dann treffen wir uns dort«, beendete Vianello das Gespräch.

Um Zeit zu sparen, stieg Brunetti beim Arsenale in die 82 und fuhr bis zur Accademia. Ohne einen Blick für die spärlich bekleideten Touristen, die vor dem Museum Schlange standen, überquerte er den *campo* und wandte sich, nachdem er an der Galerie vorbei war, die er bei sich immer nur den Kunstsupermarkt nannte, Richtung San Barnaba.

In den engen Gassen setzte ihm die Hitze bald mächtig zu. Hatten solche Hundstage früher wenigstens die Touristenströme eingedämmt, so dienten sie heute offenbar dem gleichen Zweck wie die Wärme in einer Petrischale: Er konnte förmlich zusehen, wie die Fremdlinge sich vor seinen Augen vermehrten. Als Brunetti vor der *pasticceria* anlangte, stand Vianello schon auf der anderen Straßenseite vor einem Laden und betrachtete die Karnevalsmasken in der Auslage.

Sie betraten die Konditorei gemeinsam. Vianello bestellte einen Kaffee und ein Glas Mineralwasser, und Brunetti bedeutete der Bedienung mit einem Nicken, daß er das gleiche wünsche. Die Vitrine lockte mit wohlvertrauten Köstlichkeiten: Windbeutel mit Cremefüllung, Chocolate Bignè und Chiaras Lieblingsgebäck, mit Schlagsahne gefüllte Baiserschwäne. Doch bei der drückenden Hitze verlor jede Leckerei ihre verführerische Wirkung.

Während sie ihren Kaffee tranken, berichtete Brunetti ausführlicher von seinem Gespräch mit der Anwältin. Ja, der Hund sei tatsächlich vergiftet worden, bestätigte er, nannte indes keine Einzelheiten.

»Das bedeutet, diese Frau«, sagte Vianello und zeigte in die Richtung, wo er Backstube und Küchentrakt vermutete, »kannte die Marieschi gut genug, um sie an ihrer empfindlichsten Stelle zu treffen.«

»Das hätte jeder gewußt, der sie nur einmal zusammen mit dem Hund erlebt hat«, sagte Brunetti und erinnerte sich an Poppis edel geformten goldbraunen Kopf.

Vianello trank sein Wasser aus und hielt der Bedienung das Glas hin. Brunetti folgte seinem Beispiel und nickte, als die Frau mit der Flasche in seine Richtung zeigte.

Als sie näher trat und ihm einschenkte, erkundigte sich der Commissario: »Ist Signorina Simionato da?«

»Sie meinen Graziella?« fragte die Frau, und man sah ihr an, daß sie gar zu gern gewußt hätte, was diese fremden Männer herführte.

Brunetti antwortete nur mit einem einsilbigen »Ja«.

»Ich denke, schon«, versetzte sie unsicher, trat von der Theke zurück und wandte sich zu einer Tür im Hintergrund des Ladenlokals. »Aber ich sehe mal eben nach.« Doch Brunetti gebot ihr mit einer Handbewegung Einhalt. »Es wäre mir lieber, Sie sprächen nicht mit ihr, Signora, jedenfalls nicht vor uns.«

»Polizei?« fragte sie mit weitaufgerissenen Augen.

»Ja«, bestätigte Brunetti und überlegte, wozu sie einen Dienstausweis tragen mußten, wenn selbst das Personal in einer abgelegenen Konditorei sie auf den zweiten Blick erkannte.

»Ist sie da drin?« fragte er und deutete auf die offene Tür am anderen Ende der Theke.

»Ja«, antwortete die junge Frau. »Was ist…?« Doch sie brachte die Frage nicht zu Ende.

Vianello zückte sein Notizbuch und erkundigte sich: »Um welche Zeit ist sie heute gekommen, Signora?«

Die Frau starrte das Notizbuch an wie ein gefährliches kleines Tier, das gleich zuschnappen würde. Daraufhin zog Brunetti seine Brieftasche, doch statt ihr den Ausweis zu zeigen, nahm er einen Fünfeuroschein heraus und legte ihn auf die Theke. »Also, wann ist sie heute gekommen, Signora?«

»Nachmittags gegen zwei, vielleicht kurz danach.«

Für eine Bäckerin schien das eine ungewöhnliche Arbeitszeit, aber die Frau erklärte sogleich: »Wir haben nächste Woche Inspektion vom Gesundheitsamt, da gibt es noch viel zu tun, und alle arbeiten eine halbe Schicht zusätzlich.« Der Hinweis, daß es nicht Sinn und Zweck dieser Inspektionen war, sie im voraus anzukündigen, schien im Augenblick wenig angebracht, und Brunetti verzichtete darauf. Unterdessen fuhr die Frau fort: »Weil Not am Mann ist, sind unsere Bäcker auch nachmittags da, um alles vorzubereiten.«

»Verstehe«, sagte Brunetti. Und mit einem Nicken zur Tür hinüber fragte er: »Dort drinnen?«

»Ich glaube«, sagte sie plötzlich widerstrebend, »ich schicke Ihnen lieber die Inhaberin.« Ohne seine Einwilligung abzuwarten, trat sie zu der rothaarigen Frau an der Kasse und wechselte ein paar Worte mit ihr. Die andere blickte mißtrauisch in ihre Richtung, flüsterte der Bedienung dann rasch etwas zu, woraufhin die ihren Platz hinter der Kasse einnahm.

Die Rothaarige kam auf sie zu und fragte ohne jede Einleitung: »Was hat sie angestellt?«

Brunetti setzte ein, wie er hoffte, entwaffnendes Lächeln auf und servierte ihr eine faustdicke Lüge. »Soviel ich weiß, gar nichts, Signora. Aber wie Sie sicher schon gehört haben, ist ihre Tante einem Verbrechen zum Opfer gefallen, und wir hoffen, daß Signorina Simionato uns bei unseren Ermittlungen weiterhelfen kann.«

»Ich dachte, Sie haben die Schuldige längst«, versetzte die Rothaarige fast vorwurfsvoll. »Es war doch diese Albanerin, oder?« Auch während sie zu ihnen sprach, hatte sie jedesmal, wenn ein Kunde sich der Kasse näherte, ein wachsames Auge auf ihre Vertretung.

»Sieht ganz so aus«, sagte Brunetti, »aber wir brauchen noch ein paar Informationen über ihre Tante.«

»Und muß das unbedingt hier sein?« konterte sie trotzig.

»Nein, Signora. Nicht hier. Ich dachte, wir könnten hinten in der Küche mit ihr sprechen.«

»Mit hier meinte ich, während der Arbeitszeit. Ich bezahle sie nämlich fürs Arbeiten und nicht dafür, daß sie Geschichten über ihre Tante erzählt.« Obwohl man ihm immer wieder begegnete, war Brunetti jedes Mal aufs neue verblüfft, wenn er auf den fast schon legendären venezianischen Eigennutz traf. Dabei war es nicht so sehr die Habgier, die ihn erstaunte, als vielmehr die Ungeniertheit, mit der sie zur Schau getragen wurde.

Noch einmal brachte er sein Lächeln zum Einsatz. »Dafür habe ich durchaus Verständnis, Signora. Vielleicht komme ich dann lieber später wieder und postiere uniformierte Beamte am Eingang, während ich die Signorina befrage? Oder ich könnte mich beim Gesundheitsamt erkundigen, woher Sie jetzt schon wissen, daß nächste Woche eine Inspektion ansteht?« Bevor sie ein Wort sagen konnte, schloß er: »Oder vielleicht könnten wir doch einfach in die Küche gehen und uns kurz mit Signorina Simionato unterhalten?«

Ihr Gesicht rötete sich vor unterdrücktem Zorn; Brunetti, der mit seinen Drohungen krassen Amtsmißbrauch getrieben hatte, sah es ohne Gewissensbisse. »Sie ist hinten«, zischte die Frau, bevor sie sich brüsk abwandte und an die Kasse zurückkehrte.

Vianello ging voran in die Backstube, die von einer Fensterreihe an der rückwärtigen Wand erhellt wurde. Leere Stahlgestelle säumten die übrigen Wände, und die Glaseinsätze in den Türen der mächtigen Öfen glänzten so blitzblank, daß man sich darin hätte spiegeln können. Ein Mann und eine Frau, beide mit makellos weißen Kitteln und Mützen, standen vor einem tiefen Spülbecken voll dampfender Seifenlauge, aus der die Henkel diverser Küchengerätschaften und die Griffe der großen Holzbretter herausragten, auf denen man den Teig vor dem Backen gären ließ.

Da ein laufender Wasserhahn alle anderen Geräusche übertönte, gelangten Brunetti und Vianello bis auf einen Meter an die beiden heran, ehe der Mann sie gewahr wurde und sich umsah. Er musterte sie kurz, bevor er das Wasser abdrehte und in die plötzliche Stille hinein fragte: »Ja, was gibt's?« Er war auffallend klein und untersetzt, doch auf seinem hübschen Gesicht malte sich nur arglose Neugier.

Die Frau hatte die Eintretenden offenbar erst bemerkt, als der Mann zu ihnen sprach, denn sie wandte sich jetzt erst um. Sie war noch kleiner als ihr Kollege und trug eine Brille mit schwerem, rechteckigem Gestell und so dick geschliffenen Gläsern, daß die entstellten Augen dahinter wie riesige Murmeln wirkten. Die unterm Glas hin und her zu kullern schienen, als ihr Blick von Brunetti zu Vianello wanderte und der Fokus der Linsen mit jeder Kopfbewegung wechselte. Während der Mann sichtlich verwundert war über diesen unvermuteten Besuch in seiner Backstube, blieben ihre Züge seltsam unbeteiligt; das einzige, was sich in ihrem Gesicht regte, waren die rollenden Augen.

»Signorina Simionato?« fragte Brunetti.

Gleich einer Eule drehte sie den Kopf nach der Stimme. Er glaubte schon, sie hätte seine Frage nicht verstanden, als sie endlich nickte.

»Ich hätte Sie gern gesprochen, Signorina.«

Der Blick des Mannes wechselte von Brunetti zu der Frau, dann zu Vianello und zurück zu Signorina Simionato.

Offenbar fragte er sich, was der Auftritt dieser beiden Fremden zu bedeuten habe. Die Frau dagegen sah ausdruckslos zwischen Brunetti und Vianello hin und her und sagte nichts.

Es war Vianello, der endlich das Schweigen brach. »Hätten Sie vielleicht ein Plätzchen«, fragte er, an den Mann gewandt, »wo wir uns ungestört mit Signorina Simionato unterhalten könnten?«

Der Mann schüttelte den Kopf. »So was haben wir hier nicht«, sagte er. »Aber ich kann auf eine Zigarettenlänge rausgehen, während Sie mit ihr reden.« Als Brunetti nickte, nahm der Mann die Mütze ab und wischte sich mit der Innenseite des Ellbogens den Schweiß vom Gesicht. Dann schob er die Jacke hoch, zog eine blaue Packung Nazionali aus der Hosentasche und wandte sich zum Gehen. Brunetti bemerkte erst jetzt, daß der Raum einen Ausgang zur *calle* hatte.

»Signorina Simionato«, begann Brunetti, sobald sie allein waren. »Ich bin Commissario Brunetti von der Polizei.«

Falls ein ohnehin regloses Gesicht erstarren konnte, dann das ihre. Sogar die Augen stellten ihre emsige Wanderung zwischen Brunetti und Vianello ein und fixierten die rückwärtige Fensterfront. Sie schwieg eisern. Brunetti betrachtete sie näher: die platte Nase und das krause rötlichgelbe Haar, das widerspenstig unter der weißen Mütze hervorquoll. Ob ihr Gesicht vor Schweiß glänzte oder ob sie von Natur aus eine fettige Haut hatte, war nicht genau auszumachen. Dafür überzeugten ihn die dumpfen, verständnislosen Züge, daß diese Frau nicht in der Lage war, einen Computer zu bedienen, geschweige denn Bankguthaben auf die Kanal-inseln zu verschieben.

»Ich möchte Ihnen gern ein paar Fragen stellen.«

Ihre Augen blieben so starr auf die Fensterfront gerichtet, daß er nicht wußte, ob sie ihn überhaupt gehört hatte.

»Sie sind doch Signorina Simionato?« vergewisserte sich Brunetti.

Ihr Name schien immerhin zu ihr durchzudringen, denn sie nickte bestätigend.

»Die Nichte von Maria Grazia Battestini?«

Die Frage sicherte ihm endlich sowohl ihre Aufmerksamkeit als auch erneuten Blickkontakt. »Ja«, murmelte sie. Und obwohl sie den Mund dabei kaum öffnete, sah er doch die beiden riesigen Hasenzähne, die mit beträchtlichem Überbiß über den Unterkiefer hinausragten.

»Soweit ich informiert bin, sind Sie die Erbin Ihrer Tante, Signorina.«

»Ihre Erbin. Ja«, bekräftigte sie. »Ich sollte alles kriegen.«

»Und?« fragte Brunetti mit einer Stimme, die zwischen Besorgnis und Verwunderung schwankte. »Ist es etwa nicht so gekommen?«

Während er sie beobachtete, fiel ihm auf, daß sie ihn beständig an irgendein Tier erinnerte. Erst an eine Eule, dann an eine gefangene Ratte. Und bei dieser letzten Frage schlich sich etwas Ungezähmtes, fast Heimtückisches in ihre Züge.

Sie richtete die unnatürlich vergrößerten Augen auf ihn und fragte: »Was wollen Sie?«

»Mit Ihnen über das Erbe Ihrer Tante reden, Signorina.«

»Was wollen Sie wissen?«

»Ob Sie eine Ahnung haben, woher das Vermögen der Signora stammte.«

Der Instinkt, jeglichen Reichtum zu verleugnen, brach sich auch bei ihr Bahn. »Sie hatte nicht viel Geld«, behauptete sie.

»Aber mehrere Bankkonten«, versetzte Brunetti.

»Davon weiß ich nichts.«

»Eins bei der Uni Credit und noch vier weitere bei jeweils einem anderen Geldinstitut.«

»Das wußte ich nicht.« Ihre Stimme war so dumpf wie ihr Gesichtsausdruck.

Brunetti warf Vianello einen Blick zu, und der hob die Brauen, zum Zeichen, daß auch er in der störrischen Verweigerungshaltung des Mädchens jene Taktik erkannt hatte, mit der man sich in bäuerlichen Kreisen seit alters her gegen Gefahren zur Wehr setzte. Da freundliches Entgegenkommen offenbar nutzlos am Panzer ihrer Tumbheit zerschellte, verlegte Brunetti sich auf einen unangenehm strengen Ton, als er jetzt sagte: »Signorina, Sie haben genau zwei Möglichkeiten.«

Die harsche Stimme tat offenbar ihre Wirkung, denn sie heftete die unsteten Augen erwartungsvoll auf sein Gesicht.

»Wir können entweder über den Reichtum Ihrer Tante sprechen und darüber, woher er stammt, oder wir reden über Hunde.«

Ihre Lippen strafften sich und entblößten die Hasenzähne. Aber bevor sie etwas sagen konnte, setzte Brunetti noch einmal nach. »Ich glaube nicht, daß ein Geschäft, in dem Lebensmittel vertrieben werden, jemanden weiterbeschäftigen wird, der mit Gift hantiert, oder, Signorina?« Er ließ die Drohung gebührend nachwirken, bevor er in beiläufigem Plauderton fortfuhr: »Und Ihre Chefin macht auch nicht den Eindruck, als ob sie viel Geduld hätte mit einer Angestellten, die freinehmen muß, um sich in einem Prozeß vor Gericht zu verantworten, nicht wahr? Das heißt«, fügte er nach einer weiteren Pause hinzu, »falls diese Angestellte dann noch eine Anwältin hat, die sie vertritt.«

Signorina Simionato umfaßte die Finger ihrer linken Hand mit der Rechten und begann sie zu reiben, als wären sie abgestorben und sie wollte sie wieder zum Leben erwecken. Ihre Augen wanderten abermals zwischen Brunettis und Vianellos Gesicht hin und her. Und während sie unablässig ihre Hand massierte, stammelte sie: »Ich habe nicht…« Aber Brunetti unterbrach sie und befahl mit lauter Stimme: »Vianello, sagen Sie der Inhaberin, wir nehmen sie mit. Und erklären Sie ihr auch, warum.«

Vianello ging, ohne mit der Wimper zu zucken, auf das Spiel ein. Mit einem schneidigen »Jawohl, Commissario« wandte er sich zurück zum Ladenlokal.

Aber er war noch nicht einen Schritt weit gekommen, als ihre schreckensschrille Stimme ihm Einhalt gebot. »Nein, warten Sie! Tun Sie das nicht! Ich sag's Ihnen, ich will alles sagen.« Sie hatte eine sabbernde Sprechweise, so als könnte sie die Konsonanten nur mit Hilfe großer Mengen Spucke bilden.

Vianello machte kehrt, hielt aber sorgsam Abstand zu der jungen Frau, da er Brunettis verbale Drohungen durch seine imposante Statur nicht noch verstärken wollte. Beide Männer blickten Graziella an, ohne etwas zu sagen.

»Es war Paolo«, sagte sie. »Er hat's gemacht, er hat es für sie beschafft, aber wie, weiß ich nicht. Das hat sie nie verraten. Mir hat sie nur gesagt, wie stolz sie auf ihn ist und daß er immer zuerst an sie denkt.« Hier verstummte Graziella. Offenbar hielt sie diese Antwort für ausreichend, um die Drohungen der Polizisten abzuwenden.

Brunetti war unerbittlich. »Was hat sie Ihnen erzählt?«

»Das habe ich Ihnen doch gerade gesagt!« antwortete Graziella kämpferisch.

Brunetti wandte sich von ihr ab. »Gehen Sie raus und sagen Sie Bescheid, Vianello«, befahl er.

Graziella blickte flehentlich von einem zum anderen. Als die beiden sich nicht erweichen ließen, warf sie den Kopf zurück und begann zu wimmern wie ein verwundetes Tier.

Erschrocken machte Brunetti einen Schritt auf sie zu, wich aber gleich wieder zurück, um keinen falschen Eindruck zu erwecken, falls jemand nachschauen käme. Und tatsächlich erschien im nächsten Moment die Inhaberin auf der Schwelle und rief: »Graziella! Hör auf! Hör sofort auf, oder du bist entlassen.«

Das Jammern verstummte schlagartig und so rasch, wie es begonnen hatte, aber Signorina Simionato schluchzte weiter. Die Inhaberin warf noch einen Blick auf Brunetti und Vianello, ehe sie kehrtmachte und mit einem verächtlichen Schnauben die Tür hinter sich schloß.

Mitleidslos wandte Brunetti sich an das weinende Mädchen und sagte: »Sie haben's gehört, Graziella. Sie wird nicht viel Nachsicht mit Ihnen haben, wenn ich ihr von Poppi und dem Gift erzähle, oder?«

Graziella zog die Mütze vom Kopf und fuhr sich damit über Mund und Nase, doch das Schluchzen wollte nicht aufhören. Sie nahm die Brille ab, legte sie auf einen Backofen und wischte sich das Gesicht ab. Dann blinzelte sie Brunetti aus nackten, maulwurfsblinden Augen an.

Er bezwang sein Mitleid und wiederholte die Frage. »Was hat sie Ihnen noch erzählt, Graziella? Über das Geld?«

Jetzt verebbte endlich auch das Schluchzen. Sie fuhr sich ein letztes Mal übers Gesicht, bevor sie die Hand ausstreckte und unsicher nach ihrer Brille tastete. Brunetti sah zu, wie ihre Hand dicht daran vorbeistrich, sich entfernte, wieder näher kam. Er unterdrückte den Wunsch, ihr zu helfen, und endlich landeten ihre Finger von allein auf der Brille, die sie sorgsam mit beiden Händen nahm und wieder aufsetzte.

»Was hat sie Ihnen gesagt, Graziella?« wiederholte Brunetti. »Wo hatte Paolo das Geld her?«

»Von da, wo er gearbeitet hat«, stammelte sie. »Tante Maria war so stolz auf ihn. Sie sagte, es wäre ein Bonus, für seine Klugheit. Aber sie hat so häßlich gelacht dabei, als ob sie ganz was anderes meinte und wie wenn Paolo was Schlimmes getan hätte, um an das Geld zu kommen. Doch mir war das egal, weil sie nämlich versprochen hat, daß es eines Tages mir gehören würde. Darum war's mir gleich, wo Paolo es herhatte. Außerdem hat die Tante gesagt, alles, was er tut, steht unter dem Schutz der Madonna, und da kann's ja nichts Unrechtes gewesen sein, oder?«

Ohne auf ihre Frage einzugehen, forschte Brunetti weiter: »Wußten Sie auch, auf welchen Banken das Geld lag?«

Sie ließ den Kopf hängen, starrte auf den Boden zwischen ihren Füßen und nickte.

»Und wie es dorthin gekommen ist?«

Schweigen. Sie hielt den Kopf gesenkt. Er war gespannt, wie ihr schwerfälliges Hirn seine Frage wohl einschätzen und wieviel von der Wahrheit sie preisgeben würde.

Graziella überraschte ihn mit einer Antwort, die seine Frage wörtlich nahm. »Ich habe es hingebracht.«

Obwohl das für ihn zunächst keinen Sinn ergab, ließ Brunetti sich sein Befremden nicht anmerken. »Und wie?« fragte er.

»Seit Paolos Tod habe ich sie jeden Monat besucht. Sie gab mir das Geld, und ich brachte es auf die Bank.«

Aber natürlich! Er hatte nie daran gedacht nachzuforschen, wie die Einzahlungen getätigt wurden, sondern war davon ausgegangen, daß die dazu erforderlichen obskuren Transferwege höchstens Signorina Elettra aufspüren könnte. »Und die Belege?«

»Habe ich der Tante zurückgebracht. Jeden Monat.«

»Wo sind sie jetzt?«

Schweigen. Brunetti wiederholte mit erhobener Stimme: »Wo sind sie jetzt?«

Sie sprach so leise, daß er sich zu ihr niederbeugen mußte, um zu verstehen. »Sie hat gesagt, ich soll sie verbrennen.«

»Wer?« fragte Brunetti, der freilich schon einen Verdacht hatte.

»Na, sie.«

»Wer?«

»Die Anwältin«, sagte Graziella endlich und immer noch ohne Signora Marieschis Namen zu nennen.

»Und haben Sie den Rat befolgt?« fragte Brunetti. Ob

ihr wohl klar war, daß sie damit den einzigen Beweis für die Existenz des Geldes vernichtet hätte?

Als sie sich aufrichtete, schwammen ihre Brillengläser in Tränen, und sie schielte ärger denn je.

»Haben Sie die Belege verbrannt, Signorina?« fragte er, ohne eine Spur von Sanftheit in der Stimme.

»Sie hat gesagt, nur so könnte ich sicher sein, daß ich das Geld auch bekomme. Wenn die Belege der Polizei in die Hände fielen, würde man mißtrauisch werden.« Aus jedem Wort war herauszuhören, wie verloren sie sich fühlte.

»Und später, Signorina? Was geschah, als Sie zu den Banken gingen, um das Geld abzuheben?« fragte Brunetti.

»Die Bankangestellten – ich kannte sie ja alle – haben mir gesagt, die Konten wären aufgelöst worden.«

»Und wie kamen Sie darauf, daß Avvocatessa Marieschi das Geld genommen hatte?« forschte Brunetti und brachte zum ersten Mal den Namen der Anwältin ins Spiel.

»Weil Zia Maria gesagt hat, daß sie die einzige ist, die außer mir noch davon weiß. Die Tante hat gesagt, ich könnte ihr vertrauen«, setzte sie entrüstet hinzu. »Wer soll es sonst gewesen sein?«

Brunetti suchte Vianellos Blick und hob fragend das Kinn. Der Ispettore schloß einen Moment die Augen, dann schüttelte er den Kopf: Das war's; mehr würden sie hier nicht erfahren.

Brunetti wandte sich zum Gehen, ohne noch einmal das Wort an die junge Frau zu richten.

Er war schon fast an der Tür, als er hinter sich Vianellos Stimme hörte. »Warum haben Sie den Hund getötet, Signorina?« Brunetti blieb stehen, drehte sich jedoch nicht um.

Es blieb so lange still, daß jeder außer dem beharrlichen Vianello das Warten aufgegeben und sich getrollt hätte. Da, endlich, stieß sie mit eingespeichelten Konsonanten hervor: »Weil die Menschen Hunde liebhaben.« Nach einer kurzen Pause, als er Vianellos Schritte hinter sich vernahm, überquerte Brunetti die Schwelle zum Ladenlokal.

19

Nun«, fragte Brunetti, als sie in die Calle Lunga San Barnaba hinaustraten, »was ist Ihr Eindruck?«

»Ich würde sagen, sie ist das, was meine Kinder in der Schule neuerdings ›Menschen mit besonderer Befähigung‹ nennen müssen.«

»Sie meinen, zurückgeblieben?« fragte Brunetti.

»Ja. Nehmen Sie nur ihren Gesichtsausdruck, die Art, wie sie gleich losheulte, als sie ihren Willen nicht bekam, und dann zeigte sie ja fast überhaupt keine normalen Reaktionen oder Gefühle.«

»Könnte auf die halbe Questura passen, die Beschreibung«, versetzte Brunetti.

Es dauerte einen Moment, bis er begriff, aber dann lachte Vianello so schallend, daß er stehenbleiben und sich an eine Hauswand lehnen mußte, bis er sich wieder gefangen hatte. Brunetti, der nicht wenig stolz war auf seinen Geistesblitz, nahm sich vor, auch bei Paola damit zu glänzen, und war gespannt, ob Vianello ihn Signorina Elettra zum besten geben würde.

Als Vianello wieder zu Atem gekommen war, setzten sie ihren Weg zur Vaporetto-Anlegestelle an der Ca' Rezzonico fort. »Glauben Sie«, fragte Brunetti, »daß sie etwas mit dem Tod ihrer Tante zu tun hat?«

Vianello antwortete ohne Zögern. »Nein, das kann ich mir nicht vorstellen. Sie fing an zu toben, als Sie sie nach den Konten fragten und als Sie ihr mit Rausschmiß drohten, falls sie nicht antworten würde. Aber als von der Tante die Rede war, hat sie sich nicht im mindesten aufgeregt.«

Brunetti, der den gleichen Eindruck gewonnen hatte, war dennoch froh, sich durch den Inspektor bestätigt zu finden. »Wir brauchen eine Liste mit den Namen all derer, die zusammen mit Paolo in der Schulbehörde arbeiteten«, sagte er und setzte korrigierend hinzu: »Zumindest für die Zeit, als die Zahlungen einsetzten.«

»Falls die Personalstelle schon auf EDV umgestellt hat, sollte das nicht schwer sein«, antwortete Vianello.

»Fehlt nur noch, daß sie Ihnen für jeden Abend eine Hausaufgabe stellt«, versetzte Brunetti lächelnd. Als Vianello ernst blieb, fragte er ungläubig: »Das macht sie doch nicht wirklich, oder?«

Unterdessen waren sie glücklich unter dem schattigen Dach des *imbarcadero* angelangt. Vianello kratzte sich am Kopf. »Nicht direkt, Commissario. Aber Sie wissen doch, daß sie mir einen Computer abgetreten hat. Und gelegentlich macht sie mir Vorschläge, was ich damit ausprobieren könnte.«

»Würde ich mich darauf auch verstehen?« fragte Brunetti.

Vianello spähte hinüber zum Palazzo Grassi; wieder ein Kunsttempel, vor dem sich eine lange Schlange gebildet hatte. »Das bezweifle ich, Commissario«, gestand er endlich. »Sie sagt, man kann diese Dinge nur lernen, wenn man verschiedene Möglichkeiten ausprobiert und immer wieder mit neuen Ansätzen rangeht. Man braucht also einen Computer, mit dem man ständig üben kann.« Vianello musterte Brunetti verstohlen, ehe er sich noch ein Stück weiter vorwagte. »Und man muß auch so was wie ein Gefühl haben für den Computer, Commissario.«

Brunetti wollte zu seiner Verteidigung anführen, seine Kinder hätten einen Computer, und seine Frau arbeite am Bildschirm, aber dann hielt er das doch für unter seiner Würde und entgegnete nichts. Statt dessen begnügte er sich mit der Frage: »Wann können wir mit den Namen rechnen?«

»Spätestens morgen nachmittag«, sagte Vianello. »Ich bin nicht sicher, ob ich's allein hinkriege, und Signorina Elettra hat heute nachmittag einen Termin.«

»Hat sie Ihnen auch gesagt, wo?«

»Nein.«

»Dann warten wir also bis morgen«, entschied Brunetti mit einem Blick auf die Uhr. Noch einmal in die Questura zurückzukehren hätte sich kaum gelohnt; außerdem war der Commissario doch recht erschöpft von den Ereignissen dieses Tages und wünschte sich nichts sehnlicher, als heimzugehen, sich mit seiner Familie zu Tisch zu setzen und an etwas anderes zu denken als an Tod und Begierde. Vianello, der ganz seiner Meinung war, bestieg frohgemut die Linie eins in Richtung Lido, während sein Vorgesetzter noch zwei Minuten auf das Vaporetto warten mußte, das auch ihn nach Hause bringen würde.

Doch als das Boot dann an seinem Anleger San Silvestro hielt, blieb Brunetti an Bord und fuhr weiter bis zum Rialto. Von dort waren es bloß ein paar Schritte bis zum Rathaus in der Ca'Farsetti, die wiederum nur durch eine enge *calle* von den Amtsräumen der Schulbehörde getrennt war. Brunetti zeigte dem *portiere* seinen Dienstausweis und wurde in den dritten Stock verwiesen, wo die Direktion des Ufficio di

Pubblica Istruzione untergebracht sei. Der Commissario, der sich in Aufzügen immer etwas unwohl fühlte, nahm die Treppe. Im dritten Stock führte ihn ein Schild nach rechts in einen schmalen Flur, der vor dem verglasten Eingang zur Geschäftsstelle der Schulbehörde endete. In den großzügigen Empfangsbereich hätte sein Büro gut viermal hineingepaßt. Orangefarbene Plastikstühle säumten die Wände rechts und links; der Tür gegenüber stand ein ramponierter Holzschreibtisch, und die Frau dahinter wirkte nicht weniger ramponiert, wobei er freilich das Gefühl hatte, sie habe sich aus freien Stücken so hergerichtet.

Da außer ihr niemand da war, wandte Brunetti sich an sie. Die Frau war so stark geschminkt, daß sich ihr Alter unmöglich schätzen ließ: Sie hätte dreißig, aber genausogut auch fünfzig sein können. Dick aufgetragener Lippenstift vergrößerte den Mund und suggerierte jugendlich volle Lippen, hatte sich aber auch in den vielen Fältchen um die Unterlippe eingenistet, die die langjährige starke Raucherin verrieten. In ihren geheimnisvoll zwischen Tiefgrün und Smaragd irisierenden Augen lag ein so schillernder Glanz, daß man versucht war, Kontaktlinsen oder Drogen zu vermuten. Statt der Brauen wölbte sich über ihren Augen nur ein Paar braungestrichelter Bleistiftlinien in willkürlich geformten, steilen Bögen.

Als Brunetti lächelnd auf ihren Schreibtisch zutrat, verzog auch sie die Lippen und fragte: »Sind Sie der Mann vom Kundendienst? Für den Wasserspender?« Ihrer Stimme fehlte jegliche Betonung oder Modulation; sie hätte ebensogut aus einem Automaten kommen können wie aus diesem aufgepeppten Mund.

»Bitte, was meinen Sie?« fragte Brunetti.

»Sind Sie vom Kundendienst?« leierte die Stimme.

»Nein. Ich möchte den Direktor sprechen.«

»Sie sind nicht vom Kundendienst?«

»Nein, tut mir leid.«

Er sah zu, wie sie das irgendwo hinter diesen smaragdgrünen Augen verarbeitete. Ihre Erwartung derart durchkreuzt zu finden war offenbar zuviel für sie, denn sie schloß ermattet die Lider. Brunetti, der zwei kleine silberne Piercings an ihrer linken Schläfe entdeckt hatte, vermied es tunlichst, über deren Ursprung, geschweige denn ihren Zweck nachzudenken.

Ihre Augen öffneten sich wieder. Ob von allein, oder ob sie sie aufgeschlagen hatte, blieb ihm unerfindlich. »Dottor Rossi ist in seinem Büro«, sagte sie, hob die Hand und wedelte mit langen grünen Fingernägeln aufs Geratewohl hinter ihre rechte Schulter, wo eine Tür offenstand.

Brunetti bedankte sich, ließ den Wunsch, der Kundendienst komme hoffentlich bald, unausgesprochen und schritt auf die Tür zu. Dahinter erstreckte sich ein kurzer Flur, links von Türen und rechts von Fenstern gesäumt, die auf einen kleinen Innenhof hinausgingen, hinter dem abermals eine Fensterfront grüßte.

Brunetti ging den Flur entlang und las die Namen und Titel auf den Türschildern. Der Stille nach zu urteilen, waren die Büros offenbar schon verwaist. Am Ende des Korridors bog er rechts ab und traf auf einen Gang, der beidseitig von Büros flankiert war, doch das des Direktors fand sich nicht darunter.

Er wandte sich abermals nach rechts und entdeckte am

Ende dieses Flurs tatsächlich ein Schild mit der Aufschrift DOTTOR MAURO ROSSI, DIRETTORE. Auf sein Klopfen rief eine Stimme »*Avanti*«, und er trat ein. Der Mann hinter dem Schreibtisch schaute auf, offenbar erstaunt, einen Fremden in seinem Büro zu erblicken, und fragte: »Ja, was gibt's?«

»Ich bin Commissario Guido Brunetti, Dottore. Und ich bin hier, um Ihnen einige Fragen über einen früheren Mitarbeiter zu stellen.«

»Ein Commissario von der Polizei?« fragte Rossi und wies, da Brunetti nickte, auf einen Stuhl vor seinem Schreibtisch. Als Brunetti näher trat, erhob er sich und streckte die Hand aus. Rossi war etwa Mitte vierzig, und seine massige, dabei aber muskulöse Gestalt überragte Brunetti fast um Haupteslänge. Das immer noch dichte, dunkle Haar fiel ihm bei jeder Kopfbewegung in die Stirn. Sein frischer Teint zeugte von einer robusten Gesundheit, und für einen so schwergewichtigen Mann wirkte er erstaunlich agil.

Rossis kraftvoll maskuline Ausstrahlung spiegelte sich auch in der Atmosphäre seines Büros wider: Eine ganze Reihe glänzender Sporttrophäen krönte einen verglasten Bücherschrank. Links auf dem Schreibtisch standen silbergerahmte Fotos von einer Frau und zwei Kindern, und an den Wänden hingen fünf oder sechs gerahmte Urkunden, darunter ein mit Siegeln geschmücktes Pergament, das die Verleihung der Doktorwürde an Mauro Rossi bescheinigte.

Sobald er Platz genommen hatte, erklärte Brunetti: »Es handelt sich um einen Mitarbeiter, der bis vor etwa fünf Jahren hier beschäftigt war, Dottore, einen gewissen Paolo Battestini.« Rossi bedeutete dem Commissario, er möge fortfahren, verriet aber mit keiner Miene, ob ihm der Name etwas sagte.

»Wir hätten gern einige Auskünfte über den Mann«, ergänzte Brunetti. »Er hat immerhin über zehn Jahre hier gearbeitet.« Da Rossi sich weiter in Schweigen hüllte, fragte er rundheraus: »Haben Sie ihn gekannt, Dottore?«

Rossi besann sich einen Augenblick, bevor er antwortete. »Mag sein. Aber ich bin mir nicht sicher.« Und als Brunetti fragend den Kopf zur Seite neigte, erklärte er: »Ich habe damals die Schulen in Mestre betreut.«

»Von hier aus?« warf Brunetti ein.

»Nein, nein.« Rossi lächelte entschuldigend. »Verzeihen Sie, das hätte ich natürlich dazusagen sollen: Zu der Zeit war Mestre auch meine Dienststelle. Hierher wurde ich erst vor zwei Jahren versetzt.«

»Als Direktor?«

»Ja.«

»Und dann sind Sie auch gleich hierher umgezogen?«

Wieder lächelte Rossi und spitzte die Lippen angesichts dieser fortgesetzten Verwirrung. »Nein, ich habe schon immer in der Altstadt gewohnt.« Brunetti wunderte sich, daß der Mann weiter Italienisch sprach: Nach einem solchen Bekenntnis hätten die meisten Venezianer in ihren Dialekt gewechselt, aber vielleicht wollte Rossi ja die Würde seines Amtes wahren. »Die Versetzung war also in doppelter Hinsicht ein Segen, denn nun brauchte ich nicht mehr jeden Tag nach Mestre hinüberzufahren«, schloß der Direktor.

»Die Perle der Adria«, zitierte Brunetti spöttisch.

Rossi nickte mit der typisch venezianischen Arroganz gegenüber Mestre, dem häßlichen Emporkömmling.

Brunetti merkte gerade noch rechtzeitig, daß sie vom Thema abgekommen waren, und brachte das Gespräch wieder auf Kurs. »Sie sagten vorhin, Signor Battestini sei Ihnen möglicherweise bekannt. Wie, bitte, ist das zu verstehen, Dottore?«

»Also ich glaube, ich muß ihn gekannt haben«, antwortete Rossi. Und als er Brunettis verdutzte Miene sah, setzte er hinzu: »Das heißt, so, wie man eben die Mitarbeiter des eigenen Büros oder seiner Abteilung kennt. Man sieht sie auf den Gängen oder liest ihre Namen, ohne daß sich je ein persönlicher Kontakt ergibt.«

»Aber Sie hatten auch schon während Ihrer Zeit in Mestre gelegentlich hier zu tun?«

»Ja. Mein Vorgänger hatte hier sein Büro, und als ich die Schulbehörde in Mestre leitete, mußte ich einmal die Woche zu einer Besprechung herüberkommen, weil das hier die Zentraldirektion ist.« Und Brunettis nächste Frage vorwegnehmend, fuhr Rossi fort: »Ich erinnere mich allerdings nicht, daß ich den von Ihnen erwähnten Herrn je getroffen oder mit ihm geredet hätte. Der Name kommt mir zwar bekannt vor, aber ich verbinde kein Bild damit. Und als ich hierher versetzt wurde, war der Mann ja wohl schon fort, wenn er, wie Sie sagten, vor fünf Jahren ausgeschieden ist.«

»Haben Sie vielleicht einmal andere Mitarbeiter über ihn sprechen hören?«

Rossi schüttelte stumm den Kopf und sagte dann: »Nicht daß ich wüßte, nein.«

»Und seit dem Tod seiner Mutter, hat man ihn da vielleicht erwähnt?« forschte Brunetti weiter.

»Seine Mutter?« wiederholte Rossi verständnislos. Doch

dann erhellte sich seine Miene, offenbar war ihm der Zusammenhang klargeworden. »Die Frau, die ermordet wurde?« fragte er. Brunetti nickte.

»Ich hatte da keine Verbindung gesehen«, sagte Rossi. »Battestini ist ja kein so ungewöhnlicher Name.« Sein Tonfall veränderte sich, als er jetzt wissen wollte: »Warum fragen Sie mich nach diesem Mann?«

»Es geht darum, die Motive einzugrenzen, Dottore. Wir wollen uns vergewissern, daß zwischen ihm und dem Tod seiner Mutter keine Verbindung bestand.«

»Und da kommen Sie zu mir?« rief Rossi verdutzt. »Obwohl der Mann seit fünf Jahren nicht mehr bei uns arbeitet?« Sein Ton verriet, daß Brunetti seiner Meinung nach besser daran täte, sich anderweitig zu beschäftigen.

Der Commissario ließ sich nicht beirren. »Wie gesagt, uns geht es mehr um das Tatmotiv als um Beziehungen, Dottore. Darum meine Fragen.« Er wartete ab, ob Rossi abermals Zweifel anmelden würde, aber der lehnte sich nur schweigend in seinem Sessel zurück. Brunetti fiel auf, daß er sich dazu nicht mit den Händen abstützte, sondern die Bewegung allein durch Beinkraft steuerte.

Brunetti lehnte sich seinerseits zurück und breitete die Arme aus, als gäbe er sich geschlagen. »Um die Wahrheit zu sagen, Dottore, wir stecken ein bißchen in einer Sackgasse. Und dieser Battestini – wir haben keine Vorstellung davon, was für ein Mensch er gewesen ist.«

»Aber es war doch seine Mutter, die ermordet wurde, nicht wahr?« Rossis Frage klang, als habe er es schweren Herzens auf sich genommen, die Polizei daran zu erinnern, was ihre Aufgabe sei.

»Ja, ja«, bestätigte Brunetti lächelnd. »Macht der Gewohnheit, nehme ich an. Wir versuchen eben immer, soviel wie möglich über das Umfeld des Opfers zu erfahren, und da stehen natürlich die Angehörigen an erster Stelle.«

Als sei es ihm eben eingefallen, fragte Rossi: »Aber haben die Zeitungen nicht kurz nach dem Mord von einer Ausländerin berichtet, einer Russin oder so?«

»Rumänin«, berichtigte Brunetti mechanisch. Er spürte instinktiv, daß Rossi sich nicht gern korrigieren ließ, und setzte beschwichtigend hinzu: »Was aber ganz unerheblich ist, Dottore. Für uns wäre es wichtig, herauszufinden, warum diese Frau Signora Battestini gehaßt haben könnte.« Bevor Rossi sich dazu äußern konnte, fuhr er fort: »Und es wäre ja denkbar, daß der Sohn sie in irgendeiner Weise gekränkt oder verletzt hat.«

»Aber der Sohn war doch schon tot, als sie zu Signora Battestini kam, oder?« entgegnete Rossi, wie um die Gründe, die Brunettis Fragen sinnlos machten, zu vervollständigen.

»Ja, Sie haben recht.« Brunetti wiederholte seine Kapitulationsgeste, wenn auch diesmal weniger theatralisch, und stand auf. »Ich denke, ich habe keine weiteren Fragen an Sie, Dottore. Danke, daß Sie sich die Zeit genommen haben.«

Rossi erhob sich ebenfalls. »Ich hoffe, ich war Ihnen wenigstens eine kleine Hilfe, Commissario«, sagte er.

Brunetti schenkte ihm ein breites Lächeln. »Ich fürchte, das waren Sie, Dottore«, entgegnete er und fuhr, als Rossi ihn verdutzt anstarrte, geschmeidig fort: »Indem Sie unsere Motive um eines reduziert haben. Wir werden uns nun wieder auf Signora Battestini konzentrieren müssen.«

Rossi brachte Brunetti zur Tür. Er mußte sich ein wenig bücken, um die Klinke zu erreichen. Auf der Schwelle schüttelten sie einander die Hand: zwei städtische Beamte, die sich nach kurzer, aber hilfreicher Zusammenarbeit freundschaftlich verabschieden. Nachdem er sich nochmals für das Gespräch bedankt hatte, zog Brunetti die Tür hinter sich zu. Und rätselte auf dem Weg zur Treppe, wie es zuging, daß Dottore Rossi, der vorgab, Paolo Battestini nicht zu kennen, dennoch wußte, daß der Mann verstorben und daß Flori Ghiorghiu erst nach seinem Tod zu seiner Mutter gekommen war.

Es war acht Uhr durch, als er nach Hause kam, aber Paola hatte sich darauf eingerichtet, das Essen wenigstens bis halb neun hinauszuzögern, in der Annahme, daß er angerufen hätte, falls es sehr viel später würde.

Seine Familie schien ebenso ernst gestimmt wie er, zumindest als man sich zu Tisch setzte. Aber nach zwei Portionen *orecchiette* mit gewürfelter *mozzarella di bufala* und *pomodorini* tauten die Kinder auf und jubelten schier, als Paola die Salzkruste um den gebratenen *branzino* aufbrach und das weiße Fleisch zum Vorschein kam.

»Was wird aus dem Salz, *mamma*?« fragte Chiara, während sie Olivenöl über ihren Fisch träufelte.

»Das kommt in den Abfall.«

Chiara schob ein paar Gräten an den Tellerrand. »Stimmt es, daß die Eingeborenen in Amerika Fischgräten rund um ihre Maispflanzen steckten, damit die besser wuchsen?«

»Wen meinst du mit Eingeborene? Indianer oder Neger?« warf Raffi ein.

»Die Indianer natürlich«, erwiderte Chiara, ausnahmsweise einmal ohne Raffis politisch inkorrekte Ausdrucksweise zu rügen. »Du weißt doch, daß die Schwarzen erst von den Sklavenhändlern nach Amerika verschleppt wurden.«

»Raffi«, sagte Paola, »bist du so gut und bringst heute abend noch den Müll runter in den Hausflur? Ich will nicht, daß morgen früh die ganze Wohnung nach Fisch riecht.«

»Klar. Ich bin um halb zehn mit Giorgio und Luca verabredet. Wenn ich gehe, nehme ich den Müll gleich mit.«

»Hast du deine Sachen in die Waschmaschine gesteckt?« fragte Paola weiter.

Raffi rollte mit den Augen. »Glaubst du, ich würde mich hier raustrauen, wenn ich das vergessen hätte?« Und an Brunetti gewandt, fuhr er, männliche Solidarität heischend, fort: »Sie ist eine wandelnde Radarstation.« Das letzte Wort wiederholte er noch einmal und betonte es Silbe für Silbe, um dem Vater klarzumachen, unter welchem Regime er hier litt.

»Danke«, sagte Paola, die sich ihrer Autorität sicher und über jeden Vorwurf erhaben war.

Chiara erbot sich, beim Abwasch zu helfen, doch als Paola ihr erklärte, den würde sie heute selber machen, wegen des Fischs, argwöhnte sie dahinter keineswegs Zweifel an ihren hausfraulichen Fähigkeiten, sondern nutzte die willkommene Begnadigung, um sich in Raffis Abwesenheit des Computers zu bemächtigen.

Brunetti erhob sich, als Paola mit Geschirrspülen fast fertig war, und holte die Mokkakanne aus dem Schrank.

»Kaffee?« fragte Paola erstaunt. Sie kannte seine Gewohnheiten und wußte, daß er nach dem Abendessen normalerweise nur im Restaurant noch einen Kaffee trank.

»Ja, ich bin total erledigt«, gestand er.

»Da solltest du vielleicht lieber früh zu Bett gehen«, schlug sie vor.

»Ich weiß nicht, ob ich schlafen kann, bei der Hitze.«

»Dann laß mich rasch noch die Küche fertigmachen«, sagte sie, »und anschließend setzen wir uns raus auf die Terrasse. Bis du müde wirst.«

»Also gut«, stimmte er zu, stellte die Kanne weg und öffnete die nächste Schranktür. »Was trinkt man denn am besten bei der Hitze?« fragte er und überflog die in zwei Regalen aufgereihten Flaschen.

»Kohlensäurehaltiges Mineralwasser.«

»Sehr komisch.« Brunetti langte weit nach hinten, förderte eine Flasche Galliano zutage und formulierte seine Frage neu: »Stell dir vor, du sitzt auf der Terrasse und betrachtest den Sonnenuntergang, neben dir den Menschen, den du von allen auf dieser Welt am meisten liebst, und dir wird klar, daß es im Leben kein größeres Glück gibt als, mit eben diesem Menschen zusammenzusein – was sollte man dazu wohl trinken?«

Paola, die gerade das Geschirrtuch über den Griff der Bestecklade hängte, maß ihn mit einem langen Blick, der in ein spitzbübisches Lächeln mündete. »Einem Mann in deiner Verfassung würde man wohl eher stilles Wasser empfehlen«, sagte sie und ging ihm voraus auf die Terrasse.

Am nächsten Morgen litt Brunetti unter jener lähmenden Trägheit, die ihn heimzusuchen pflegte, wenn er sich bei einem Fall in eine Sackgasse manövriert hatte. Hinzu kam die drückende Hitze, die den Tag bereits in ihren Klauen hatte, als er erwachte. Weder die Tasse Kaffee, die Paola ihm ans Bett brachte, vermochte seine Lebensgeister zu wecken, noch die ausgiebige Dusche – ein Luxus, den er sich um so entspannter gönnte, als Raffi und Chiara bereits zum Strand aufgebrochen waren und niemand zornig an die Badezimmertür trommeln würde, wenn er mehr Wasser verbrauchte, als das ökologische Gewissen seiner Kinder erlaubte.

Da eine Unterhaltung mit Paola, die sich in zwei Jahrzehnte Eheleben ein Gewohnheitsrecht auf die Rolle des Morgenmuffels erworben hatte, so früh am Tage auch keine Aufheiterung versprach, verließ Brunetti gleich nach dem Duschen die Wohnung. Innerlich stand er immer noch mit der Welt auf Kriegsfuß, als er sich dem Rialto näherte und beschloß, in der Bar an der nächsten Ecke einen zweiten Kaffee zu trinken. Er kaufte eine Zeitung und überflog die Schlagzeilen, während er die Bar betrat. Den Blick weiter auf die Titelseite gerichtet, stellte er sich an die Theke und verlangte einen Kaffee und eine Brioche. Das vertraute Stampfen und Zischen der Kaffeemaschine nahm er nur mit halbem Ohr wahr. Erst auf das leise Klirren hin, mit dem die Tasse vor ihn hingestellt wurde, hob er den Kopf und sah erstaunt, daß die Frau, die ihm seit vielen Jahren den Kaffee serviert hatte, nicht mehr da war – oder sich in eine halb so alte Chinesin verwandelt hatte. Ein Blick zur Kasse belehrte ihn, daß auch die neuerdings in der Hand eines Chinesen war.

Seit Monaten konnte man nun schon diese schleichende Übernahme der innerstädtischen Lokale durch die Chinesen beobachten. Doch dies war das erste Mal, daß Brunetti es in einer der Bars erlebte, in denen er Stammgast war. Er verkniff sich die Frage, wo Signora Rosalba und ihr Mann hin seien, und rührte statt dessen zwei Stück Zucker in seinen Kaffee. Ein Blick in den Plastikbehälter verriet, daß die Brioches nicht zu vergleichen waren mit den frischen, mit *mirtillo* gefüllten, die er jahrelang hier gegessen hatte. Dem Aufkleber auf dem Behälter entnahm er, daß es sich bei den neuen um Tiefkühlware aus Mailand handelte. Er trank seinen Kaffee aus, zahlte und ging.

Da die Boote um die Zeit noch nicht mit Touristen überfüllt waren, bestieg er in San Silvestro die Linie eins, blieb an Deck stehen und las den *Gazzettino*. Die Nachrichten waren indes seiner Stimmung ebensowenig förderlich wie der Anblick Scarpas, dem er beim Betreten der Questura auf der Eingangstreppe begegnete.

Brunetti ging stumm an ihm vorbei und war schon fast oben, als er hinter sich Scarpas Stimme hörte: »Auf ein Wort, Commissario...«

Brunetti wandte sich um und sah auf den Uniformierten hinunter. »Ja, Tenente?«

»Ich habe Signora Gismondi für heute noch einmal zur Vernehmung vorgeladen. Das wollte ich Ihnen nur sagen, wo Sie doch offenbar so an der Frau interessiert sind.«

»›Interessiert‹, Tenente?« wiederholte Brunetti schroff.

Ohne weiter darauf einzugehen, fuhr Scarpa fort: »Es gibt keine Zeugen, die sie am fraglichen Morgen am Bahnhof gesehen haben.«

»Was auf fast alle übrigen siebzigtausend Bürger unserer Stadt zutreffen dürfte«, entgegnete Brunetti gelangweilt. »Guten Morgen, Tenente.«

Oben in seinem Büro ließ ihm Scarpas Verhalten dann

doch keine Ruhe. Möglich, daß seine ständigen Blockade-versuche nur Ausdruck seines Hasses auf Brunetti und dessen Mitarbeiter waren und daß er Signora Gismondi nur als Köder benutzte, um ihn zu reizen. Aber Brunetti argwöhnte nicht zum erstenmal, daß doch mehr dahintersteckte. Bei der Überlegung, Scarpa sei vielleicht sogar bestrebt, den Verdacht von jemand anderem abzulenken, wurde ihm erst recht mulmig.

Um auf andere Gedanken zu kommen, nahm er sich die Akten vor, die in den letzten paar Tagen in seinem Eingangskorb aufgelaufen waren, vorrangig ein Rundschreiben vom Ministero dell'Interno, das – bedingt durch die jüngst vom Parlament verabschiedeten Gesetze, wie es ausdrücklich hieß – seine Richtlinien zur Rechtsvollstreckung revidierte. Brunetti las erst interessiert, dann voller Zorn. Nach dem zweiten Durchgang legte er das Schreiben vor sich auf den Tisch, schaute zum Fenster hinaus und machte seiner Empörung mit den Worten Luft: »Warum lassen wir sie nicht gleich das ganze Land regieren?« Wobei das Pronomen nicht auf die gewählten Parlamentsabgeordneten gemünzt war.

Die Versuchung, hinunterzugehen und Scarpas Anschlag auf Signora Gismondi zu vereiteln, war groß. Doch Brunetti widerstand ihr, indem er sich in die übrigen Akten vertiefte, die auf seinem Schreibtisch warteten. Er wußte, daß es niemals zu einer Anklage gegen Signora Gismondi reichen würde. Sie war nicht mehr als eine Schachfigur in einer Partie, die er nicht ganz durchschaute, aber ihm war klar, daß jeder Versuch, ihr zu helfen, sich nur nachteilig für sie auswirken würde.

So schleppte sich erst eine, dann eine zweite Stunde stumpfsinnig dahin, bis es endlich klopfte und Vianello erschien. Als der Inspektor eintrat, sah Brunetti auf den ersten Blick, daß etwas nicht stimmte.

Vianello baute sich, einen Stoß Papiere in der Hand, vor Brunettis Schreibtisch auf. »Es ist mein Fehler, Commissario«, sagte er ohne jede Einleitung.

»Was denn?« fragte Brunetti.

»Ich war so nahe dran, ich hätte nur zu fragen brauchen.«

»Wovon reden Sie, Vianello?« unterbrach ihn Brunetti scharf. »Und stehen Sie nicht so da. Setzen Sie sich doch.«

Vianello schien ihn gar nicht zu hören. »Er arbeitete im Vertragsbüro«, sagte er und schwenkte wie zum Nachdruck die Papiere. »Seine Aufgabe war es, die Baupläne zu sichten, die für irgendwelche Arbeiten an den Schulgebäuden eingereicht wurden, und zu prüfen, ob sie den jeweiligen Bedürfnissen der Schüler und Lehrer gerecht wurden.« Vianello zog ein Blatt aus dem Stapel heraus und legte den Rest auf Brunettis Schreibtisch. »Sehen Sie«, sagte er und hielt das Blatt hoch. »Er war nicht befugt, die Verträge abzusegnen, aber er konnte Empfehlungen aussprechen.« Vianello legte das Blatt zu den übrigen auf den Schreibtisch und wich zurück, als fürchte er, der Stoß könne in Flammen aufgehen. »Ich war dort, habe mit den Leuten über ihn geredet und bin nicht auf die Idee gekommen, mich nach seinem Aufgabenbereich zu erkundigen.«

»Reden Sie von dem Sohn?«

»Ja. Er hat im Vertragsbüro angefangen. Sein Vater arbeitete in der Personalabteilung, und da sind ja nun weiß Gott keine Bestechungsgelder zu holen.«

»Und die Daten?«

Vianello beugte sich über die Papiere und blätterte sie durch. »Er war bereits vier Jahre dort, als die Zahlungen einsetzten.« Der Inspektor sah zu Brunetti auf. »Mehr als genug Zeit, um rauszufinden, wie der Hase lief.«

»Wenn er so lief.«

»Commissario«, rief Vianello in ungewohnt schroffem Ton, »es ist eine städtische Behörde. Was glauben Sie denn, wie das dort läuft?«

»Und wer war Direktor, als die Zahlungen begannen?«

Diesmal brauchte Vianello nicht in seinen Unterlagen nachzusehen. »Renato Fedi. Ungefähr drei Monate, bevor die bewußten Konten eröffnet wurden, hat er sein Amt angetreten.«

»Und sich von dort zu größeren und lukrativeren Aufgaben hochgearbeitet«, fiel Brunetti ein. Doch dann wurde er gleich wieder ernst und fragte: »Und wer leitete die Behörde, als Battestini dort anfing?«

»Piero De Pra, aber der ist inzwischen verstorben. Luca Sardelli war sein Nachfolger, doch der blieb nur zwei Jahre und wurde dann zur Stadtreinigung versetzt. Bevor man die privatisierte«, ergänzte er.

»Wissen Sie auch, warum man ihn versetzt hat?«

Vianello zuckte die Achseln. »Nach dem wenigen zu urteilen, das ich über ihn in Erfahrung bringen konnte, war er wohl eine dieser grauen Mäuse, die von einer Abteilung an die nächste weitergereicht werden, weil sie sich überall lieb Kind machen, so daß es keiner übers Herz bringt, sie zu feuern. So jemand wird eben geduldet, bis sich eine günstige Gelegenheit bietet, ihn fortzuloben.«

Die Versuchung, seinen Vergleich mit der Questura zu wiederholen, war stark, doch Brunetti widerstand ihr tapfer und begnügte sich statt dessen mit der Frage: »Und inzwischen ist er beim Assessorato dello Sport?«

»Ja.«

»Haben Sie eine Ahnung, was er dort macht?«

»Nein.«

»Dann finden Sie's raus«, sagte Brunetti. Bevor Vianello etwas dazu sagen konnte, fragte er weiter: »Und Fedi?«

»Der war der Nachfolger von Sardelli, blieb zwei Jahre im Amt und schied dann aus dem Staatsdienst aus, um die Baufirma seines Onkels zu übernehmen.«

»Und auf welchem Sektor arbeitet diese Firma?«

»Restaurierungen«, antwortete Vianello. »Unter anderem von Schulgebäuden.«

Brunetti rief sich das Gespräch mit Richter Galvani ins Gedächtnis und versuchte sich zu erinnern, ob da in Bezug auf Fedi irgendeine Anspielung gefallen war, die ihn hätte veranlassen sollen, den Mann näher unter die Lupe zu nehmen, aber er konnte sich auf nichts besinnen. Allerdings war Galvani kein Freund und ihm nichts schuldig; folglich hätte er ihm vielleicht auch dann keinen Hinweis gegeben, wenn Grund dazu bestanden hätte. Für einen Augenblick packte ihn die schiere Verzweiflung: Woran lag es nur, daß niemand in diesem Land bereit war, etwas für einen anderen zu tun, außer es sprang ein persönlicher Vorteil dabei heraus oder er schuldete demjenigen einen Gefallen?

Als Brunetti sich wieder auf Vianello konzentrierte, schloß der gerade mit den Worten: »…und ist die letzten fünf Jahre ständig gestiegen.«

»Entschuldigen Sie, Vianello, aber ich habe gerade an etwas anderes gedacht. Was sagten Sie?«

»Daß die Firma seines Onkels den Zuschlag für die Renovierung zweier Schulen in Castello bekam, als Fedi Direktor der Schulbehörde war, und das Unternehmen seitdem ständig expandiert, erst recht, seit Fedi die Geschäfte führt.«

»Woher wissen Sie das?«

»Wir haben uns seine Bilanzen angesehen und die Steuerbescheide der fraglichen Jahre.«

Brunetti verschlug es die Sprache. Und im ersten Zorn war er versucht zu fragen, ob er das so verstehen solle, daß Vianello und Signorina Elettra heute morgen die Zeit gefunden hätten, in Fedis Büro zu marschieren und, ganz ohne Gerichtsbeschluß, Einsicht in dessen Firmenpapiere und Steuerbescheide zu verlangen. Statt dessen sagte er nur: »Das muß aufhören, Vianello.«

»Sicher, Commissario«, entgegnete der Ispettore mechanisch und fuhr dann fort: »Ich vermute, es war Battestini, der die Angebote für die Baumaßnahmen bearbeitet hat, bei denen schließlich die Firma von Fedis Onkel den Zuschlag bekam. Battestini war ja damals dafür zuständig.«

Brunetti war sich der peinlichen Ironie seiner Frage durchaus bewußt. »Können Sie das nachprüfen?«

Mit der Großmut des Siegers beschränkte Vianello sich auf ein Nicken. »Wenn er im Auftrag der Schulbehörde die Angebote gesichtet hat, dann muß seine Unterschrift drauf sein.« Und Brunettis nächste Frage vorwegnehmend, fuhr er fort: »Nein, Commissario, wir brauchen uns die Unterlagen nicht eigens im Original zu besorgen. Die Offerten sind mit einem Code versehen, aus dem hervorgeht, wer sie entgegengenommen und geprüft hat, ob sie den Anforderungen der Schule entsprechen. Wir brauchen also nur herauszufinden, wer das Gebot von Fedis Onkel bearbeitet hat.«

»Können Sie auch einen Kostenvergleich machen, um festzustellen, ob…« Brunettis Vorstellungskraft versagte, und er ließ den Satz in der Schwebe.

»Ich denke, das einfachste wäre, die Angebote zu vergleichen und zu sehen, wer wieviel an Kosten und Arbeitszeit veranschlagte. Wenn Fedis Onkel wesentlich teurer war oder weniger Leistung bot, dann dürften wir die Lösung gefunden haben.«

Vianellos Begeisterung ließ keinen Zweifel daran, welches Ergebnis er erwartete. Brunetti aber, der seit vielen Jahren beobachtete, wie genial und erfinderisch die Italiener ihren Staat beraubten, konnte sich kaum vorstellen, daß ein Erfolgsmensch wie Fedi, wenn er denn seinem Onkel unter der Hand Aufträge zugeschanzt haben sollte, so naiv gewesen wäre, nachweisbare Spuren zu hinterlassen. »Überprüfen Sie auch, ob Zeitvorgaben überschritten wurden und, wenn ja, ob das Konsequenzen hatte«, sagte er. Ein Vorschlag, der auf seiner nunmehr zwanzigjährigen Erfahrung mit städtischen Behörden fußte.

Vianello nickte zustimmend und verließ das Büro. Brunetti spielte für einen Moment mit dem Gedanken, ihm nachzugehen und den beiden bei der Arbeit zuzuschauen – er war nicht so töricht, sich vorzumachen, daß er irgendwie dabei helfen könnte –, doch er wußte, daß es klüger war, sich herauszuhalten. Nicht nur, weil es ohne ihn schneller gehen würde, sondern auch, weil er auf die Weise sein Gewissen davor bewahrte, sich mit den immer weiter ausufernden illegalen Machenschaften Signorina Elettras zu befassen und mit Vianellos Ermittlungstaktiken.

20

Nach über einer Stunde siegte Brunettis Ungeduld über seine Vernunft, und er ging doch hinunter. Aber als er Signorina Elettras Büro betrat, wo er sie und Vianello über den Computer gebeugt wähnte, fand er das Zimmer zu seinem Erstaunen verwaist, auch wenn der leere Bildschirm noch ein fahles Licht abstrahlte. Pattas Tür war geschlossen, und Brunetti, dem plötzlich bewußt wurde, daß er seinen Vorgesetzten schon seit Tagen nicht mehr gesehen hatte, fragte sich unwillkürlich, ob der Vice-Questore etwa schon nach Brüssel übersiedelt sei und, von allen unbemerkt, seine Arbeit für Interpol aufgenommen habe. Kaum daß er dieser Möglichkeit Raum gegeben hatte, mußte er unwillkürlich auch ihre Konsequenzen in Erwägung ziehen: Wen aus der Schar der Opportunisten, die sprungbereit auf dem schlüpfrigen Beförderungstreppchen lauerten, würde man zu Pattas Nachfolger machen?

Die geographische Enge Venedigs spiegelte sich im Sozialverhalten seiner Bewohner wider: Wie das dichte Netz weitverzweigter *calli*, das sich über die sechs *sestieri* spannte, so waren auch die Venezianer durch mannigfache Beziehungen miteinander verknüpft. Strada Nuova und Via XXII Marzo eignete die übersichtliche Direktheit von Familienbanden; jeder konnte ihnen mühelos folgen. Calle Lunga Barnaba und Barbaria delle Tole, die zwar auch noch geradlinig verliefen, aber wesentlich kürzer und schmäler waren, glichen dem Verkehr unter guten Freunden: Es bestand kaum Gefahr, sich zu verlaufen, dafür war ihre Reichweite begrenzt. Die Mehrzahl der *calli* aber, die das Fortkommen in der Stadt ermöglichten, waren eng und verwinkelt und mündeten nicht selten in eine Sackgasse oder Abzweigung, die den Arglosen von seinem Ziel entfernte, wenn nicht gar in die entgegengesetzte Richtung lockte: Dies war der trügerische Irrgarten, durch den sich all die Beklagenswerten schlängeln mußten, denen es an direkten Verbindungen mangelte, um ihren Bestimmungsort zu erreichen.

In all den Jahren, die er nun schon in Venedig lebte, war es Patta nicht gelungen, sich allein in den engen *calli* zurechtzufinden, aber er hatte zumindest gelernt, Venezianer vorauszuschicken, damit sie ihn durch die jahrhundertealten Labyrinthe aus Ränken und Intrigen lotsten und ihm halfen, die Hindernisse und falschen Abzweigungen zu vermeiden, die in neuerer Zeit hinzugekommen waren. Zu seinem Nachfolger hatte die Zentralregierung in Rom ohne Zweifel einen Fremden bestimmt – wobei den Venezianern jeder, der nicht in Hörweite der Lagune geboren war, als Fremdling galt –, und der würde sich dann hoffnungslos verfransen auf der Suche nach geraden Wegen und direkten Zugangsmöglichkeiten. Betroffen mußte Brunetti sich eingestehen, daß er nicht wollte, daß Patta ging.

Brunetti tauchte aus seinen Grübeleien auf, als er Vianellos Stimme vernahm. Sein tief dröhnender Baß mischte sich mit dem hellen Lachen Signorina Elettras. Unbefangen traten die beiden ein, stockten aber beim Anblick Brunettis: Das Gelächter verstummte, die Heiterkeit auf ihren Gesichtern erlosch.

Ohne daß sie einen Grund für ihr langes Ausbleiben genannt hätte, schlüpfte Signorina Elettra hinter ihren Computer, schaltete ihn ein und tippte routiniert ein paar Befehle in die Tasten, woraufhin zwei Dokumente nebeneinander auf dem Bildschirm erschienen. »Das sind die erfolgreichen Gebote der Firma von Fedis Onkel aus der Zeit, als Fedi Direktor der Schulbehörde war, Commissario.«

Brunetti trat neben sie und erkannte oben auf jeder Seite den Briefkopf der Stadtverwaltung und darunter etliche fettgedruckte Textblöcke. Sie drückte eine Taste, und der Bildschirm zeigte zwei weitere, scheinbar identische Seiten, die ein neuerlicher Tastendruck alsbald wieder verschwinden ließ und durch ein drittes Seitenpaar ersetzte, diesmal ohne Briefkopf. Die Blätter waren aufgeteilt in eine Textspalte und eine Zahlenkolonne.

»Hier haben wir den Kostenvoranschlag, Commissario.«

Brunetti nahm sich die letzte Seite vor, überflog ein paar Stichworte und ließ den Blick nach rechts wandern, um zu sehen, wie hoch die jeweiligen Bauteile oder Dienstleistungen veranschlagt waren. Allein er fand sich einfach nicht zurecht, da ihm viele Angaben überhaupt nichts sagten und er keine Ahnung hatte, was die einzelnen Posten üblicherweise kosteten.

»Haben Sie das mit den anderen Geboten verglichen?« fragte er, den Blick vom Bildschirm wendend.

»Ja.«

»Und?«

»Und seins war günstiger«, sagte sie hörbar enttäuscht. »Nicht nur das, er verbürgte sich auch für die Einhaltung der vorgegebenen Bauzeit und bot für jeden Tag, den die Frist überschritten würde, ein Bußgeld an.«

Brunettis Blick kehrte hilfesuchend auf den Bildschirm zurück, als könnte sich ihm bei näherer Betrachtung der Worte und Ziffern die List offenbaren, mit der Fedi sich den Auftrag erschlichen hatte. Aber so lange er die Seiten auch studierte, er kam einfach nicht dahinter. Resigniert richtete er sich schließlich auf und fragte: »Und gab's Überziehungen?«

»Keine«, antwortete sie, gab ein paar Befehle ein und wartete, bis die neu aufgerufenen Dokumente auf dem Bildschirm erschienen. »Das gesamte Projekt wurde fristgerecht fertiggestellt«, erklärte sie und deutete auf einen Absatz, der vermutlich den Beweis dafür lieferte. »Darüber hinaus«, fuhr sie fort, »wurde auch der Budgetplan nicht überschritten, und ein Ingenieur, mit dem ich telefoniert habe, sagt, die handwerkliche Qualität lag weit über dem, was im kommunalen Bereich sonst üblich ist.« Als sie sah, wie resigniert er das aufnahm, ergänzte sie fast widerstrebend: »Das gleiche gilt für die beiden Schulen, die er hier in der Stadt restauriert hat, Commissario.«

Brunettis Blick wanderte vom Bildschirm zu ihr, dann zu Vianello und endlich zurück auf den Computer. In der Vergangenheit hatte er sich oft ermahnt, sich strikt an die Beweislage zu halten und nicht von seinem Wunschdenken leiten zu lassen. Und doch passierte es ihm schon wieder: Da Signorina Elettras Informationen nicht mit seiner Theorie übereinstimmten, hätte er ihnen am liebsten ihren Wert abgesprochen oder nach Beweisen gesucht, mit denen sich die vorhandenen entkräften ließen.

Dann aber fiel es ihm wie Schuppen von den Augen: Die Spur, auf die er Vianello und Signorina Elettra gesetzt hatte, diese Spur endete nicht erst jetzt in einer Sackgasse – sie hatte von Anfang an in die Irre geführt. »Es ist alles falsch«, sagte er. »Wir sind von ganz falschen Voraussetzungen ausgegangen.«

Der Titel eines Buches, das er vor ein paar Jahren gelesen hatte, fiel ihm ein, und er zitierte ihn laut: »*The March of Folly*. Auf uns übertragen heißt das: Wir sind wie verblendete Narren hinter dem großen Coup hergewesen, statt uns auf das Geld zu konzentrieren.«

»Ist das etwa kein Geld?« fragte Vianello und wies auf den Bildschirm.

»Ich rede von dem Geld auf den Konten der Alten«, beharrte Brunetti. »Wir haben nur die große Summe unterm Strich gesehen und die einzelnen Zahlungen vernachlässigt.«

Die Mienen der beiden verrieten, daß sie ihm immer noch nicht folgen konnten, was Vianellos entrüsteter Einwurf »Für unsereins sind dreißigtausend Euro eine Menge Geld« nachdrücklich bestätigte.

»Ja, natürlich«, räumte Brunetti ein. »Das ist ohne Frage eine große Summe und war es vor zehn Jahren erst recht. Aber wir haben eben immer nur den Gesamtbetrag im Auge gehabt und nicht die monatlichen Raten. Die aber hätte jemand mit einem leidlich guten Gehalt durchaus verschmerzen können. Angenommen, Sie wären noch ledig und wohnten bei den Eltern, dann hätten auch Sie soviel abzweigen können«, erklärte er dem verdutzten Vianello.

Der wollte schon vehement widersprechen, doch dann bedachte er Brunettis Vorgabe und mußte nach einer Pause grollend eingestehen: »Ja, wenn ich noch zu Hause wohnte und keine Hobbys hätte und nie auswärts essen ginge und keine modischen Ansprüche hätte, dann wäre es wohl gegangen.« Aber weil er doch kein so guter Verlierer war, fügte er noch an: »Trotzdem wäre es nicht leicht gewesen. Es ist und bleibt eine Menge Geld.«

»Aber nicht genug, um das Schweigen eines Mitwissers zu erkaufen, der nachweisen kann, wie der Vertrag über die komplette Restaurierung eines solchen Gebäudes zustande kam.« Brunetti tippte mit dem Finger auf den Bildschirm, wo geradezu unheimlich die gigantische Endsumme aufleuchtete. »Ein Geschäft dieser Größenordnung hätte ihnen Millionen eingebracht. Kein Erpresser« – hier nannte er das Verbrechen endlich beim Namen – »würde sich mit so wenig begnügen, nicht wenn für sein Opfer so viel auf dem Spiel steht.«

Erwartungsvoll sah er die beiden an, gespannt, ob sie mit seiner Deutung einverstanden waren. Vianellos bedächtiges Nicken und Signorina Elettras zustimmendes Lächeln gaben ihm die gewünschte Antwort. »Wir haben uns«, fuhr er fort, korrigierte sich aber sogleich und gestand: »*Ich* habe mich in die fixe Idee verrannt, es handle sich um Schweigegeld für etwas Großes, Bedeutendes – wie diesen Vertrag. Aber in Wahrheit geht es hier um eine kleine, schäbige Affäre, ganz persönlich und privat.«

»Und wahrscheinlich schmutzig«, fiel Vianello ein.

Brunetti wandte sich an Signorina Elettra. »Ich weiß nicht, was Sie über die Mitarbeiter der Schulbehörde in Erfahrung bringen können.« Zu betonen, daß er sich nicht mehr darum scherte, wie sie sich ihre Informationen beschaffte, schien ihm überflüssig. »Und ich kann Ihnen leider auch keine Anhaltspunkte zu der Person geben, die wir suchen. Ich weiß nur so viel, daß Signora Battestini vor ihrer Anwältin damit geprahlt hat, wie gut ihr Sohn für ihr Alter vorgesorgt habe.« Brunetti schlug in gespielter Frömmigkeit die Augen zur Decke empor und ergänzte: »Mit Hilfe der Madonna.« Beide lächelten über seine Parodie, und er fuhr fort: »Wir suchen also nach jemandem, der, als die Zahlungen einsetzten, bei der Schulbehörde angestellt war und ein Gehalt bezog, von dem er zur Not hunderttausend Lire im Monat hätte abtreten können.«

»Vielleicht«, unterbrach Vianello, »war unser Mann ja auch so reich, daß Geld für ihn keine Rolle spielte.«

Signorina Elettra schüttelte den Kopf. »Ich glaube nicht, daß so jemand bei der Schulbehörde arbeiten würde, Ispettore.«

Brunetti befürchtete schon, ihre spöttische Bemerkung könnte Vianello gekränkt haben, aber das schien nicht der Fall. Der Inspektor nickte vielmehr gedankenvoll und sagte nach einer kleinen Pause: »Es ist doch merkwürdig, daß der Betrag sich nie geändert hat. Die Löhne sind gestiegen, alles ist teurer geworden, aber die monatlichen Zahlungen an die Battestini blieben immer konstant.«

Signorina Elettra horchte auf, ließ sich in ihren Stuhl gleiten, tippte ein paar Befehle in die Tastatur, dann noch einige mehr, und schon wurden die Seiten auf dem Bildschirm durch die Belege der verschwundenen Bankkonten ersetzt. Sie scrollte die Zahlenkolonnen herunter bis zu dem Monat der Währungsumstellung. Nachdem sie die Buchung für Januar geprüft hatte und zum Februar kam, blickte sie zu

Brunetti auf und sagte: »Sehen Sie sich das an, Commissario. Zwischen Januar und Februar besteht eine Differenz von fünf *centesimi*.«

Brunetti beugte sich über den Bildschirm und sah, daß die Einzahlung für Februar, wie sie gesagt hatte, um fünf *centesimi* höher war als die vom Januar. Signorina Elettra drückte eine Taste, und auf dem Bildschirm erschienen die Kontoauszüge von März und April, beide mit dem angeglichenen Betrag. Sie zog den kleinen Taschenrechner aus einer Schreibtischlade, der zur Zeit der Euroumstellung jedem Bürger des Landes zugesandt worden war, tippte rasch ein paar Ziffern ein und sagte aufblickend: »Die Einzahlung für Februar stimmt haargenau mit den früheren Lira-Raten überein.« Sie legte den Taschenrechner in die Schublade zurück. »Fünf *centesimi*«, wiederholte sie ehrfurchtsvoll, wie im Angesicht des Bösen.

»Entweder der Einzahler hat seinen Irrtum bemerkt…« begann Vianello. Aber Brunetti fiel ihm ins Wort und beendete den Satz mit der wahrscheinlicheren Erklärung: »Oder Signora Battestini hat reklamiert.«

»Wegen fünf *centesimi*«, sagte Signorina Elettra leise und immer noch mit ehrfürchtiger Scheu vor solch unerhörtem Geiz.

Brunetti, der unwillkürlich an sein Gespräch mit Dottor Carlotti denken mußte, platzte heraus: »Ihr Telefon! Mein Gott, das Telefon!« Als die beiden ihn verständnislos anstarrten, erklärte er: »Sie war seit drei Jahren ans Haus gefesselt. Ihre einzige Möglichkeit, den fehlenden Betrag zu reklamieren, war das Telefon.« Er hätte sich ohrfeigen können, weil er nicht früher daran gedacht hatte, die Telefonverbindungen der Alten zu überprüfen, und weil er so hartnäckig die einmal eingeschlagene Spur verfolgt und sich blind gestellt hatte gegen das, was doch zum Greifen nahe war.

»Es wird ein paar Stunden dauern«, sagte Signorina Elettra. Ehe Brunetti noch fragen konnte, warum es nicht schneller ginge, erklärte sie: »Giorgios Frau hat ein Kind bekommen, deshalb ist er vorübergehend auf Teilzeit, und ich kann ihn erst nachmittags im Büro erreichen.« Und auch Brunettis zweite Frage vorwegnehmend, ergänzte sie: »Nein, ich habe ihm versprochen, daß ich nicht auf eigene Faust versuchen werde, mich in das System einzuklinken. Denn wenn mir ein Fehler unterläuft, können die zurückverfolgen, wer mir geholfen hat.«

»Ein Fehler?« wiederholte Vianello.

Der Frage folgte ein langes Schweigen, und erst, als es peinlich zu werden drohte, sagte sie: »Am Computer, meine ich. Wie dem auch sei, ich habe mein Wort gegeben und muß es auch halten.«

Brunetti und Vianello sahen sich betreten an; beide dachten unwillkürlich an den Fehler, der Signorina Elettra vor ein paar Jahren unterlaufen war. »Na schön«, sagte Brunetti. »Dann warten wir eben. Aber seien Sie so gut und überprüfen Sie die Telefonverbindungen in beide Richtungen, ja?« Und eingedenk einer früheren Begegnung mit ihrem Freund Giorgio fragte er: »Junge oder Mädchen?«

»Mädchen«, erwiderte sie und fügte mit beinahe verklärtem Lächeln hinzu: »Sie haben sie Elettra genannt.«

»Wundert mich, daß sie nicht Compaq heißt«, brummte Vianello. Das brachte sie zum Lachen, und die Stimmung war wieder im Lot.

Auf dem Weg in sein Büro versuchte Brunetti sich vorzustellen, was hinter der Erpressung stecken mochte, und erwog alle möglichen Geheimnisse, Laster oder Schändlichkeiten, durch die jemand zu Battestinis Opfer hätte werden können. Doch da seiner Überzeugung nach der Erpreßte zugleich der Mörder von Signora Battestini war, schien »Opfer« kaum das rechte Wort. Also eher »Objekt«? Aber wo verlief die Grenze, die eins vom anderen trennte, und was hatte den Mörder dazu getrieben, diese Grenze zu überschreiten?

Brunetti hakte eine ganze Liste möglicher Verbrechen und Laster ab, verwarf jedoch eins ums andere, bis er sich unversehens wieder mit Paolas These konfrontiert sah: Kaum eine der sieben Todsünden galt heute noch als solche. Wer würde einen Mord begehen, um nicht der Völlerei oder Trägheit, des Hochmuts oder Neids überführt zu werden? Geblieben waren allenfalls Wollust oder Zorn, sofern er in Gewalt mündete, und Habsucht, wenn man sie bis zur Bestechlichkeit führte. Um die übrigen scherte sich heutzutage niemand mehr. Nur das Paradies, so hatte er es als Kind gelernt, war frei von Sünden, doch diese schöne neue Welt, in der er lebte und die sich über die Sünde hinaus wähnte, ließ sich wohl kaum mit einem Paradies verwechseln.

21

Brunetti war mit seinen Ermittlungen in jenes verhaßte
Stadium geraten, wo alles zum Stillstand kam und man
nichts tun konnte als abwarten, bis die Karten neu gemischt
waren. Früher hatte der Frust über diese erzwungene Un-
tätigkeit ihn bisweilen zu unbesonnenen Handlungen ver-
leitet, die er dann bitter büßen mußte. Inzwischen hütete er
sich vor solchen Fahrlässigkeiten und überbrückte die War-
tezeit lieber mit einer unbedenklichen Beschäftigung. So
holte er jetzt das Telefonbuch hervor und schrieb sich die
Büro- und Privatnummern von Fedi und Sardelli sowie deren Adressen heraus. Die beiden kamen freilich am wenigsten als Täter in Betracht, denn von einem Direktor hätte
Paolo Battestini vermutlich mehr verlangt.

Als nächstes suchte er die Akte Battestini heraus und las
noch einmal sämtliche Zeitungsausschnitte. Und tatsächlich: Zwei Tage nach dem Mord berichtete *La Nuova*, daß
die Frau, die sich Florinda Ghiorghiu nannte, zur Tatzeit
erst fünf Monate für Signora Battestini gearbeitet habe und
daß der einzige Sohn des Opfers seit fünf Jahren tot sei.
Demnach war nicht nur Direktor Rossi genauestens über
Signora Battestini und ihre Familie im Bilde.

Nach einer Stunde brachte Vianello ihm die Namensliste
aller Mitarbeiter, die vor Beginn der Zahlungen mindestens
schon ein Quartal bei der Schulbehörde angestellt waren.
Der Inspektor legte großen Wert darauf zu betonen, daß
Signorina Elettra die Informationen auf legalem Wege, mit-

tels einer offiziellen polizeilichen Anfrage erhalten habe. »Sie macht jetzt noch einen Abgleich mit anderen Dateien, um festzustellen, was aus den Leuten geworden ist, ob sie geheiratet haben, gestorben oder verzogen sind.«

Brunetti überflog die Liste und zählte zweiundzwanzig Namen. Erfahrung, Vorurteil und Intuition wirkten zusammen und veranlaßten ihn zu der Frage: »Sollen wir die Frauen ausklammern?«

»Vorläufig schon, denke ich«, stimmte Vianello zu. Auch er hatte die Fotos von der Leiche gesehen.

»Dann bleiben noch acht«, sagte Brunetti.

»Ja, ich weiß«, entgegnete Vianello. »Ich habe Ihnen die ersten vier herausgeschrieben. Die restlichen vier übernehme ich.«

Brunetti griff schon zum Telefonhörer, als der Inspektor sein Büro verließ. Drei der Namen auf der Liste kamen ihm bekannt vor, was allerdings nur daran lag, daß es sich um einen Costantini und zwei Scarpas handelte, aber diese drei waren ohnehin an Vianello gefallen. Er wählte auswendig die Nummer der Gewerkschaft, der er wie die meisten Staatsbediensteten angehörte, nannte der Vermittlung seinen Namen und fragte nach Daniele Masiero.

Während die Verbindung hergestellt wurde, beschallte man ihn mit einer der *Vier Jahreszeiten*. Als Masiero sich meldete und in den Hörer rief: »*Ciao*, Guido, und wessen Privatleben soll ich heute an dich verraten?«, summte der Commissario noch das Hauptthema des zweiten Satzes.

»Ich habe die Musik nicht ausgesucht«, beteuerte Masiero. »Und da ich zum Glück nie hier anrufe, brauche ich sie mir auch nicht anzuhören.«

»Woher weißt du dann, was in eurer Warteschleife gespielt wird?« fragte Brunetti.

»Weil sich so viele Leute beschweren und mir vorjammern, wie ihnen das Gedudel zum Hals raushängt.«

Normalerweise hätte Brunetti die Form gewahrt, sich also nach Masieros Familie erkundigt und danach, wie es ihm beruflich ging, doch heute fehlte ihm dazu die Geduld, und er kam ohne Umschweife zur Sache. »Ich habe hier die Namen von vier Männern, die vor etwa zehn Jahren in der Schulbehörde gearbeitet haben, und ich möchte dich bitten, so viel wie möglich über sie herauszufinden.«

»Gehört das, was du suchst, in dein Ressort oder in meins?« fragte Masiero.

»In meins.«

»Nämlich?«

»Ich suche was, womit man die Leute erpressen könnte.«

»Weites Feld.«

Brunetti hielt es für das klügste, Masiero mit seinen Gedanken über die sieben Todsünden zu verschonen, und so begnügte er sich mit einem schlichten »Ja«.

Er vernahm Papiergeraschel vom anderen Ende der Leitung, und dann sagte Masiero: »Also her mit den Namen.«

»Luigi D'Alessandro, Ricardo Ledda, Benedetto Nardi und Gianmaria Poli.«

Masiero brummte etwas Unverständliches, während Brunetti ihm die Namen der Reihe nach diktierte.

»Kennst du die Leute?« fragte Brunetti.

»Poli ist tot«, sagte Masiero. »Starb vor zwei Jahren an einem Herzanfall. Und Ledda wurde vor sechs Jahren nach

Rom versetzt. Bei den beiden anderen weiß ich nicht, ob und womit sie erpreßbar sein könnten, aber ich werde mich mal umhören.«

»Darf ich dich bitten, das möglichst unauffällig zu tun?«

»Du meinst, ich soll nicht hingehen und sie fragen, ob sie vielleicht erpreßt werden?« entgegnete Masiero schroff und merklich gekränkt. »Ich bin doch kein Idiot, Guido. Ich sehe zu, was ich herausbekomme, und rufe dich dann zurück.«

Bevor Brunetti sich zu einer Entschuldigung aufraffen konnte, hatte Masiero aufgelegt.

Als nächstes rief er seinen Freund Lalli an, und nachdem der ihm erklärt hatte, er sei vor lauter Arbeit noch nicht dazu gekommen, sich mit dem Fall Battestini zu befassen, sagte Brunetti, er habe noch zwei Namen für ihn, und zwar D'Alessandro und Nardi.

»Diesmal klappt's bestimmt. Ich nehme mir die Zeit«, versprach Lalli und verabschiedete sich dann so rasch, daß Brunetti sich fragte, ob er in dieser Stadt der einzige war, der nicht durch akute Arbeitsüberlastung zur Verzweiflung getrieben wurde.

Aus alter Gewohnheit trat er ans Fenster, wo sein Blick auf die langen Gazebahnen fiel, mit denen das Gerüst an der Fassade des Ospedale di San Lorenzo verhängt war, Schauplatz eines der vielen großangelegten Restaurationsprojekte. Ein Kran, vielleicht derselbe, der so viele Jahre unbeweglich neben der Kirche gestanden hatte, thronte jetzt ebenso reglos über dem Altenheim. Es gab keinerlei Anzeichen dafür, daß die Bauarbeiten vorangingen. Brunetti versuchte vergebens, sich zu erinnern, wann er das letzte Mal jemanden auf dem Gerüst gesehen hatte, das schon seit etlichen Monaten stand. Vor der Kirche war ein Schild angebracht, dem zufolge die Restaurierung den Richtlinien von 1973 unterlag. Brunetti, der damals noch nicht in der Questura gearbeitet hatte, wußte nicht, ob die Jahreszahl sich auf den Baubeginn bezog oder nur auf den Zeitpunkt, zu dem die Renovierung genehmigt worden war. Ob es das nur in Venedig gab, daß man seine Berechnungen danach richtete, wie lange eine Arbeit nicht vorankam?

Brunetti setzte sich wieder an den Schreibtisch und suchte den Terminkalender von 1978 heraus, in dem er sein Telefonverzeichnis verwahrte. Er suchte eine Nummer heraus und wählte die Geschäftsstelle von Arcigay in Marghera, wo er Emilio Desideri, den Vorstand, verlangte. Dem Umstand, daß er auch hier zunächst in der Warteschleife landete, verdankte er die Erkenntnis, daß zur Zeit alle, egal ob hetero oder schwul, auf Vivaldi standen.

»Desideri«, meldete sich eine tiefe Stimme.

»Ich bin's, Emilio: Guido. Ich muß dich um einen Gefallen bitten.«

»Einen, den ich dir guten Gewissens leisten kann?«

»Wahrscheinlich nicht.«

»Hätte mich auch gewundert. Um was geht's denn?«

»Ich habe hier zwei Namen – na ja, eigentlich vier«, verbesserte sich Brunetti, der sicherheitshalber auch Sardelli und Fedi dazunehmen wollte, »und du sollst mir sagen, ob einer davon erpreßbar sein könnte.«

»Es ist nicht mehr strafbar, schwul zu sein, Guido.«

»Aber jemandem den Schädel einzuschlagen schon«, konterte Brunetti. »Darum rufe ich an.« Er wartete, ob Desideri etwas dazu sagen würde, doch als die Leitung stumm blieb, fuhr er fort: »Ich möchte von dir nur wissen, ob nach deiner Kenntnis einer dieser Männer schwul ist.«

»Und das wäre für dich Anlaß genug, ihm zuzutrauen, daß er jemandem den Schädel einschlägt, wie du es so taktvoll formulierst?«

»Emilio«, sagte Brunetti mühsam beherrscht, »ich will weder dich noch sonst einen Schwulen schikanieren. Daß du homosexuell bist, stört mich nicht im geringsten. Von mir aus könnte der Papst schwul sein. Ich bilde mir sogar ein, daß es mir bei meinem eigenen Sohn nichts ausmachen würde, obwohl das vermutlich gelogen wäre. Aber hier geht es mir nur darum herauszufinden, was mit dieser alten Frau passiert ist.«

»Signora Battestini? Die Mutter von Paolo?«

»Du kanntest sie?«

»Nicht persönlich.«

»Darf ich fragen, was du über sie weißt?«

»Paolo war mit jemandem liiert, den auch ich kannte, und der hat mir – allerdings erst, nachdem Paolo tot war –, erzählt, wie Paolo sie dargestellt hat.«

»Würde dieser Mann auch mit mir reden?«

»Wenn er noch lebte, vielleicht.«

Hierauf schwieg Brunetti lange und fragte dann: »Erinnerst du dich vielleicht noch an das eine oder andere, was er dir erzählt hat?«

»Daß Paolo immer wieder beteuert habe, wie sehr er seine Mutter liebe, auch wenn es für ihn stets so geklungen habe, als meinte er das Gegenteil.«

»Und was war der Grund?«

»Habgier. Sie lebte offenbar dafür, ihr Bankkonto wachsen zu sehen. Das war ihre größte und, wie es schien, auch ihre einzige Freude.«

»Und Paolo? Was war er für ein Mensch?«

»Ich habe ihn nicht gekannt.«

»Aber was hat dein Freund über ihn erzählt?«

»Das war kein Freund, sondern ein Patient. Er hat drei Jahre lang bei mir eine Analyse gemacht.«

»Tut mir leid. Und was sagte er über Paolo?«

»Daß er ein gehöriges Quantum von der Sucht seiner Mutter geerbt hätte und daß es für ihn das Höchste gewesen wäre, ihr Geld zu geben, weil sie das glücklich zu machen schien. Ich habe das immer so verstanden, daß sie dann aufhörte, an ihm herumzunörgeln, aber ich könnte mich irren. Vielleicht machte es ihm ganz ehrlich Freude, sie zu beschenken. Sein Leben bot ansonsten wenig Erfreuliches.«

»Er starb an Aids, nicht wahr?«

»Ja, genau wie sein Freund.«

»Auch das tut mir leid.«

»Das hört sich an, als meintest du es ehrlich, Guido«, sagte Desideri, doch er klang nicht verwundert.

»Tue ich auch. Niemand verdient einen solchen Tod.«

»Also gut, gib mir die Namen.«

Brunetti diktierte ihm die Namen von D'Alessandro und Nardi, und als Desideri sie wortlos zur Kenntnis genommen hatte, auch noch die von Fedi und Sardelli.

Desideri sagte noch immer nichts, aber sein Schweigen war so spannungsgeladen, daß Brunetti unwillkürlich den Atem anhielt. Endlich fragte Desideri: »Und du glaubst, Paolo könnte diese Person erpreßt haben?«

»All unsere Indizien deuten darauf hin«, antwortete Brunetti ausweichend.

Er hörte ein Rasseln in der Leitung, als Desideri tief Luft holte, wie wenn er Anlauf nehmen wollte. Aber dann sagte er nur: »Ich kann das nicht«, und legte auf.

Brunetti erinnerte sich dunkel an das Zitat eines englischen Schriftstellers, das er von Paola gehört hatte: Er würde eher sein Land verraten als seine Freunde. Paola hatte dahinter jesuitisches Gedankengut vermutet, und er sah sich genötigt, ihr zuzustimmen, obgleich die Engländer sich auch ohne das meisterlich auf solche Sentenzen verstanden. Von den vieren, die er Desideri genannt hatte, war also mindestens einer schwul und entweder sein Patient oder so gut mit ihm befreundet, daß er ihn nicht der Polizei ausliefern mochte, nicht einmal wenn es um Mord ging, oder vielleicht gerade dann nicht. Immerhin konnten sie die Liste jetzt eingrenzen, es sei denn, Vianello fand unter seinen Kandidaten noch jemanden, der schwul war. Oder aber, die Erpressung hatte einen ganz anderen Grund.

Zwanzig Minuten später kam Vianello in Brunettis Büro, wieder mit der Namensliste in der Hand. Er setzte sich auf seinen gewohnten Platz vor dem Schreibtisch, schob dem Commissario das Blatt hin und sagte: »Nichts.«

Brunetti warf ihm einen fragenden Blick zu.

»Einer ist verstorben«, sagte Vianello und deutete auf einen Namen. »Er wurde in dem Jahr, als die Zahlungen anfingen, pensioniert und starb vor drei Jahren.« Der Inspektor fuhr mit dem Finger die Liste entlang. »Der hier ist fromm geworden und lebt seit ein paar Jahren in so einer Art Kommune bei Bologna.« Er schob das Blatt näher zu

Brunetti hin und lehnte sich in seinem Stuhl zurück. »Und von den restlichen zwei ist einer Oberschulrat geworden: Giorgio Costantini, verheiratet und allem Anschein nach ein anständiger Kerl.«

Brunetti benannte zwei abgesetzte Regierungschefs, denen man das gleiche nachgesagt hatte.

»Aber«, hielt Vianello dagegen, »ich habe einen Cousin, der an den Wochenenden mit ihm Rugby spielt. Er sagt, Costantini ist in Ordnung, und ich glaube ihm.«

Brunetti ließ die Begründung kommentarlos durchgehen und fragte statt dessen: »Was ist mit dem anderen?«

»Der sitzt im Rollstuhl.«

»Wie bitte?«

»Er ist der Typ, der sich auf einer Indienreise angesteckt und Kinderlähmung gekriegt hat. Sie haben sicher davon gelesen.«

Eine vage Erinnerung dämmerte in Brunetti auf, auch wenn er die Einzelheiten längst wieder vergessen hatte. »Ja, ich habe davon gehört. Wie lange ist das her, an die fünf Jahre?«

»Sechs. Er erkrankte während der Reise, und als endlich die Diagnose gestellt wurde, war es für eine Evakuierung zu spät. Also mußte man ihn dort behandeln, und jetzt sitzt er im Rollstuhl.« Vianello war offenbar immer noch gekränkt, weil der Commissario das Urteil seines Cousins über Giorgio Costantini nicht ohne weiteres hatte gelten lassen. Und so klang es reichlich gallig, als er jetzt fortfuhr: »Ihnen reicht das vielleicht nicht, um ihn von der Liste zu streichen, aber ich finde, wenn ein Mann im Rollstuhl landet, wird er sich kaum mehr von einem Erpresser einschüchtern lassen.«

Doch nach einer Pause räumte er ein: »Ich kann mich natürlich auch irren.«

Brunetti maß Vianello mit einem langen Blick, aber so leicht ködern ließ er sich nicht. »Ich hoffe immer noch, daß Lalli mir auf die Sprünge hilft«, sagte er ausweichend.

»Ein Schwuler, der einen aus den eigenen Reihen verpfeift?« fragte Vianello in einem Ton, der Brunetti gar nicht gefiel.

»Er hat drei Enkelkinder.«

»Wer?«

»Lalli.«

Da schüttelte Vianello den Kopf, ob ungläubig oder mißbilligend, wußte Brunetti nicht zu sagen.

»Wir sind schon lange befreundet«, versetzte Brunetti mit Nachdruck. »Er ist ein anständiger Kerl.«

Vianello erkannte die Retourkutsche sehr wohl, zog es aber vor, nicht darauf einzugehen.

Brunetti wollte noch etwas sagen, als Vianello sich abwandte. Vielleicht, weil er nicht kapitulieren und Lalli Anständigkeit zubilligen wollte, vielleicht auch nur, um Brunettis Blick zu meiden. Was immer der Grund war, Brunetti nahm das zum Anlaß, seinerseits beleidigt zu reagieren. »Ich denke«, sagte er herausfordernd, »ich sollte mal mit dem reden, der nicht im Rollstuhl sitzt. Also mit dem Rugbyspieler.«

»Wie Sie wünschen, Commissario«, erwiderte Vianello, erhob sich und verließ grußlos das Büro.

22

Als die Tür hinter Vianello ins Schloß gefallen war, kam Brunetti schlagartig zur Besinnung. »Wie konnte das nur geschehen?« murmelte er vor sich hin. Waren das die Gefühle, mit denen ein Trinker aus dem Suff erwachte oder ein Choleriker nach einem Anfall? Als ob sie aus der Kulisse zugesehen hätten, wie jemand, der als ihr Ebenbild verkleidet war, sich durch einen schlechten Text haspelte? Er ließ das Gespräch mit Vianello Revue passieren und versuchte den Moment einzufangen, in dem ein schlichter Informationsaustausch unter Kollegen entgleist und in einen testosterongesteuerten Rivalitätskampf ausgeartet war. Der sich, und das war das Lächerliche daran, an Brunettis Weigerung entzündete, eine Meinung zu akzeptieren, nur weil der, der sie geäußert hatte, zufällig Rugby spielte.

Nach etlichen Minuten des Grübelns griff sein besseres Ich zum Telefon und rief unten im Dienstzimmer an, wo ein nervös klingender Pucetti ihm nach langem Zögern erklärte, Vianello sci nicht da. Brunetti legte den Hörer auf und dachte an den schmollenden Achilles in seinem Zelt.

Da läutete das Telefon, und in der Hoffnung, es sei Vianello, hob er gleich beim ersten Klingeln ab.

»Ich bin's, Commissario«, meldete sich Signorina Elettra. »Ich habe ihre Telefonverbindungen.«

»Was denn, so schnell?«

»Das Krankenhaus hat Giorgios Frau noch einen Tag behalten, also ist er doch schon morgens ins Büro gegangen.«

»Ist irgendwas nicht in Ordnung?« fragte Brunetti, ganz treusorgender Familienmensch.

»Nein, nein. Aber ihr Onkel ist der *primario* in der Klinik, und er hielt es für besser, sie noch einen Tag unter Beobachtung zu haben.« Man hörte ihrer Stimme an, daß sie bemüht war, seine Besorgnis um eine Frau zu zerstreuen, die er nicht einmal kannte. »Mutter und Kind sind wohlauf.«

Signorina Elettra hielt kurz inne, falls er noch Fragen hatte, doch da Brunetti schwieg, fuhr sie fort: »Als Giorgio mein E-Mail bekam, hat er gleich losgelegt. In dem Monat vor ihrem Tod hat die Battestini die Zentrale der Schulbehörde angerufen – es war das einzige Telefonat, das von ihrem Anschluß geführt wurde –, und am Tag darauf bekam sie einen Anruf von derselben Nummer. Ansonsten hat nur ihre Nichte einmal angerufen. Weiter niemand.«

»Wie viele Tage hat Giorgio überprüft?«

»Den ganzen Monat, bis hin zum Tag ihrer Ermordung.«

Keiner von beiden äußerte sich dazu, daß Signora Battestini, die dreiundachtzig Jahre in ein und derselben Stadt gelebt hatte, im Laufe eines Monats nur zwei Anrufe bekam. Brunetti fiel ein, daß in den Kartons auf ihrem Speicher keine Bücher gewesen waren: Ihr Leben beschränkte sich auf einen Platz vor dem Fernseher und die Gesellschaft einer Frau, die fast kein Italienisch sprach.

Beim Gedanken an die Kartons auf dem Dachboden fiel ihm ein, wie flüchtig er sie inspiziert hatte, und darüber entging ihm, was Signorina Elettra als nächstes sagte. Als er sich wieder einklinkte, hörte er nur noch: »...am Tag, bevor sie starb.«

»Wie bitte?« fragte er. »Entschuldigung, aber ich war ganz woanders.«

»Der Anruf von der Schulbehörde kam einen Tag vor ihrem Tod.«

Sie sagte es mit unverhohlenem Stolz, aber Brunetti bedankte sich nur flüchtig und legte auf. Während des Gesprächs mit ihr war ihm ein zündender Gedanke gekommen: Die Sachen auf Signorina Battestinis Speicher mußten noch einmal gründlich unter die Lupe genommen werden. Das Motiv Erpressung war erst nach seiner hastigen Inspektion ins Spiel gekommen, aber nun, da sie es im Visier hatten, konnte er sich die Kartons auf dem Dachboden noch einmal in aller Ruhe vornehmen. Zwar wußte er noch immer nicht, wonach er suchte, doch jetzt bestand zumindest die Hoffnung, daß es etwas zu finden gab.

Brunetti griff zum Telefon, um Vianello zu fragen, ob er ihn begleiten wolle, bevor ihm einfiel, daß der Inspektor nicht im Haus war. Dann also Pucetti. Er rief unten im Dienstzimmer an und trug dem jungen Polizisten ohne weitere Erklärung auf, ihn in fünf Minuten am Haupteingang zu treffen und eine Barkasse zu ordern.

Beim letzten Mal hatte er sich wie ein Dieb in Signora Battestinis Wohnung geschlichen und war von niemandem gesehen worden. Diesmal würde er wie das personifizierte Gesetz erscheinen, und niemand würde es wagen, ihn aufzuhalten; so hoffte er jedenfalls.

Pucetti, der ihn auf den Stufen vor der Questura erwartete, lernte allmählich, nicht bei jeder Begegnung vor Brunetti zu salutieren, aber Haltung anzunehmen, hatte er sich nicht abgewöhnt. Sie gingen an Bord der Barkasse, und Bru-

netti, der entschlossen war, sich nicht nach Vianello zu erkundigen, begab sich, nachdem er dem Bootsführer ihr Ziel
genannt hatte, hinunter in die Kabine. Pucetti blieb an Deck.

Kaum hatte er Platz genommen, da fiel Brunetti die lange
Szene aus der Ilias ein, wo Achilles in seinem Zelt hockt und
seine Wunden leckt ob der endlosen Kette von Kränkungen
und Schmähungen, die er angeblich hat erdulden müssen.
Achilles war von Agamemnon geschmäht worden, Brunetti
von seinem Patroklos. Unpassenderweise schlich sich in seine Rückbesinnung auf Homer ein Ausdruck, den Paola bei
ihren Recherchen zum amerikanischen Slang aufgeschnappt
hatte: »gedisst werden«. Ein Begriff, der ursprünglich aus
der schwarzamerikanischen Ghettosprache stammte und ein
weites Spektrum von respektlosem bis beleidigendem Verhalten abdeckte.

Leise murmelte Brunetti vor sich hin: »Vianello hat mich
gedisst.« Worauf er in schallendes Gelächter ausbrach und
sich, nun wieder guter Dinge, an Deck begab.

Die Barkasse legte an, und nach wenigen Schritten waren
sie am Ziel. Brunetti spähte an der Hausfront hoch und sah,
daß Läden und Fenster von Signora Battestinis Wohnung of-
fenstanden; ein Fernseher war allerdings nicht zu hören. Er
läutete und las auf dem Klingelschild den Namen Van Cleve.

Ein Blondschopf erschien am Fenster über ihm, eine
Frau, neben der gleich danach der Kopf eines Mannes auf-
tauchte. Brunetti trat einen Schritt zurück und wollte um
Einlaß bitten, aber der Anblick von Pucettis Uniform ge-
nügte offenbar, denn im nächsten Moment waren beide
Köpfe verschwunden, und der Türöffner schnarrte.

Mann und Frau, beide blond, mit blassem Teint und hellen Augen, standen in der Wohnungstür. Bei ihrem Anblick mußte Brunetti unwillkürlich an Milch und Käse denken und an einen fahlen, wolkenverhangenen Himmel. Ihr Italienisch war zwar holprig, aber es gelang ihm, ihnen klarzumachen, wer er war und wo er hinwollte.

»*No chiave*«, sagte der Mann lächelnd und streckte ihm zur Verdeutlichung die leeren Handflächen entgegen. Die Frau ahmte seine hilflose Geste geflissentlich nach.

»*Va bene. Non importa*«, antwortete Brunetti und machte sich auf den Weg zum Speicher. Pucetti folgte dicht hinter ihm. Als Brunetti sich auf dem ersten Treppenabsatz umdrehte, sah er die beiden immer noch vor der Wohnung stehen, die jetzt offenbar die ihre war, und wie neugierige Eulen zu ihm hinaufblinzeln.

Oben angekommen, fischte Brunetti eine alte Zwanzig-Centesimi-Münze aus dem Geldbeutel, um damit die bereits gelockerten Schrauben im Türflansch herauszudrehen. Doch im Nähertreten sah er, daß der Flansch mit Gewalt aus dem Pfosten gebrochen war und schräg in die Luft ragte. Die beiden Schrauben, die er so sorgfältig wieder eingesetzt hatte, lagen am Boden, und die Tür stand einen Spaltbreit offen.

Brunetti hob warnend die Hand, doch Pucetti hatte die Situation bereits erfaßt und sich, den Finger am Abzug, rechts von der Tür postiert. Reglos lauschten sie mit angehaltenem Atem auf ein Geräusch von drinnen. So verharrten sie minutenlang. Dann stemmte Brunetti einen Fuß gegen die Tür und verlagerte sein ganzes Gewicht darauf, um zu verhindern, daß sie von innen aufgestoßen wurde.

Sie ließen noch eine volle Minute verstreichen, dann nickte Brunetti dem jungen Polizisten zu, nahm den Fuß weg und riß die Tür auf. Als er mit dem Ruf »Polizei!« voranstürmte, kam er sich denn doch ein bißchen lächerlich vor.

Die Dachkammer war leer, aber trotz der schummrigen Beleuchtung sah man, was der Eindringling, der ihnen zuvorgekommen war, angerichtet hatte. Eine Spur mutwillig verstreuter Gegenstände zeugte von ungestillter Neugier, die umgekippt war in Frust und Zorn und endlich zerstörerische Raserei. Der erste Kartonstapel war noch ordentlich zerlegt, geöffnet und ausgeräumt worden. Aber schon der nächste Posten lag umgestürzt, mit eingerissenen Deckelklappen auf dem Boden. Und der dritte Stoß, der, in dem Brunetti die Papiere gefunden hatte, bot ein Bild der Verwüstung: Ein Karton war völlig zerfetzt, und der herausgerissene Papierwust ergoß sich in weitem Bogen bis hin zum nächsten Stapel. Signora Battestinis religiöse Kitschsammlung hatte buchstäblich ein Martyrium erlitten: Die Leiber und Glieder der Heiligen lagen in den unmöglichsten Positionen gottloser Promiskuität verstreut; ein Christus hatte sein Kreuz verloren und breitete suchend beide Arme danach aus; eine blaue Madonna war beim Aufprall gegen eine Mauer kopflos geworden, einer anderen ihr Jesusknäblein abhanden gekommen.

Brunetti ließ den Blick über das heillose Chaos schweifen und wandte sich dann an Pucetti. »Rufen Sie die Spurensicherung. Ich will sämtliche Fingerabdrücke sichergestellt haben.« Er legte Pucetti die Hand auf den Arm und drängte ihn zur Tür. »Am besten, Sie warten unten auf die Kollegen«, sagte er. Und unter Mißachtung all dessen, was er je über Tatortsicherung gelernt und gelehrt hatte, setzte er hinzu: »Ich will mich hier noch ein bißchen umsehen, bevor die Kriminaltechniker anrücken.«

Pucetti war so bestürzt über diesen eklatanten Regelverstoß, daß ihm Hören und Sehen verging. Trotzdem gehorchte er, schlüpfte vorsichtig, um sie ja nicht zu berühren, durch die Tür und begab sich nach unten.

Unterdessen erwog Brunetti die Konsequenzen, mit denen er zu rechnen hatte, wenn seine Fingerabdrücke auf den Papieren, Kartons und Nippsachen ringsumher entdeckt würden. Er konnte sie gegebenenfalls damit erklären, daß er die Zeit bis zum Eintreffen der Spurensicherung für eine erste Beweisaufnahme genutzt habe. Wenn er sich nicht gleich dazu bekannte, bei einer früheren, ungenehmigten Durchsuchung den Inhalt einiger Kartons überprüft zu haben.

Brunetti machte einen Schritt auf den vorderen Stapel zu, trat dabei mit dem rechten Fuß auf die Schneekugel mit der Krippenszene, die er im Halbdunkel übersehen hatte, rutschte aus und fiel vornüber. Zwar konnte er den Sturz mit den Knien abfangen, aber als er den Boden berührte, zerbrach etwas knirschend unter seinem Gewicht, und scharfe Splitter bohrten sich durch die Hose in seine Haut. Ein jäher Schmerz durchzuckte ihn, und er war so benommen, daß es einen Moment dauerte, bevor er sich wieder aufrichten konnte. Erst beugte er sich über sein Knie und sah, daß ein dünnes Rinnsal Blut durch den Stoff sickerte. Dann tastete er suchend nach dem, worüber er gestolpert war.

Es war eine dritte Madonna. Sein Knie hatte ihr den Leib zertrümmert, aber Kopf und Beine waren wunderbarerweise verschont geblieben. Gütig lächelnd blickte sie aus alles verzeihenden Augen zu ihm auf. Er bückte sich instinktiv, um zumindest die unversehrten Teile in Sicherheit zu bringen. Obwohl er sich vorsorglich auf das heile Knie stützte, tat die Bewegung dem anderen höllisch weh. Als er sich anschickte, die Scherben aufzusammeln, stieß er inmitten der geborstenen Gipsteile auf eine plattgedrückte Papierrolle. Verdutzt hob Brunetti die Beine der Madonna hoch und entdeckte unter ihren Fußsohlen eine kleine ovale Öffnung, die, ähnlich wie bei einem Salzstreuer, mit einem Korken verschlossen war. Das Papier hatte offenbar fest zusammengerollt in der hohlen Figur ein Versteck gefunden.

Brunetti schob Kopf und Beine der Madonna in seine Jackentasche und trat hinaus auf den Flur, wo er sich ans Fenster stellte, um seinen Fund in Augenschein zu nehmen. Um keine Fingerabdrücke zu hinterlassen, faßte er das Papier mit den Fingerspitzen der Linken am oberen Rand und entrollte es mit den Fingernägeln der Rechten. Aber das Blatt schnellte immer wieder zurück, so daß er unmöglich entziffern konnte, was darauf geschrieben stand.

Während er sich vergebens abmühte, hörte er Pucetti von unten rufen: »Die Spurensicherung ist unterwegs, Commissario.« Gleich darauf erschien der junge Beamte auf dem Treppenabsatz, und Brunetti rief ihn zu sich. Wieder kniete er sich auf den Boden, rückte das Papier mit den Fingerspitzen beider Hände zurecht und hieß Pucetti, mit der Fußkante seitwärts den oberen Rand zu beschweren. Als das geschehen war, entrollte Brunetti das Blatt aufs neue, diesmal nur mit den Spitzen der kleinen Finger, und klemmte anschließend mit den Nägeln der Zeigefinger die Unterkante fest.

Das Schreiben trug den Briefkopf der Wirtschaftswissenschaftlichen Fakultät der Universität Padua und ein Datum, das zwölf Jahre zurücklag. Es war adressiert an die Personalabteilung der Schulbehörde von Venedig und lautete nach einer höflichen Grußformel wie folgt: »Wir bedauern, Ihnen mitteilen zu müssen, daß unserer Fakultät nicht nur kein Nachweis über die Promotion eines Studenten namens Mauro Rossi zum Dr. phil. vorliegt, sondern daß unter diesem Namen und dem von Ihnen angegebenen Geburtsdatum an der hiesigen Wirtschaftswissenschaftlichen Fakultät zu keiner Zeit eine Immatrikulation vorgenommen wurde.« Die Unterschrift war unleserlich, doch an der Echtheit des Universitätssiegels bestand keinerlei Zweifel.

Brunetti starrte auf den Text und traute seinen Augen nicht. Er versuchte sich die Urkunden ins Gedächtnis zu rufen, die in Rossis Büro hingen, allen voran das große, gerahmte Pergament mit seiner Ernennung zum Doktor der Philosophie – auf den Namen der Fakultät, von der er promoviert worden war, hatte Brunetti nicht geachtet.

Der Brief war an den Direktor der Personalabteilung gerichtet, doch Direktoren öffneten ihre Post sicher nicht selbst: Das war Sache der Sekretäre und Assistenten, denen es auch oblag, Lebensläufe zu prüfen und Bestätigungen für die darin gemachten Angaben einzuholen. Sie legten Empfehlungsschreiben ab, vermerkten die im Auswahlverfahren verteilten Zensuren und trugen all die vielen Puzzleteile zusammen, die sich im günstigen Falle zum Bild eines Menschen fügten, der einer Karriere oder Beförderung im Staatsdienst würdig war.

Vermutlich waren sie es auch, die hin und wieder Stichproben machten, um die Angaben in den Hunderten, wenn nicht Tausenden von Bewerbungen für einen der begehrten Posten im Staatsdienst auf ihren Wahrheitsgehalt zu überprüfen. Und wenn sie dabei auf eine Falschaussage stießen, konnten sie den Kandidaten bloßstellen, vielleicht sogar seine Entlassung aus dem öffentlichen Dienst erwirken. Oder sie behielten ihre Erkenntnisse für sich und nutzten sie, gewinnbringend, für ihre eigenen Zwecke.

Brunetti sah im Geiste die Familie Battestini vor sich, wie sie um ihren Wohnzimmertisch oder vielleicht auch vor dem Fernseher versammelt saß, und Papa Bär zeigte Mama Bär, was er und der kleine Bär ihr heute Schönes von der Arbeit mitgebracht hatten.

Ein Phantasiebild, das er jedoch schon im nächsten Augenblick energisch verscheuchte. Vorsichtig faßte er den Brief an einer Ecke und erhob sich.

»Was ist das, Commissario?« fragte Pucetti und deutete auf das Blatt.

»Der Grund dafür, daß Signora Battestini sterben mußte«, antwortete Brunetti und wandte sich zur Treppe, um der Spurensicherung entgegenzugehen.

Zuvor aber unterhielt er sich noch einmal mit dem holländischen Ehepaar, diesmal auf englisch, und fragte sie, ob ihnen seit ihrem Einzug im Hausflur oder auf der Treppe ein Fremder aufgefallen sei. Ja, bekam er zur Antwort, vor zwei Tagen habe Signora Battestinis Sohn bei ihnen geläutet, weil er seinen Schlüssel vergessen hatte – zumindest glaubten sie ihn so verstanden zu haben, setzten sie verlegen lächelnd hinzu. Er wollte nachsehen, ob die Fenster auf dem Dachboden geschlossen waren. Nein, sie hatten ihn nicht gebeten, sich auszuweisen: Wer außer dem Eigentümer hätte ein Interesse daran, auf den Speicher zu klettern? Er hatte sich ungefähr zwanzig Minuten oben aufgehalten, bis sie zu ihrem Italienischkurs mußten, aber als sie zurückkehrten, war er nicht mehr da, oder sie hatten ihn zumindest nicht die Treppe herunterkommen hören. Nein, sie waren nicht auf den Dachboden gestiegen, um nachzusehen: Sie hatten nur diese Wohnung gemietet und sahen sich nicht befugt, in andere Teile des Hauses vorzudringen.

Es dauerte einen Moment, bis Brunetti begriff, daß sie das ernst meinten, doch dann erinnerte er sich daran, daß sie Holländer waren, und glaubte ihnen.

»Könnten Sie mir den Sohn beschreiben?« bat er.

»Groß«, sagte der Mann.

»Und gutaussehend«, ergänzte seine Frau.

Der Mann sah sie scharf an, sagte aber nichts.

»Und wie alt würden Sie ihn schätzen?« fragte Brunetti die Frau.

»Ach, so Mitte vierzig vielleicht«, sagte sie. »Und stattlich. Er wirkte sehr sportlich«, schloß sie mit einem Blick auf ihren Mann, den Brunetti nicht zu deuten wußte.

»Verstehe«, sagte er trotzdem, bevor er angelegentlich das Thema wechselte. »An wen zahlen Sie eigentlich die Miete, wenn ich fragen darf?«

»Signora Maries...« begann die Frau, doch der Mann schnitt ihr hastig das Wort ab. »Die Wohnung gehört einer Freundin, darum brauchen wir keine Miete zu zahlen, nur die Nebenkosten.«

Brunetti ging geschmeidig auf die Lüge ein: »Ah, dann ist Graziella Simionato also eine Freundin von Ihnen?«

Man konnte beiden am Gesicht ablesen, daß sie den Namen noch nie gehört hatten. Der Mann hatte sich als erster gefangen und sagte: »Na ja, eher die Freundin einer Freundin.«

»Verstehe«, wiederholte Brunetti mechanisch.

Sollte er ihnen sagen, daß es ihm gleich war, ob jemand seine Mieteinnahmen versteuerte oder nicht? Doch da es für seine Ermittlungen keine Rolle spielte, ging er stillschweigend darüber hinweg. »Würden Sie den Sohn der Signora wiedererkennen?«

Er sah an ihrem Mienenspiel, wie nordeuropäische Redlichkeit und Gesetzestreue mit all den Vorurteilen rangen, die man ihnen über diese heimtückischen Südländer eingetrichtert hatte. Um so erfreuter war er, als schließlich beide wie aus einem Mund »Ja« sagten.

Brunetti dankte dem Ehepaar, sagte, er würde sich wieder melden, falls eine Identifizierung nötig sei, und verließ das Haus. Eine Polizeibarkasse hatte draußen am Kanal angelegt, und Bocchese wuchtete mit zwei Helfern die schweren Gerätschaften von Bord.

Brunetti ging den Männern entgegen, das Schreiben von der Universität Padua mit spitzen Fingern vor sich hertragend wie einen fangfrischen Fisch, den er Bocchese überreichen wollte. Als der ihn kommen sah, öffnete er einen der Koffer auf dem Pflaster, entnahm ihm eine durchsichtige Plastikhülle und stülpte sie auf, so daß Brunetti das Papier unbeschädigt hineingleiten lassen konnte.

»Ihr müßt rauf in die Dachkammer. Der Täter hat alles auf den Kopf gestellt, um das hier zu finden. Ich möchte das volle Programm: Fingerabdrücke natürlich, und was immer ihr sonst noch an Spuren findet, die uns helfen könnten, den Mann zu überführen.«

»Sie wissen, wer es ist?« staunte Bocchese.

Brunetti nickte. »Kann ich das Boot haben?« fragte er.

»Wenn Sie es wieder retour schicken. Den ganzen Kram können wir unmöglich zu Fuß zurückschleppen«, sagte Bocchese und wies auf die Koffer am Boden.

»Versprochen«, sagte Brunetti. Doch bevor er an Bord ging, wandte er sich noch einmal nach Bocchese um und erklärte mit Nachdruck: »Ach übrigens, meine Fingerabdrükke sind nirgendwo auf dem Zeug da oben in der Dachkammer.«

Bocchese maß ihn mit langem prüfenden Blick und sagte endlich: »Natürlich nicht, Commissario.« Dann bückte er sich nach einem der Koffer und verschwand damit in dem Haus, das vor kurzem noch Signora Battestini gehört hatte.

23

Am liebsten hätte Brunetti sich auf der Stelle vom Bootsführer zur Ca' Farsetti bringen lassen, um den ahnungslosen Rossi zu überrumpeln. Doch die Vernunft gebot ihm, sich zu zügeln, denn er sah ein, daß mit einem theatralischen Showdown Mann gegen Mann, aber ohne Zeugen nichts gewonnen wäre. Wann immer er in der Vergangenheit solch impulsiven Regungen nachgegeben hatte, war es jedesmal ein Reinfall gewesen: für ihn und für die Polizei, ganz zu schweigen von den Opfern, deren Anspruch auf Bestrafung ihrer Mörder das mindeste war, was ihnen zustand.

Also fuhr er zurück zur Questura, wo er als erstes das Dienstzimmer aufsuchte. Vianello schaute hoch, als sein Vorgesetzter hereinkam, und auf seinem Gesicht erschien ein zunächst noch verlegenes Lächeln, in dem sich indes, kaum daß Brunetti es erwiderte, seine ganze Erleichterung spiegelte. Im nächsten Augenblick war er aufgesprungen und kam zur Tür.

Brunetti bedeutete dem Inspektor, ihm zu folgen, und machte sich auf den Weg nach oben in sein Büro. Auf der Treppe verlangsamte er seinen Schritt, und als Vianello ihn eingeholt hatte, sagte er: »Es ist Rossi.«

»Der Mann von der Schulbehörde?« fragte Vianello verblüfft.

»Ja. Ich habe das Motiv gefunden.«

Erst als sie sich an seinem Schreibtisch gegenübersaßen, begann Brunetti zu erzählen. »Ich war noch mal auf dem

Dachboden, um mir den Plunder der Alten vorzunehmen. Und bin auf ein Schreiben der Universität Padua gestoßen, das zusammengerollt in einer hohlen Madonnenfigur versteckt war. Ich bin buchstäblich darüber gestolpert«, schloß er, ohne sich näher zu erklären. Vianello sah ihn aufmerksam an, sagte aber nichts. »Der Brief ist zwölf Jahre alt und bescheinigt schwarz auf weiß, daß Mauro Rossi weder an der Wirtschaftswissenschaftlichen Fakultät studiert hat, geschweige denn dort promoviert wurde.«

Ratlos runzelte Vianello die Brauen. »Ja, und?«

»Das bedeutet, er hat bei seiner Bewerbung gelogen, sich einen Doktortitel angemaßt, den er gar nicht hatte«, erklärte Brunetti.

»Das habe ich schon verstanden«, gab Vianello geduldig zurück, »aber was hat das mit unserem Fall zu tun?«

»Wenn Battestini diesen Brief weitergeleitet hätte, wäre Rossi seinen Job los gewesen. Er hätte alles verloren, seine Karriere, seine Zukunft«, versetzte Brunetti, erstaunt, daß Vianello das nicht zu begreifen schien.

Vianello machte eine Handbewegung, als wollte er lästige Fliegen verscheuchen. »Das habe ich alles kapiert. Aber reicht das für einen Mord? Mein Gott, es ist schließlich nur ein Job. Deshalb einen Menschen umbringen? Wieso?«

Die Antwort, die Brunetti überraschend einfiel, stammte aus einem Gespräch mit Paola. »Hochmut«, erklärte er. »Weder Wollust noch Habgier, sondern übertriebener Stolz. Wir sind die ganze Zeit dem falschen Laster nachgejagt«, schloß er und hatte den armen Vianello nun vollends verwirrt.

Der Inspektor, der offenkundig keine Ahnung hatte, wovon die Rede war, gestand nach einer langen Pause hilflos: »Ich versteh's immer noch nicht. Aber was ist jetzt? Sollen wir ihn festnehmen oder nicht?«

Brunetti sah keinen Grund zur Eile. Signor – nicht mehr Dottor – Rossi würde seinen Direktionsposten und seine Familie nicht kampflos aufgeben. Sein Instinkt sagte ihm, daß Rossi ein Mann war, der bis zum bitteren Ende durchhalten und nicht müde werden würde, seine Unschuld zu beteuern und darauf zu beharren, daß er keine Ahnung habe, wieso man ihn mit einer alten Frau in Verbindung brächte, die unglücklicherweise ermordet worden sei. Brunetti hörte förmlich seine Ausflüchte, die er, je nach Beweislage, chamäleonhaft variieren würde. Rossi hatte seine Umgebung über zehn Jahre lang getäuscht; bestimmt würde er das auch weiter versuchen.

Vianello rutschte so ungeduldig auf seinem Stuhl hin und her, daß Brunetti sich etwas einfallen lassen mußte, um ihn zu bremsen. »Wir müssen erst die Auswertung der Fingerspuren aus der Dachkammer abwarten. Sobald Bocchese nachweisen kann, daß seine dabei sind, können wir Rossi vorladen.«

»Und wenn er sich weigert? Ich meine, wegen der Fingerabdrücke?«

»Das wird er nicht tun, nicht, wenn wir ihn erst einmal hier haben«, sagte Brunetti im Brustton der Überzeugung. »Andernfalls riskierte er einen Skandal: Die Presse würde ihn in der Luft zerreißen.«

»Und wenn wir ihn als Mörder überführen, gäbe das keinen Skandal?«

»Doch, schon, aber da wird er glauben, daß er sich herausreden kann. Er wird sich als Opfer hinstellen, behaupten, er habe nicht gewußt, was er tat, sei zum Zeitpunkt des Mordes nicht er selbst gewesen.« Bevor Vianello etwas einwenden konnte, fuhr Brunetti fort: »Uns seine Fingerabdrücke zu verweigern, die wir ihm über kurz oder lang auch zwangsweise abnehmen könnten – das würde feige wirken, und darum wird er darauf verzichten.« Sein Blick schweifte kurz zum Fenster hinüber, dann wandte er sich wieder dem Inspektor zu. »Bedenken Sie, er hat sich vor Jahren mit diesem falschen Doktortitel eine Rolle erschlichen, die er nicht kampflos aufgeben wird, ganz gleich, was wir ihm nachweisen. Er hat diesen Part so lange gespielt, daß er ihn inzwischen vermutlich für sein wahres Ich hält oder sich zumindest einbildet, er hätte aufgrund seiner Position ein Recht auf Schonung.«

»Und was heißt das für uns?« fragte Vianello, der, offenbar gelangweilt von all diesen Spekulationen, die praktische Planung vorantreiben wollte.

»Das heißt, daß wir auf Bocchese warten.«

Vianello erhob sich, wollte noch etwas sagen, besann sich aber und ging wortlos hinaus.

Brunetti blieb hinter seinem Schreibtisch sitzen und dachte nach über das Phänomen der Macht und die Privilegien, die viele ihrer Vertreter wie selbstverständlich für sich in Anspruch nahmen. Er ließ Mitarbeiter und Kollegen Revue passieren, auf die dieses Verhaltensmuster passen mochte, und als ihm Tenente Scarpa einfiel, stemmte er sich aus seinem Stuhl hoch und machte sich entschlossen auf den Weg zu Scarpas Büro.

»*Avanti*«, rief Scarpa, als er es klopfen hörte.

Brunetti trat ein, ließ aber die Tür offen. Als er seinen Vorgesetzten sah, erhob sich der Tenente andeutungsweise aus seinem Sessel, eine Bewegung, die man ebenso als Suche nach einer bequemeren Sitzposition wie als Respektsbezeugung deuten mochte. »Kann ich Ihnen helfen, Commissario?« fragte er, indem er sich wieder zurücksinken ließ.

»Was geschieht mit Signora Gismondi?« verlangte Brunetti zu wissen.

Scarpas Lächeln war blanker Hohn. »Darf ich den Grund Ihrer Sorge erfahren, Commissario?«

»Nein!« entgegnete Brunetti in so gebieterischem Ton, daß Scarpa verdutzt zu ihm aufblickte. »Was haben Ihre Nachforschungen über Signora Gismondi ergeben?«

»Ich nehme an, Sie haben mit dem Vice-Questore gesprochen, und er ist damit einverstanden, daß Sie sich in meine Ermittlungen einmischen, Commissario?« ließ sich Scarpa aalglatt vernehmen.

»Tenente, ich habe Ihnen eine Frage gestellt«, gab Brunetti barsch zurück.

Vielleicht wollte Scarpa Zeit gewinnen, vielleicht war er auch nur neugierig darauf, wie weit sich Brunetti reizen ließe. »Ich habe mit ihren Nachbarn über ihren Verbleib am Morgen des Mordes gesprochen«, sagte er und sah Brunetti scheel an. Als der seinen Blick ungerührt erwiderte, fuhr er fort: »Und ich habe bei ihrem Auftraggeber angerufen und mich erkundigt, ob diese Geschichte mit ihrer angeblichen Englandreise stimmt.«

»Und haben Sie das so formuliert, Tenente?«

Scarpa machte eine zögerliche Handbewegung und sagte: »Ich weiß nicht, was Sie damit meinen, Commissario.«

»Hatten Sie tatsächlich die Stirn zu fragen, ob man das Alibi, das die Signora der Polizei gegeben hat, bestätigen könne? Oder haben Sie sich nur erkundigt, wo sie gewesen ist?«

»Oh, so genau erinnere ich mich daran leider nicht mehr, Commissario. Ich war auch weniger auf sprachliche Feinheiten bedacht, als darauf, die Wahrheit zu ergründen.«

»Und welche Antworten haben Sie bei Ihrer Suche nach der Wahrheit erhalten, Tenente?«

»Ich habe niemanden gefunden, der ihre Geschichte widerlegt, Commissario, und es scheint, als sei sie tatsächlich zur fraglichen Zeit in London gewesen.«

»Dann hat sie also die Wahrheit gesagt?« fragte Brunetti.

»Es hat den Anschein«, räumte Scarpa widerstrebend ein. »Zumindest so lange, bis ich jemanden ausfindig mache, der das Gegenteil bezeugt.«

»Nun, Tenente, dazu wird es nicht kommen.«

Scarpa blickte entgeistert auf. »Wie bitte, Commissario?«

»Dazu wird es nicht kommen, Tenente, weil Sie mit sofortiger Wirkung sämtliche Ermittlungen gegen Signora Gismondi einstellen werden.«

»Aber ich fürchte, meine Pflicht als ...« begann Scarpa.

Doch hier verlor Brunetti die Beherrschung. Er warf sich mit dem Oberkörper so weit über den Schreibtisch, daß ihre Gesichter nur noch zentimeterweit voneinander entfernt waren. Scarpas Atem roch schwach nach Pfefferminz. »Wenn Sie nur noch einen einzigen Zeugen über sie ausfragen, Tenente, dann mache ich Sie fertig.«

Scarpas Kopf zuckte erschrocken zurück, sein Mund klappte stumm auf und zu.

Brunetti stemmte die Handflächen auf die Tischplatte und lehnte sich noch weiter vor, bis er fast Stirn an Stirn mit seinem Widersacher zusammenstieß. »Wenn ich erfahre, daß Sie weiter Erkundigungen über sie einziehen oder gar unterstellen, daß sie in diesen Fall verwickelt sei, dann sorge ich dafür, daß Sie fliegen, Tenente.« Brunetti packte Scarpa am Revers und zog ihn mit einem Ruck aus dem Sessel. Sein Gesicht war blutrot vor Zorn. »Haben Sie mich verstanden, Mann?«

Scarpa versuchte zu antworten, aber er konnte nur stumm die Lippen bewegen.

Brunetti stieß ihn unsanft in seinen Sessel zurück und verließ das Büro. Auf dem Gang wäre er beinahe mit Pucetti zusammengestoßen, der offenbar direkt hinter der Tür gestanden hatte. »Ah, Commissario«, sagte der junge Beamte und machte dabei ein ganz harmloses Gesicht, »ich wollte mich bei Ihnen nach dem Dienstplan für die nächste Woche erkundigen. Aber das hat sich wohl erledigt, denn wie ich eben zufällig mitbekam, haben Sie ihn schon mit Tenente Scarpa abgesprochen.« Worauf Pucetti ernst und respektvoll salutierte und Brunetti wieder nach oben ging.

In seinem Büro setzte er sich hinter den Schreibtisch und wartete auf den Anruf von Bocchese, zuversichtlich, daß der sich melden würde, sobald er die Spuren von Signora Battestinis Speicher ausgewertet hatte. In der Zwischenzeit rief er Lalli, Masiero und Desideri an und teilte ihnen mit, sie bräuchten sich nicht weiter zu bemühen, denn er glaube zu wissen, wer die alte Frau ermordet habe. Keiner der drei fragte ihn nach dem Namen; alle bedankten sich für den Anruf.

Er meldete sich auch noch bei Signorina Elettra und erkundigte sich nach Signora Battestinis letztem Telefonat mit der Schulbehörde. »Es ist mir ein Rätsel«, gestand sie. »Warum sollte sie plötzlich aus heiterem Himmel mit ihm reden wollen? Die Erpressung lief schon seit über zehn Jahren, und in der ganzen Zeit hat sie nur ein einziges Mal Kontakt zu ihm aufgenommen, damals, kurz nach der Währungsumstellung.« Bevor er nachhaken konnte, bestätigte sie: »Doch, ich habe ihre Telefonverbindungen für den gesamten Zeitraum überprüft. Das waren die einzigen Anrufe zwischen ihr und Rossi.« Und nach einer langen Pause sagte sie ratlos: »Es ergibt einfach keinen Sinn.«

»Vielleicht ist sie gierig geworden«, schlug Brunetti vor.

»Mit dreiundachtzig?« fragte Signorina Elettra. »Darüber muß ich erst mal nachdenken«, befand sie und legte auf.

Als noch eine Stunde verstrichen war, ging Brunetti hinunter in Boccheses Büro, wo er von einem Assistenten erfuhr, daß der Chef noch bei einer Tatortbegehung in Cannaregio sei. Daraufhin genehmigte sich Brunetti in der Bar an der Brücke ein Glas Wein und ein *panino*, vertrat sich an der *riva* ein wenig die Beine und genoß den Blick hinüber zu San Giorgio und Il Redentore, ehe er sich wieder in sein Büro begab.

Er war kaum mehr als zehn Minuten zurück und eben damit beschäftigt, Ordnung in seinen überquellenden Schreibtischschubladen zu schaffen, als Signorina Elettra auf der Türschwelle erschien. Er hatte gerade noch Zeit festzustellen, daß sie grüne Schuhe trug, bevor sie ohne jede Einleitung sagte: »Sie hatten recht, Commissario. Sie ist tatsächlich gierig geworden.« Und als Brunetti schwieg: »Sie sagten doch, sie hätte in den letzten Jahren nur noch vor dem Fernseher gesessen, nicht wahr?«

Es dauerte noch einen Moment, bis Brunetti sich vom Anblick dieses Grüns losreißen konnte. »Ja, die ganze Nachbarschaft hat darüber geredet.«

»Dann sehen Sie sich das einmal an«, sagte sie, trat an seinen Schreibtisch und reichte ihm eine Fotokopie des Fernsehprogramms, das täglich im *Gazzettino* erschien. »Schauen Sie unter 23 Uhr nach, Commissario.«

Er tat, wie ihm geheißen, und sah, daß der Lokalsender eine Dokumentation mit dem Titel *I Nostri Professionisti* ankündigte. »Was denn für Akademiker?« fragte er.

Ohne darauf zu antworten, fuhr sie fort: »Und jetzt beachten Sie das Datum.«

Ende Juli, drei Tage vor dem Mord, einen Tag vor Signora Battestinis Anruf bei der Schulbehörde.

»Und?« fragte er und reichte ihr das Blatt zurück.

»Einer unserer ›ortsansässigen Akademiker‹ war Dottor Mauro Rossi, Direktor der Schulbehörde, der von Alessandra Duca interviewt wurde.«

»Wie sind Sie darauf gestoßen?« Sein Erstaunen und seine Bewunderung hielten sich die Waage.

»Ich habe im Internet einen Abgleich zwischen seinem Namen und dem Fernsehprogramm der letzten paar Wochen gemacht«, sagte sie. »Wenn die alte Frau immer nur vor dem Fernseher saß, war das die einzige Möglichkeit, wie sie etwas über ihn hätte erfahren können.«

»Und?« fragte Brunetti wieder.

»Ich habe mit der Journalistin gesprochen. Sie sagt, es sei die übliche Lobhudelei gewesen: Langweilige Bürokraten äußern sich vor der Kamera über ihre faszinierende Arbeit in der Stadtverwaltung – eins von den Programmen, die spätabends ausgestrahlt werden, wenn kein Mensch mehr zuschaut.«

Für Brunetti klang das wie eine Pauschalbeschreibung fast aller Lokalsendungen, aber er sagte nur: »Und haben Sie sie auch nach Rossi gefragt?«

»Ja, natürlich. Die Duca meint, er hätte ganz typisch reagiert: ließ sich lang und breit und mit falscher Bescheidenheit über seine Karriere und seine Erfolge aus. Aber er hätte seine Arroganz so schlecht kaschiert, daß sie ihm mehr Redezeit einräumte, als solche Typen normalerweise bekommen, nur um zu sehen, wie weit er gehen würde.«

»Und? Wie weit war das?«

»Er sprach – wie die Duca sagte, in aller gebotenen Demut und Zurückhaltung – von einer möglichen Versetzung nach Rom, ins Ministerium.«

Brunetti überlegte, was zu einer solch glanzvollen Prognose dazugehören mochte, und riet aufs Geratewohl: »Hat er auch die Möglichkeit einer lukrativen Gehaltserhöhung angedeutet?«

»Nur ganz indirekt, sagt die Duca. Vordergründig hätte er betont, daß er seine Kräfte in den Dienst an der Zukunft der italienischen Jugend stellen wolle.« Signorina Elettra ließ das einen Moment nachwirken und fuhr dann fort: »Aber sie hat auch gesagt, daß seine Chancen, nach Rom zu gehen, nach ihrer Kenntnis unserer kommunalpolitischen

Szene ungefähr so groß sind wie die des Bürgermeisters auf eine Wiederwahl.«

Nach einer langen Pause sagte Brunetti: »Also doch.«

»Wie bitte?«

»Habgier. Sogar noch mit dreiundachtzig.«

»Ja«, entgegnete sie. »Wie traurig.«

Unversehens stand Bocchese, der sich in der Questura normalerweise nicht außerhalb seines Büros blicken ließ, in der Tür. »Ich habe Sie gesucht«, sagte er vorwurfsvoll zu Brunetti. Dann nickte er Signorina Elettra zu, trat näher und breitete etliche Utensilien auf dem Schreibtisch aus. »Also dann, Commissario, ich brauche Ihre Fingerabdrücke.«

Brunetti sah, wie Bocchese die vorgefertigten Pappen mit den Umrissen für Daumen und Finger zurechtrückte. Dann klappte er die flache Dose mit dem Stempelkissen auf und winkte Brunetti ungeduldig zu sich herüber. Der Commissario erhob sich und überließ ihm erst die rechte, dann die linke Hand. Der erfahrene Kriminaltechniker arbeitete flink und geschickt, so daß die Prozedur im Nu vorüber war.

Doch als Bocchese die beiden Pappschablonen beiseite schob, kam darunter ein zweites Paar zum Vorschein. »Ich könnte doch Ihre Abdrücke auch gleich nehmen, Signorina«, sagte er.

»Nein, danke«, wehrte sie ab und wich demonstrativ bis an die Tür zurück.

»Na, was denn?« rief Bocchese in einem Ton, der über eine bloße Frage hinausging, aber noch kein Befehl war.

»Ich verzichte lieber«, sagte sie, und damit mußte er sich zufriedengeben.

Achselzuckend griff Bocchese nach den Schablonen mit Brunettis Fingerabdrücken und musterte sie sorgfältig. »Von denen haben wir garantiert keine in der Dachkammer gefunden. Dafür aber jede Menge andere, höchstwahrscheinlich von einer männlichen Person, groß und kräftig.«

»Jede Menge?« wiederholte Brunetti.

»Sieht aus, als hätte er alles durchwühlt«, bestätigte Bocchese. Und als er sicher war, daß Brunetti ihm gespannt zuhörte, fuhr er fort: »Einen Satz derselben Fingerspuren haben wir an der Unterseite des Küchentischs sichergestellt. Also, meiner Meinung nach sind es dieselben, aber um jeden Zweifel auszuschließen, müssen wir sie natürlich nach Brüssel zu Interpol einschicken.«

»Und wie lange wird das dauern?« fragte Brunetti.

Wieder zuckte Bocchese mit den Schultern. »Eine Woche? Einen Monat?« Er schob die Schablonen in einen Plastikumschlag und steckte die Dose mit dem Stempelkissen in seine Tasche. »Vielleicht kennen Sie ja jemanden in Brüssel? Der die Sache ein wenig beschleunigen könnte?«

»Nein, leider nicht«, gestand Brunetti.

Worauf beide Männer sich wie auf Verabredung mit flehendem Blick an Signorina Elettra wandten.

»Ich will sehen, was ich tun kann«, versprach sie.

24

Brunetti verbrachte die nächste Stunde allein in seinem Büro und überlegte hin und her, wie Rossi am besten zu packen sei. Doch so oft er auch zwischen Schreibtisch und Fenster auf und ab ging, er konnte sich nur schwer konzentrieren, weil ihm, egal woran er dachte, ständig die sieben Todsünden in die Quere kamen. Juristisch gesehen wäre keine davon heutzutage noch strafbar; schlimmstenfalls würde man sie als Charakterfehler einstufen. War das wieder so ein Indiz für die Kluft zwischen alter und neuer Welt? Wochenlang hatte Paola ihm aus den Texten vorgelesen, die seine Tochter im Religionsunterricht durchnahm, ohne daß er sich dabei je gefragt hätte, ob man sie auch den Begriff der Sünde lehrte, und wenn ja, wie der nun definiert wurde.

Diebstahl war ein Verbrechen, Habsucht und Neid nur die Laster, die einen dafür prädisponierten. Ebenso wie das Laster der Trägheit; jedenfalls gerieten seiner Erfahrung nach viele Kriminelle auf die schiefe Bahn, weil sie glaubten, es sei leichter, sich den Lebensunterhalt durch Stehlen zu finanzieren als mit ehrlicher Arbeit. Auch Erpressung war ein Verbrechen, wiederum begünstigt durch die nämlichen drei Laster.

Was Rossi betraf, so tippte Brunetti auf Hochmut als Auslöser für sein Verbrechen. Jeder normale Mensch würde die Entdeckung seines Schwindels als Blamage einstufen, peinlich, gewiß, aber viel mehr nicht. Schlimmstenfalls würde er seinen Direktionsposten bei der Schulbehörde verlieren, doch ein Mann mit seinen Beziehungen konnte leicht wieder Arbeit finden; die Stadtverwaltung würde ihn auf irgendeine obskure Stelle versetzen und dort bei gleichem Gehalt unbehelligt bis zur Pensionierung ausharren lassen.

Aber natürlich wäre er dann nicht mehr Dottor Rossi, und kein Fernsehsender würde ihn mehr einladen, damit er einer aufmerksamen Journalistin mit seinen Aussichten auf eine Beförderung nach Rom imponieren konnte. Die Nachricht über seine Entlarvung würde sich keine Woche halten und höchstens in der Lokalpresse für einen kleinen Wirbel sorgen, während die überregionalen Zeitungen sich kaum dafür interessieren dürften. Das Gedächtnis der Öffentlichkeit wurde mit jedem Tag kürzer, seit man es im Fernsehen auf die Länge eines Videoclips trainierte. Und so würde denn auch der Skandal um den falschen Doktor spätestens zum Monatsende vergessen sein. Aber selbst das konnte Rossis Stolz nicht ertragen.

Endlich siegte die Neugier, und Brunetti rief unten im Dienstzimmer bei Vianello an. »Kommen Sie, wir schnappen ihn uns« war alles, was er sagte. Dann ging er noch rasch bei Bocchese vorbei und ließ sich eine Fotokopie des Schreibens von der Universität Padua geben.

Er und Vianello beschlossen, zu Fuß zur Schulbehörde zu gehen, und obwohl sie unterwegs über Rossi sprachen, gelang es keinem von beiden, das Verhalten des Mannes wirklich zu verstehen. Was an ihrer moralischen Kurzsichtigkeit liegen mochte oder an mangelnder Phantasie.

Diesmal machte Brunetti nicht beim *portiere* halt, sondern stieg unverzüglich die Treppen zum dritten Stock hinauf. In den Büros herrschte an diesem Morgen reger Betrieb; Angestellte mit Papieren oder Aktenordnern unterm Arm gingen ein und aus, ganz die emsigen Ameisen, die in jeder städtischen Behörde herumwuselten. Die Frau mit der gepiercten Schläfe saß wieder an ihrem Schreibtisch, doch ihr Interesse am Leben schien seit seinem letzten Besuch nicht gewachsen zu sein. Ihre Augen glitten blicklos über ihn hinweg. Und die sechs oder sieben Leute, die auf den Stühlen an der Längswand saßen und Brunetti und Vianello bei ihrem Eintreten aufmerksam musterten, nahm sie erst recht nicht zur Kenntnis.

»Wir möchten den Direktor sprechen«, sagte Brunetti.

»Ich glaube, er ist in seinem Büro«, erwiderte sie und wedelte lässig mit ihren grünlackierten Fingernägeln. Brunetti bedankte sich und war schon fast an der Tür, die auf den Gang vor Rossis Büro führte, als er noch einmal umkehren und Vianello loseisen mußte, der wie angewurzelt vor der Empfangsdame stand.

Die Tür zu Rossis Büro stand offen, und sie traten ein, ohne anzuklopfen. Rossi saß hinter seinem Schreibtisch; derselbe Mann, und doch auf eine Weise, die Brunetti nur schwer fassen konnte, ein ganz anderer. Der Blick seiner tiefbraunen Augen schien auf einmal ähnlich unstet und ins Leere gerichtet wie bei der Frau draußen am Empfang.

Brunetti durchmaß raschen Schrittes den Raum und blieb vor Rossis Schreibtisch stehen. Es bedurfte nur einer leichten Drehung des Kopfes, und er konnte den Text der Urkunde in dem geschnitzten Teakholzrahmen lesen, jener Urkunde der Universität Padua, die Mauro Rossi zum Doktor der Philosophie im Fach Wirtschaftswissenschaften ernannte.

»Wo haben Sie das her, Signor Rossi?« fragte Brunetti und wies mit dem Daumen seiner Rechten auf das gerahmte Diplom.

Rossi hüstelte leise, richtete sich in seinem Stuhl auf und sagte: »Ich weiß nicht, wovon Sie reden.«

Eine Finte, über die Brunetti achselzuckend hinwegging. Er holte Boccheses Kopie aus der Tasche, faltete sie auseinander und legte sie wie beiläufig vor Rossi auf den Tisch. »Wissen Sie vielleicht jetzt, wovon die Rede ist, Signor Rossi?« fragte er angriffslustig.

»Was ist das?« stammelte Rossi, der nicht hinzusehen wagte.

»Das, wonach Sie auf dem Dachboden gesucht haben«, antwortete Brunetti.

Rossi sah Vianello an, dann Brunetti und senkte endlich den Blick wie gebannt auf den Brief. Seine Lippen bewegten sich, als er zu lesen begann, und Brunetti sah, wie seine Augen zwischen dem Siegel am unteren Rand des Schreibens und dem Briefkopf hin und her irrten. Dann setzte er aufs neue an und las alles noch einmal langsam durch.

Endlich schaute er zu Brunetti auf und sagte: »Aber ich habe zwei Kinder.«

Beinahe wäre der Commissario versucht gewesen, sich mit ihm auf eine Diskussion einzulassen; allein er wußte, wohin das geführt hätte: Rossi würde das Glück seiner beiden Kinder gegen Signora Battestinis Leben aufwiegen und die Verteidigung seines guten Rufs, ja seiner Ehre gegen die Drohungen der alten Frau, ihn zu vernichten. Wenn es sich um ein Theaterstück oder eine TV-Seifenoper gehandelt hätte, wäre es Brunetti nicht schwergefallen, den Text beziehungsweise das Drehbuch zu verfassen, und als Regisseur hätte er genau gewußt, wie er dem Schauspieler, der den Rossi gab, beibringen würde, jeden Satz fahrig, entrüstet und, ja, mit verletztem Stolz vorzutragen.

»Ich verhafte Sie, Signor Mauro Rossi«, sagte er endlich, »wegen des Mordes an Maria Grazia Battestini.« Rossi starrte ihn aus weit aufgerissenen Augen an, die, wenn nicht Spiegel seiner Seele, so doch gewiß das Abbild jener Leere im stumpfen Blick seiner Empfangsdame waren. »Kommen Sie«, sagte Brunetti und wandte sich zum Gehen. Rossi stützte beide Handflächen auf die Tischplatte und stemmte sich schwerfällig aus seinem Sessel hoch. Als Brunetti sich nach ihm umdrehte, sah er, daß seine Hände auf dem Brief der Universität Padua ruhten, was Rossi indes nicht zu bemerken schien.

Eine Woche später war Rossi wieder aus der Haft entlassen, stand allerdings unter Hausarrest. Seinen Posten als Direttore della Pubblia Istruzione hatte er nicht verloren, sondern war auf unbestimmte Frist beurlaubt, während der Prozeß sich zäh und träge dahinschleppte.

Beim Verhör hatte er, in Gegenwart seines Anwalts, den Mord an Signora Battestini gestanden, sich allerdings für die Tatzeit auf einen Blackout berufen. Seiner Aussage zufolge hatte die Alte ihn einige Zeit vor ihrem Tod angerufen und zu einem Gespräch zitiert. Erst habe er sich geweigert, doch sie habe ihn bedroht und, bevor sie auflegte, verlangt, er solle sie zurückrufen, wenn er zur Vernunft

gekommen sei. In der Hoffnung, daß sie mit sich reden ließe, hatte er am nächsten Tag tatsächlich bei ihr angerufen,
aber sie hatte ihm wieder gedroht, und so blieb ihm keine
andere Wahl, als hinzugehen.

Da hatte sie ihm dann eröffnet, daß sie mehr Geld ver-
lange, fünfmal soviel. Und als er beteuerte, das könne er
nicht zahlen, sagte sie, sie habe ihn im Fernsehen gesehen
und wisse, daß ihm ein wichtiger Regierungsposten und ein
fürstliches Gehalt in Aussicht stünden. Er hatte versucht, ihr
klarzumachen, daß diese Beförderung noch längst nicht
spruchreif sei und er lediglich darauf hoffen könne. Aber sie
hatte ihm einfach nicht zugehört. Und als er von den beiden
Kindern sprach, für die er sorgen müsse, da hatte sie ihn erst
recht beschimpft und gekeift, sie habe keinen Sohn mehr, ihr
Junge sei tot, und auch dafür müsse er bezahlen. Er hatte sie
beruhigen wollen, aber sie war regelrecht hysterisch geworden und hatte – so behauptete er – versucht, ihn zu schlagen.

Dann erklärte sie plötzlich, sie wolle das Geld nicht
mehr, sondern würde ihn vor aller Welt bloßstellen. Die
Fenster standen offen, und sie drohte, es über die ganze
Stadt hinauszuschreien, daß er ein falscher Doktor sei. Danach setzte angeblich sein Gedächtnis aus, und er konnte
sich an nichts erinnern, bis zu dem Moment, als sie vor ihm
am Boden lag. Wie das Erwachen aus einem Alptraum sei
das gewesen, sagte er. Auch als Brunetti ihn ins Kreuzverhör nahm, blieb er dabei, daß er sich nicht erinnern könne,
sie geschlagen zu haben. Erst angesichts der blutigen Statue
in seiner Hand habe er begriffen, was geschehen sei.

Brunetti hatte das besonders einfallslos gefunden, aber
im Grunde war dieses schamlos auf Entlastung zielende Ge-

ständnis insgesamt wenig einfallsreich. Rossis Anwalt hatte die ganze Zeit mit feierlich ernster Miene dabeigesessen und einmal sogar so etwas wie mitfühlendes Gemurmel von sich gegeben.

Die nackte Angst, behauptete Rossi, habe ihn aus dem Haus getrieben. Nein, er könne sich nicht erinnern, die Statue abgewischt zu haben, weil er sich, wie gesagt, an nichts erinnere; vor allem nicht daran, die Alte getötet zu haben; nur ihr Geschrei, das sei ihm im Gedächtnis geblieben, und wie sie nach ihm geschlagen habe.

Erst Brunettis Besuch in seinem Büro habe ihn veranlaßt, Signora Battestinis Speicher zu durchsuchen. Ja, natürlich hatte er von dem Brief aus Padua gewußt: Jahrelang hatte dieses Damoklesschwert über ihm geschwebt. Kurz nach der Geburt seines ersten Kindes, als er, um seine Familie unterhalten zu können, dringend einen besser dotierten Posten suchte, hatte er den falschen Doktortitel in seinen Lebenslauf geschmuggelt und sich in einer einfachen Druckerei die dazugehörige Urkunde anfertigen lassen. Die ersehnte Stelle hatte er zwar bekommen, aber von da an lebte er in ständiger Furcht vor Entdeckung. Und bei dem Streit mit Signora Battestini war er dieser Belastung offenbar endgültig erlegen. Er war gleichermaßen ein Opfer seiner Angst und ihrer Habgier.

Als Brunetti am Abend nach der Vernehmung bei Paola im Arbeitszimmer saß und ihr von Rossis Opferversion erzählte, prophezeite er, daß die Verteidigung genau darauf aufbauen würde.

»*Er* ist das Opfer, verstehst du«, sagte er bitter. Sie saßen drinnen und hatten Raffi und Sara die Terrasse überlassen, damit die beiden ungestört waren bei dem, was junge Leute im sanften Licht eines Spätsommerabends mit Blick über die Dächer von Venedig eben so tun.

»Und Signora Battestini ist keins.« Paola formulierte es nicht als Frage, sondern als Feststellung, eine traurige Wahrheit, die all jene mit einschloß, die bereits tot und folglich zu nichts mehr nütze waren. Brunetti fühlte sich unwillkürlich an ein besonders abstoßendes Stalin-Zitat erinnert: »Kein Mensch – kein Problem.«

»Was wird mit ihm geschehen?« fragte Paola.

Brunetti konnte darauf zwar nicht mit Bestimmtheit antworten, aber der Ausgang ähnlich gelagerter Fälle, in denen der Ermordete zu Lebzeiten keinerlei Sympathie geweckt und der Mörder sich ebenfalls als Opfer stilisiert hatte, erlaubte ihm immerhin eine Prognose. »Wahrscheinlich wird man ihn verurteilen, das heißt, er bekommt etwa sieben Jahre, vielleicht auch weniger, aber bis das Urteil vollstreckt wird, können leicht zwei, drei Jahre vergehen, die er dann schon von seiner Strafe verbüßt hat.«

»Unter Hausarrest?« fragte sie.

»Auch das zählt«, sagte Brunetti.

»Und dann?«

»Dann wandert er ins Gefängnis, bis die Revision eingereicht ist, die das Verfahren erneut ins Rollen bringt. Aber weil die Revision ganz sicher zugelassen und er bestimmt nicht als eine Gefahr für die Gesellschaft angesehen wird, schicken sie ihn wohl wieder nach Hause.«

»Bis wann?«

»Bis die Revisionsverhandlung durch ist.« Bevor sie nachfragen konnte, fuhr er fort: »Was noch mal ein paar Jahre dauert, und selbst wenn es bei dem ursprünglichen Urteil bleibt, entscheiden die Richter höchstwahrscheinlich, daß er inzwischen lange genug gebüßt hat, und setzen ihn auf freien Fuß.«

»Einfach so?« fragte Paola.

»Na ja, ein paar Abweichungen wird es schon geben«, sagte Brunetti und griff nach dem Buch, das er vor dem Essen beiseite gelegt hatte.

»Und das ist alles?« Paolas Stimme klang mühsam beherrscht.

Er nickte und nahm das Buch auf den Schoß. Als sie schwieg, fragte er: »Liest du immer noch in Chiaras Katechismus?«

Sie schüttelte den Kopf. »Nein, das habe ich aufgegeben.«

»Vielleicht könntest du darin ja eine Antwort auf all diese Fragen finden.«

»Wo?« forschte sie. »Wie?«

»Indem du das tust, was du mir neulich geraten hast: eschatologisch denken«, sagte er. »Tod. Jüngstes Gericht. Himmel. Hölle.«

»Aber daran glaubst du doch gar nicht, oder?« fragte Paola verwundert.

»Manchmal wäre es ganz schön, wenn man's könnte«, sagte er und schlug sein Buch auf.

Bitte beachten Sie auch
die folgenden Seiten

Donna Leon
im Diogenes Verlag

»Donna Leons Krimis mit dem attraktiven Commissario Brunetti haben eine ähnliche Sogwirkung wie die Stadt, in der sie spielen.«
Franziska Wolffheim / Brigitte, Hamburg

»Commissario Brunetti macht süchtig.« *Emma, Köln*

»Donna Leon hat mit dem sensiblen Commissario Brunetti eine Kult-Figur geschaffen.«
Martina I. Kischke / Frankfurter Rundschau

Venezianisches Finale
Roman. Aus dem Amerikanischen von Monika Elwenspoek

Endstation Venedig
Roman. Deutsch von Monika Elwenspoek

Venezianische Scharade
Roman. Deutsch von Monika Elwenspoek

Vendetta
Roman. Deutsch von Monika Elwenspoek

Acqua alta
Roman. Deutsch von Monika Elwenspoek

Sanft entschlafen
Roman. Deutsch von Monika Elwenspoek

Nobiltà
Roman. Deutsch von Monika Elwenspoek

In Sachen Signora Brunetti
Roman. Deutsch von Monika Elwenspoek

Feine Freunde
Roman. Deutsch von Monika Elwenspoek

Das Gesetz der Lagune
Roman. Deutsch von Monika Elwenspoek

Die dunkle Stunde der Serenissima
Roman. Deutsch von Christa E. Seibicke

Verschwiegene Kanäle
Roman. Deutsch von Christa E. Seibicke

Beweise, daß es böse ist
Roman. Deutsch von Christa E. Seibicke

Blutige Steine
Roman. Deutsch von Christa E. Seibicke
Auch als Diogenes Hörbuch erschienen, gelesen von Achim Höppner

Über Venedig, Musik, Menschen und Bücher
Deutsch von Thomas Bodmer, Christiane Buchner, Monika Elwenspoek, Reinhard Kaiser und Christa E. Seibicke
Ausgewählte Geschichten auch als Diogenes Hörbuch erschienen: *Mein Venedig*, gelesen von Hannelore Hoger

Magdalen Nabb
im Diogenes Verlag

»Wie man Italophilie, Krimi und psychologisches Einfühlungsvermögen zwischen zwei Buchdeckel bekommt, ist bei der Engländerin Magdalen Nabb nachzulesen. Die Reihe um einen einfachen, klugen sizilianischen Wachtmeister, der seinen Dienst in Florenz versieht, ist ein Kleinod der Krimikultur.«
Alex Coutts / Ultimo, Bielefeld

Die Fälle für
Maresciallo Guarnaccia:

Tod im Frühling
Roman. Aus dem Englischen von Matthias Müller. Mit einem Vorwort von Georges Simenon

Tod im Herbst
Roman. Deutsch von Matthias Fienbork

Tod eines Engländers
Roman. Deutsch von Matthias Fienbork

Tod eines Holländers
Roman. Deutsch von Matthias Fienbork

Tod in Florenz
Roman. Deutsch von Monika Elwenspoek

Tod einer Queen
Roman. Deutsch von Matthias Fienbork

Tod im Palazzo
Roman. Deutsch von Matthias Fienbork

Tod einer Verrückten
Roman. Deutsch von Irene Rumler

Das Ungeheuer von Florenz
Roman. Deutsch von Silvia Morawetz

Geburtstag in Florenz
Roman. Deutsch von Christa E. Seibicke

Alta moda
Roman. Deutsch von Christa E. Seibicke

Nachtblüten
Roman. Deutsch von Christa E. Seibicke

Eine Japanerin in Florenz
Roman. Deutsch von Ursula Kösters-Roth

Cosimo
Roman. Deutsch von Ursula Kösters-Roth

Magdalen Nabb & Paolo Vagheggi:
Terror
Roman. Deutsch von Bernd Samland

Jugendbücher:
Ein neuer Anfang
Roman. Deutsch von Ursula Kösters-Roth

Das Zauberpferd
Roman. Deutsch von Sybil Gräfin Schönfeldt

Kinderbücher:
Finchen im Winter
Finchen im Herbst
Finchen im Frühling
Mit Bildern von Karen Donnelly. Deutsch von Ursula Kösters-Roth

Liaty Pisani
im Diogenes Verlag

Mit Ogden hat Liaty Pisani einen Spion geschaffen, der eine fatale Schwäche hat: Er hat ein Gewissen. Dennoch wird er mit seiner Intelligenz und Schnelligkeit bei den heikelsten Missionen eingesetzt. Für Ogden ist der Dienst seine Familie: als Ziehsohn eines Geheimdienstbosses ist er mit den Umgangsformen in der Welt der Top-Secret-Informationen vertraut. Was ihm nicht jede böse Überraschung erspart.

»Wenn es sich nicht noch herausstellt, daß es sich bei Liaty Pisani um John Le Carrés Sekretärin handelt, die ihm die Manuskripte maust, dann haben wir endlich eine weibliche Spionage-Autorin. Noch dazu eine mit literarischem Schreibgefühl.«
Martina I. Kischke/Frankfurter Rundschau

Der Spion und der Analytiker
Roman. Aus dem Italienischen von Linde Birk
(vormals: *Tod eines Forschers*)

Der Spion und der Dichter
Roman. Deutsch von Ulrich Hartmann

Der Spion und der Bankier
Roman. Deutsch von Ulrich Hartmann

Der Spion und der Schauspieler
Schweigen ist Silber
Roman. Deutsch von Ulrich Hartmann

Die Nacht der Macht
Der Spion und der Präsident
Roman. Deutsch von Ulrich Hartmann

Stille Elite
Der Spion und der Rockstar
Roman. Deutsch von Ulrich Hartmann

Amélie Nothomb
im Diogenes Verlag

»Ein Nothomb-Buch ist immer: voller Anekdoten, Schwung und wörtlicher Rede. Schlau komponiert, humorvoll trocken, ein bißchen weise und sehr unterhaltsam.« *Jochen Förster/Die Welt, Berlin*

»So jung und so genial.«
Süddeutscher Rundfunk, Stuttgart

»Erstaunlich, wie profund und abgründig Amélie Nothomb erzählt.«
Christian Seiler/Die Weltwoche, Zürich

»Ein literarischer Superstar.«
Frankfurter Rundschau

»Wie herrlich kann Bosheit sein, wenn sie in guter Prosa daherkommt!« *Le Nouvel Observateur, Paris*

Die Reinheit des Mörders
Roman. Aus dem Französischen von Wolfgang Krege

Liebessabotage
Roman. Deutsch von Wolfgang Krege

Der Professor
Roman. Deutsch von Wolfgang Krege

Mit Staunen und Zittern
Roman. Deutsch von Wolfgang Krege

Quecksilber
Roman. Deutsch von Wolfgang Krege

Metaphysik der Röhren
Roman. Deutsch von Wolfgang Krege

Im Namen des Lexikons
Roman. Deutsch von Wolfgang Krege

Kosmetik des Bösen
Roman. Deutsch von Brigitte Große

Böses Mädchen
Roman. Deutsch von Brigitte Große

Attentat
Roman. Deutsch von Wolfgang Krege

Barbara Vine
im Diogenes Verlag

Barbara Vine (i.e. Ruth Rendell) wurde 1930 in London geboren, wo sie auch heute lebt. Sie arbeitete als Reporterin und Redakteurin für verschiedene Magazine. Seit 1965 schreibt sie Romane und Stories, die verschiedentlich ausgezeichnet wurden.

»Barbara Vine alias Ruth Rendell ist in der englischsprachigen Welt längst zum Synonym für anspruchsvollste Kriminalliteratur geworden.«
Österreichischer Rundfunk, Wien

»Ihre Romane spüren den finstersten Besessenheiten, den Obsessionen, Zwängen und emotionalen Abhängigkeiten, den Selbsttäuschungen und Realitätsverlusten von Liebes- oder Haßsüchtigen nach. Barbara Vine: die beste Reiseführerin nach Tory-England und ins Innere der britischen Kollektivseele.«
Sigrid Löffler/profil, Wien

Die im Dunkeln sieht man doch

Es scheint die Sonne noch so schön

Das Haus der Stufen

Liebesbeweise

König Salomons Teppich

Astas Tagebuch

Keine Nacht dir zu lang

Schwefelhochzeit

Der schwarze Falter

Heuschrecken

Königliche Krankheit

Alle Romane aus dem Englischen von Renate Orth-Guttmann

Valerie Wilson Wesley
im Diogenes Verlag

»Die aufregendste Entdeckung auf dem Krimi-Gebiet: Valerie Wilson Wesley. Endlich wieder einmal eine Crime-Lady, die ihre gewaltversessenen männlichen Kollegen nicht einfach durch noch mehr Hartgesottenes zu übertrumpfen sucht. Mit Tamara Hayle hat Valerie Wilson Wesley eine echte, überzeugende Frauenfigur als Privatdetektivin geschaffen, die das Zerbrechen elementarer mitmenschlicher Ordnungen miterlebend erhellt.«
Gerhard Beckmann / Die Welt, Berlin

»Man könnte sich sicher schnell an die sympathische Farbige gewöhnen, so wie man ganz schnell Brunetti-süchtig wurde.«
Dieter Schneider / Antenne Brandenburg

Es wird alles anders bleiben
Roman. Aus dem Amerikanischen
von Gertraude Krueger

Vier Frauen
Roman. Deutsch von Gertraude Krueger

Die Fälle für Tamara Hayle:

Ein Engel über deinem Grab
Roman. Deutsch von Gertraude Krueger

Todesblues
Roman. Deutsch von Gertraude Krueger

Auf dem Weg nach oben
Roman. Deutsch von Gertraude Krueger

Off-Road-Kids
Roman. Deutsch von Gertraude Krueger

Remember Celia Jones
Roman. Deutsch von Gertraude Krueger